영재학급·영재교육원 대비서

팩토 영재성 검사 창의적 문제 해결력

수학

매스티안

구성과 특징

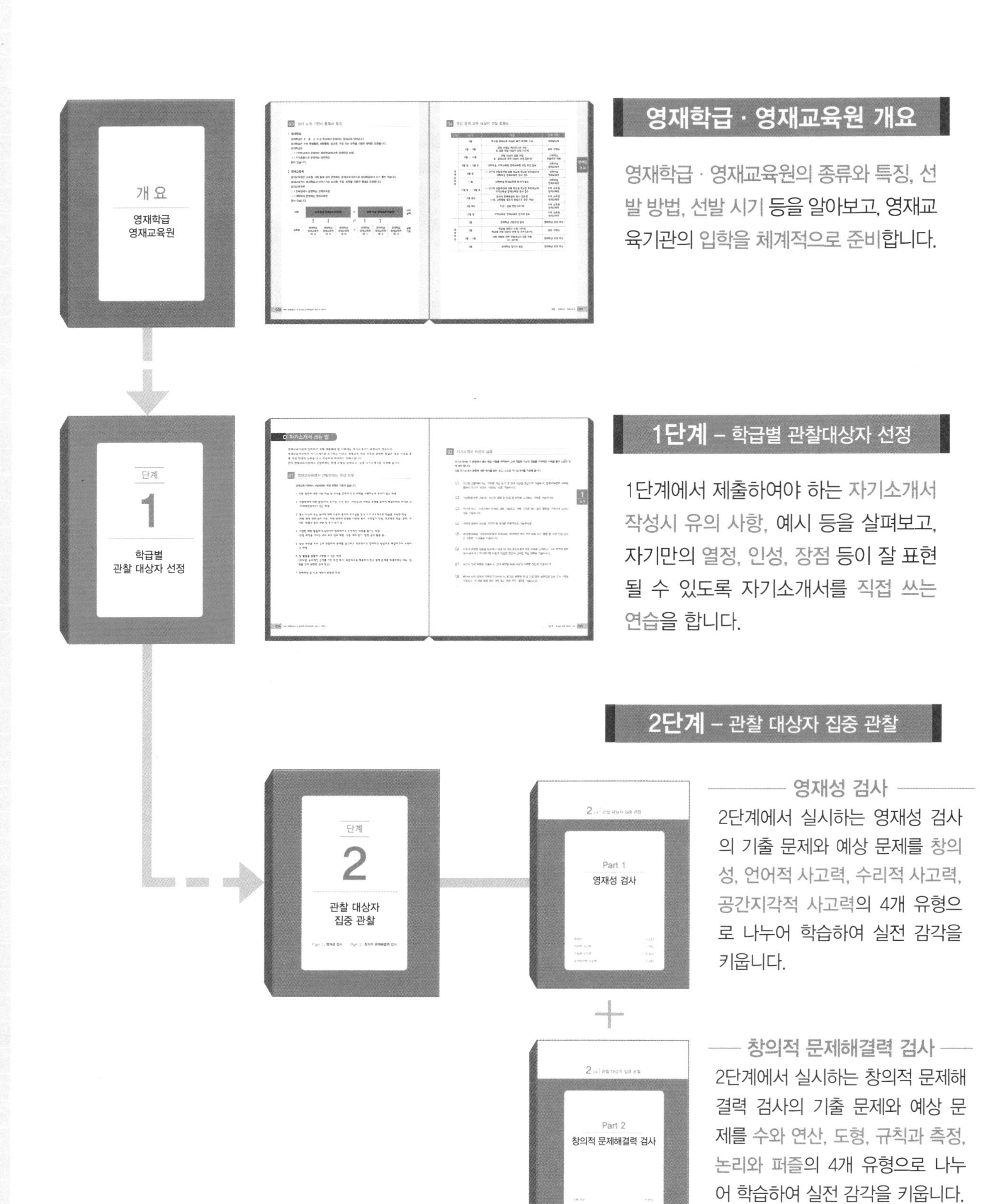

영재학급 · 영재교육원 개요

영재학급 · 영재교육원의 종류와 특징, 선발 방법, 선발 시기 등을 알아보고, 영재교육기관의 입학을 체계적으로 준비합니다.

1단계 – 학급별 관찰대상자 선정

1단계에서 제출하여야 하는 자기소개서 작성시 유의 사항, 예시 등을 살펴보고, 자기만의 열정, 인성, 장점 등이 잘 표현될 수 있도록 자기소개서를 직접 쓰는 연습을 합니다.

2단계 – 관찰 대상자 집중 관찰

영재성 검사

2단계에서 실시하는 영재성 검사의 기출 문제와 예상 문제를 창의성, 언어적 사고력, 수리적 사고력, 공간지각적 사고력의 4개 유형으로 나누어 학습하여 실전 감각을 키웁니다.

창의적 문제해결력 검사

2단계에서 실시하는 창의적 문제해결력 검사의 기출 문제와 예상 문제를 수와 연산, 도형, 규칙과 측정, 논리와 퍼즐의 4개 유형으로 나누어 학습하여 실전 감각을 키웁니다.

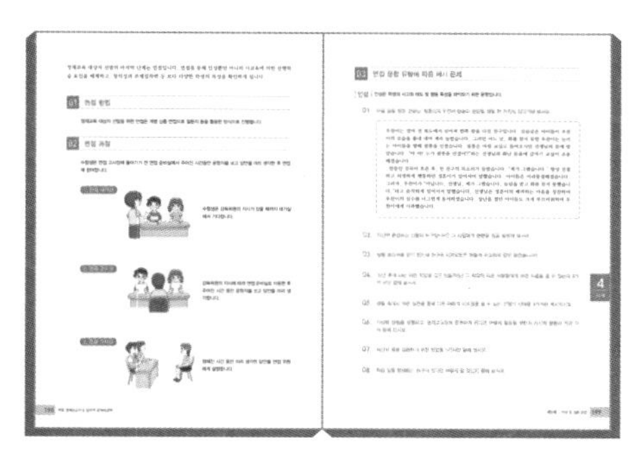

4단계 – 인성 및 심층 면접

4단계의 인성 및 심층 면접의 진행 방법 및 예상 질문 등을 유형별로 파악하여 실전 면접에 대비합니다.

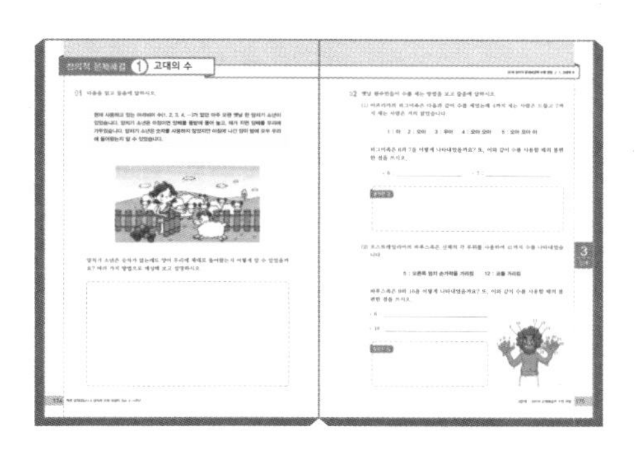

3단계 – 창의적 문제해결력 수행 관찰

3단계의 창의적 문제해결력 수행 관찰의 예상 문제를 통하여 창의적인 아이디어를 바탕으로 문제를 해결하는 실전 감각을 키웁니다.

Contents

개 요

영재학급
영재교육원

01 영재 학생의 특징

공부 잘하는 학생	영재 학생
질문에 **정답**을 잘 맞힌다	질문에 대해 **질문**한다
흥미를 보인다	호기심이 높다
경청 한다	감정과 의견을 강하게 표출한다
또래들과 잘 어울린다	어른들과 어울리는 것을 좋아한다
이해력이 좋다	**추론**을 잘한다
정확히 답습한다	새롭게 창조한다
정보를 잘 기억한다	정보를 조작한다
암기를 잘한다	**추측**을 잘한다
자기의 학습에 만족한다	자기 비판적이다
수용적이다	집착을 잘한다
뭐야? 라는 질문을 잘한다	**왜?** 라는 질문을 잘한다
좋은 아이디어를 낸다	생소하고 이상한 아이디어를 낸다
기술자형이다	**발명가형**이다
열심히 공부한다	빈둥거리면서 잘한다

02 영재교육기관 입학 준비

관찰 기록

학생이 영재라고 생각하는 구체적인 근거를 제시할 수 있도록 학생의 일상을 상세히 관찰하고 기록합니다.
각종 대회에서 입상했던 것들, 학생이 일상에서 만든 산출물 등을 모아 두거나 사진을 찍어 둡니다.

학부모 추천

학교에서 영재교육 대상자 선발을 위해 가정통신문을 받았을 때, 자녀가 영재라고 생각되면 학부모 추천 통신문을 기록하여 보내주면 됩니다.
그간의 기록물도 같이 보내 관찰에 참여하는 선생님들이 참고할 수 있도록 해도 좋습니다.

집중 관찰대상자 선정

담임 선생님 및 학교의 관찰추천 위원들이 학부모의 추천을 받은 학생들을 집중 관찰하고 평가하여 학교 대표로 영재성 평가에 참여하게 될 학생을 선발합니다.

학교 추천을 통한 영재성 평가

학교 추천을 받게 되면 해당 영재교육기관에서 창의적 문제해결 수행 관찰 및 면접을 보게 됩니다.
이 시험에서 최종 합격을 하게 되면 영재교육을 받을 수 있습니다.

03 영재교육기관의 종류와 특징

1. 영재학급

영재학급은 초 · 중 · 고 각급 학교에서 운영되는 영재교육기관입니다.

영재학급은 주로 특별활동, 재량활동, 방과후, 주말 또는 방학을 이용한 형태로 운영됩니다.

영재학급은

(i) 단위학교에서 운영하는 영재학급(방과후 영재학급 포함)

(ii) 지역공동으로 운영하는 영재학급

등이 있습니다.

2. 영재교육원

영재교육원은 교육청, 대학 등에 설치 운영하는 영재교육기관으로 영재학급보다 수가 훨씬 적습니다.

영재교육원도 영재학급과 마찬가지로 방과후, 주말, 방학을 이용한 형태로 운영됩니다.

영재교육원은

(i) 교육청에서 운영하는 영재교육원

(ii) 대학에서 운영하는 영재교육원

등이 있습니다.

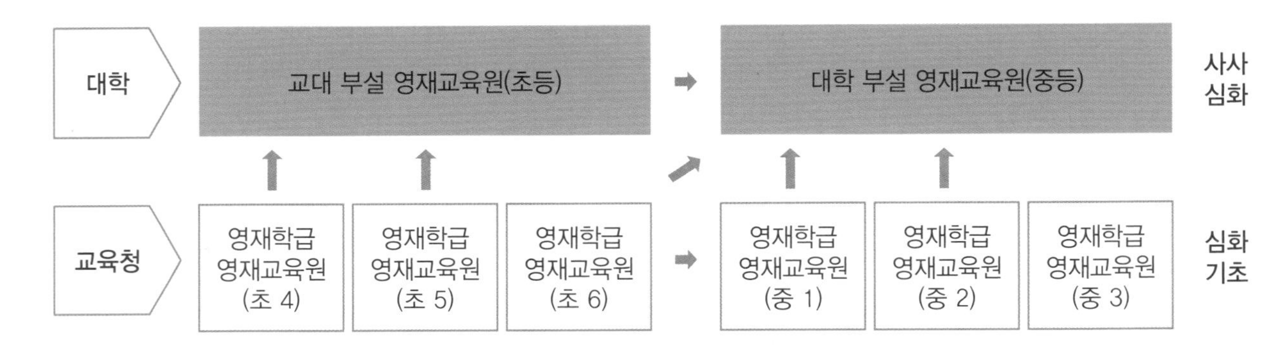

04 연간 영재 교육 대상자 선발 흐름도

구분	시기	내용	업무 담당
영재교육원	5월	학교별 영재교육 대상자 추천 위원회 구성	영재담당부
	5월 ~ 9월	담임 선생님 체크리스트 작성 및 집중 관찰 대상자 선정 [1단계]	담임 선생님
	9월 ~ 10월	관찰 대상자 집중 관찰 및 영재교육 추천 대상자 선정 [2단계]	단위학교 관찰추천 위원
	8월 말 ~ 9월 초	대학부설, 지역교육청 영재교육원 모집 요강 발표	대학부설 영재교육원
	9월 말	(1~2단계 관찰추천에 의해 학교별 학교장 추천대상자) 대학부설 영재교육원 원서 접수	대학부설 영재교육원
	11월	대학부설 영재교육원 합격자 발표	대학부설 영재교육원
	11월 말 ~ 12월 초	(1~2단계 관찰추천에 의해 학교별 학교장 추천대상자) 지역교육청 영재교육원 원서 접수	지역 교육청 영재교육원
	12월 중순	창의적 문제해결력 평가 [3단계] (시도 교육청별 별도의 방법으로 운영 가능)	지역 교육청 영재교육원
	12월 후반	인성 • 심층 면접 [4단계]	지역 교육청 영재교육원
	12월 말	지역교육청 영재교육원 합격자 발표	지역 교육청 영재교육원
영재학급	2월	영재학급 선발요강 발표	영재학급 운영 학교
	3월	학급별 희망자 신청 [1단계] 학급별 관찰 대상자 선정 및 추천 [2단계]	담임 선생님
	3월 ~ 4월	자체 계획에 의한 관찰대상자 집중 관찰 [3~4단계]	영재학급 운영 학교
	4월	영재학급 합격자 발표	영재학급 운영 학교

05 교육청 영재교육원 선발 방식 및 시기

1. 교육청 영재교육원 선발 시기

시기	내용	추진 기관
8월	선발 요강 발표	교육청 영재교육기관
3월 ~ 9월	관찰대상자 선정 [1단계]	단위 학교
9월 ~ 11월	관찰대상자 집중 관찰 [2단계] 추천 대상자 선정 및 추천 [2단계]	단위 학교
12월	자체 계획에 의한 선발 [3~4단계] 최종 합격자 발표	교육청 영재교육기관

2. 교육청 영재교육원 선발 방식 : 관찰추천제

단계	추진 내용	인원	업무 담당
1단계	집중 관찰대상자 선정	학교가 결정	담임 선생님
2단계	관찰대상자 집중관찰	학교 총 재적수의 3% 이내	단위학교 관찰 추천위원
3단계	창의적 문제해결 수행 관찰	최종 선발인원의 1.2배수	교육청 영재교육원 평가위원
4단계	인성 및 심층 면접	최종 선발인원	교육청 영재교육원 평가위원

※ 3~4단계 : 시도교육청 영재교육원 자체 계획에 의한 별도 전형으로 선발

06 단위 학교 영재학급 선발 방식 및 시기

1. 영재학급 선발 시기

시기	내용	추진 기관
2월	선발 요강 발표	운영 학교
3월	학급별 희망자 신청 [1단계] 학급별 관찰 대상자 선정 및 추천 [2단계]	운영 학교 각 학급
3월 ~ 4월	자체 계획에 의한 관찰대상자 집중 관찰 [3~4단계]	운영 학교
4월	최종 합격자 발표	운영 학교

2. 영재학급 선발 방식 : 관찰추천제

단계	추진 내용	인원	업무 담당
1단계	학급별 희망자 신청	학교가 결정	담임 선생님
2단계	학급별 관찰 대상자 추천	학교가 결정	담임 선생님
3단계	창의적 문제해결 평가	지원 인원	운영 학교 평가위원
4단계	인성 및 심층 면접	최종 선발인원	운영 학교 평가위원

※ 3~4단계 :각 학교 영재학급별 자체 계획에 의한 별도 전형으로 선발

07 대학부설 영재교육원 선발 방식 및 시기

1. 대학부설 영재교육원 선발 시기

시기	내용	추진 기관
9월	선발 요강 발표	대학부설 영재교육원
5월 ~ 9월	관찰대상자 선정 [1단계]	단위 학교
9월	관찰대상자 집중 관찰 [2단계] 추천 대상자 선정 및 추천 [2단계]	단위 학교
10월 ~ 11월	자체 계획에 의한 선발 [3~4단계] 최종 합격자 발표	대학부설 영재교육원

2. 대학부설 영재교육원 선발 방식 : 관찰추천제

단계	추진 내용	인원	업무 담당
1단계	추천	대학부설 영재교육원 결정	영재 담당 선생님
2단계	서류 심사 (지원서, 학교생활기록부, 자기소개서, 교사추천서)	대학부설 영재교육원 결정	대학부설 영재교육원 평가위원
3단계	심층 면접 1	대학부설 영재교육원 결정	대학부설 영재교육원 평가위원
4단계	심층 면접 2	최종 선발 인원	대학부설 영재교육원 평가위원

※ 3~4단계 : 각 대학부설 영재교육원 자체 계획에 의한 별도 전형으로 선발

3. 대학부설 영재교육원 관찰추천제 평가 도구 (예시)

평가 도구 (제출 서류)	설명
자기소개서 (15%)	• 평가 대상 : 탐구 활동, 영재성 실례, 장래의 희망 • 평가 항목 : 관련 분야의 지적 능력, 영재성, 창의성
학교생활기록부 (15%)	• 평가 대상 : 학교생활기록부 • 평가 항목 : 학습 능력, 영재성 관련 활동, 봉사활동, 가치관
교사추천서 (20%)	• 평가 대상 : 창의력, 지적 능력, 학습 성과에 관한 정량적 표기 및 근거, 지원자의 영재성의 실례 기술 • 평가 항목 : 영재성, 창의성, 지적 능력, 학습 성과
심층 면접 1 (30%)	• 평가 대상 : 자신의 능력 및 근거 등에 대한 제출 서류의 진실성 등의 확인 • 평가 항목 : 창의력, 영재성, 지적 능력, 학문적성, 집중력, 발표력
심층 면접 2 (20%)	• 평가 대상 : 관찰 대상을 제시하고 관찰 내용을 기술, 다양한 일상 주제에 대한 자신의 주장을 논리적으로 기술 • 평가 항목 : 영재성, 창의력, 논리력, 인성

※ 각 대학부설 영재교육원 자체 계획에 의한 별도 평가 도구 사용 가능

4. 대학부설 영재교육원 설치 운영 현황 ('13.4월 기준)

시도	개수	기관명	관할	초등학교 대상	중학교 대상	고등학교 대상
서울	11	서울교육대학교 과학영재교육원	국가	○		
		서울대학교 과학영재교육원	국가		○	
		연세대학교 과학영재교육원	국가		○	
		동국대학교 과학영재교육원	국가	○	○	
		건국대학교 음악영재교육원	시도본청	○	○	○
		고려대학교 영재교육원	시도본청	○	○	
		덕성여자대학교 도봉영재교육원	시도본청		○	
		서울과학기술대학교 노원영재교육원	시도본청		○	
		서울대학교 관악영재교육원	시도본청		○	
		이화여자대학교 서대문영재교육원	시도본청	○	○	
		서울대학교 관악창의예술영재교육원	시도본청	○		
부산	3	부산대학교 과학영재교육원	국가	○	○	
		동의대학교 예술영재교육원	시도본청	○	○	
		부산대학교 예술영재교육원	시도본청	○	○	
대구	6	경북대학교 과학영재교육원	국가		○	
		경북대학교 영어영재교육원	시도본청	○	○	
		경북대학교 정보영재교육원	시도본청		○	
		대구교육대학교 과학영재교육원	시도본청	○		
		대구교육대학교 미술영재교육원	시도본청	○		
		대구교육대학교 정보영재교육원	시도본청	○		
인천	3	인천대학교 과학영재교육원	국가	○	○	
		경인교육대학교 계양영재교육원	시도본청	○	○	
		인천재능대학교 영재교육원	시도본청	○		
광주	2	전남대학교 과학영재교육원	국가	○	○	
		광주교육대학교 영재교육원	시도본청	○		
대전	5	공주대학교 사이버영재교육원(대전)	시도본청	○	○	
		대전대학교 인문영재교육원	시도본청	○	○	
		충남대학교 고등영재교육원	시도본청			○
		카이스트 글로벌영재교육원	시도본청	○	○	○
		충남대학교 과학영재교육원	시도본청	○	○	
울산	1	울산대학교 과학영재교육원	국가	○	○	

경기	8	가천대학교 과학영재교육원	국가	○	○	
		대진대학교 과학영재교육원	국가		○	
		아주대학교 과학영재교육원	국가	○	○	
		가천대학교 과학영재교육원	시도본청	○	○	
		강남대학교 부설 예술영재교육원	시도본청	○	○	○
		경인교육대학교 부설 과학영재교육원	시도본청	○		
		수원대학교 부설 영재교육원	시도본청	○	○	
		한국외국어대학교 부설 영재교육원	시도본청	○	○	
강원	4	강릉원주대학교 과학영재교육원	국가	○	○	
		강원대학교 과학영재교육원	국가	○	○	
		강원대학교 의학영재교육원	시도본청	○	○	
		춘천교육대학교 발명영재교육원	시도본청	○	○	
충북	2	청주교육대학교 과학영재교육원	국가	○	○	
		충북대학교 과학영재교육원	국가	○	○	
충남	5	공주대학교 과학영재교육원	국가	○	○	
		공주교육대학교 영재교육원	시도본청	○		
		공주대 사이버영재교육원(충남)	시도본청	○	○	
		순천향대학교 영재교육원	시도본청	○	○	
		호서대학교 국제영재교육원	시도본청	○	○	
전북	4	군산대학교 과학영재교육원	국가	○	○	
		전북대학교 과학영재교육원	국가	○	○	
		원광대학교 영재교육원	시도본청		○	
		전주교육대학교 영재교육원	시도본청	○		
전남	2	목표대학교 과학영재교육원	국가	○	○	
		순천대학교 과학영재교육원	국가	○	○	
경북	4	안동대학교 과학영재교육원	국가	○	○	
		금오공과대학교 영재교육원	시도본청	○	○	
		동양대학교 영재교육원	시도본청	○		
		안동과학대학교 영재교육원	시도본청	○	○	
경남	4	경남대학교 과학영재교육원	국가	○	○	
		경상대학교 과학영재교육원	국가	○	○	
		창원대학교 과학영재교육원	국가	○	○	
		인제대학교 영재교육원	시도본청		○	
제주	1	제주대학교 과학영재교육원	국가	○	○	
계	65					

1단계는 집중관찰 대상자 선정을 위한 담임 선생님의 추천 단계로 학급별 관찰대상자는 영재교육을 희망하는 학생만을 대상으로 하기 때문에 학교 홈페이지 가정 통신문을 통하여 '희망자 조사'를 합니다.

담임 선생님은 희망자를 대상으로 학교 생활 중 학생의 영재성 관찰, 학생이나 학부모 상담 등에 의해 잠재적 영재들을 발굴하여 집중 관찰 대상자를 선정합니다.

(1) 학생의 수업 태도, 창의성, 과제집중력, 학업성취도 평가
(2) 창의적인 아이디어와 다양한 문제해결 방식을 담임 선생님이 종합평가

시 기	일 정	내 용	자 료
5월 ~ 9월	학생 본인 추천	• 학생의 자기소개서 작성	선발도구 1-1
	학부모 추천	• 가정통신문과 학부모 추천서 작성	선발도구 1-2
	동료 학생 추천	• 동료 학생 추천 설문 실시	선발도구 1-3
	담임 선생님 추천	• 관찰 가능한 행동특성을 중심으로 체크리스트 작성 • 학업성취도와 수행평가 결과 작성	선발도구 1-4
	담임 선생님의 관찰대상자 선정	• 동료 학생 추천, 학부모 추천, 담임 선생님 추천 결과를 종합적으로 고려하여 관찰대상자 선정	

단계

1

학급별 관찰 대상자 선정

1. 자기 소개서 선발도구 1-1

자기 소개서

이름		소속학교		학년	
지원과정			지원분야		

지원자는 아래의 질문에 대하여 구체적인 사례를 중심으로 자신의 생각이나 경험했던 사실을 바탕으로 답변을 작성해 주시기 바랍니다. 면접 전형에서 답변 내용을 확인할 예정이므로 사실대로 작성하여야 합니다.

1. 자신을 선발해야 하는 이유를 지원 동기 및 장래 희망을 중심으로 기술하고, 영재교육원의 교육을 통하여 자신의 성장에 기대하는 바를 기술하시오.

2. 교내에서 참가했던 수학 관련 대회 또는 활동 중 가장 인상 깊었던 과정과 그 내용을 기술하시오.

3. 본인이 수학 영역에 지원하기 전까지 이 분야와 관련된 책 중 가장 많은 성취감을 얻은 도서 1권을 선정하고, 이 책을 통해 배운 내용 또는 영향 받은 내용을 기술하시오.
4. 자신의 장래 희망을 기술하고, 장래 희망을 위해 어떻게 노력할 것인지 기술하시오.
5. 위의 질문 사항이 아니지만 스스로 소개하고 싶은 내용이 있다면 기술하시오.

지원자는 자신의 생각과 경험 등 사실에 근거하여 자기소개서를 직접 작성하였음을 확인합니다.

년 월 일

지원자 : (인)

2. 학부모 추천 선발도구 1-2

학부모 추천서

( )학년 ( )반 이름 : ____________

학부모 이름 : ____________

영재는 또래보다 지적 수준이 매우 높고 과학, 수학, 예술 등 특정 영역의 학업 능력이 뛰어납니다. 과제집착력이 우수하여 주어진 과제에 끝까지 도전하여 해결하며 높은 창의성을 보입니다. 또한 리더십 부분에서 두각을 나타내기도 합니다.

귀댁의 자녀가 위와 같은 영재의 특성을 가지고 있다고 생각하십니까?
만약 그렇다면 아래의 영재 특성 10점 척도(10~9:항상 그렇다, 8~7:자주 그렇다, 6~5:가끔 그렇다, 4~3:드물게 그렇다, 2~1: 전혀 그렇지 않다)에 ○표로 체크해 주십시오. 그리고 '근거가 되는 일화'에는 대표적인 관련 내용을 기록하여 주시기 바랍니다.

번호	영재 특성	근거가 되는 일화
1	또래보다 우수한 지적 능력을 보입니까? [10 9 8 7 6 5 4 3 2 1]	
2	과학 또는 수학에 매우 우수한 학업 능력을 보입니까? [10 9 8 7 6 5 4 3 2 1]	
3	상상력이 풍부하고 다양한 아이디어를 냅니까? [10 9 8 7 6 5 4 3 2 1]	
4	독창적인 방식으로 문제를 해결합니까? [10 9 8 7 6 5 4 3 2 1]	
5	또래 친구들과 놀이나 활동을 할 때 리더십이 있습니까? [10 9 8 7 6 5 4 3 2 1]	
6	주어진 과제를 끝까지 해결하려고 합니까? [10 9 8 7 6 5 4 3 2 1]	

3. 동료 추천 선발도구 1-3

동료 학생 추천서

(　　)학년 (　　)반 이름 : ______________

※ 다음 물음에 해당되는 친구의 이름을 1~3명씩 적어 보세요.

1	우주인을 만난다면, 우주인에게 지구의 자연 환경, 생활 모습 등을 논리적으로 설명할 수 있는 친구는 누구일까요? ① ______ ② ______ ③ ______
2-1	우리 반에서 과학을 좋아하고 탐구력이 우수하여, 과학 시간에 함께 과학 실험을 하고 싶은 친구는 누구입니까? ① ______ ② ______ ③ ______
2-2	우리 반에서 수학을 좋아하고 수학 문제를 잘 해결하여, 함께 수학 공부를 하고 싶은 친구는 누구입니까? ① ______ ② ______ ③ ______
3	우리 반이 무인도에 표류하게 되었다면 살아 남기 위한 좋은 아이디어를 많이 낼 수 있는 친구는 누구일까요? ① ______ ② ______ ③ ______
4	남과 다르게 생각하고 톡톡 튀는 아이디어로 문제를 해결하는 친구는 누구입니까? ① ______ ② ______ ③ ______
5	남을 배려할 줄 알고, 까다로운 친구와 같은 모둠이 되어도 힘을 합쳐 문제를 끝까지 잘 해결하는 친구는 누구입니까? ① ______ ② ______ ③ ______
6	에디슨은 전구의 필라멘트를 발명하기까지 3000번 이상 도전하였다고 합니다. 에디슨처럼 어려운 문제를 포기하지 않고 끝까지 도전하는 친구는 누구입니까? ① ______ ② ______ ③ ______

4. 담임 선생님 관찰 체크리스트

선발도구 1-4

담임 관찰 체크리스트

(　　)학년 (　　)반 이름 : ________ 담임 : ________(서명)

구분	관찰 내용	점수
일반 능력	또래 아이들보다 풍부한 어휘력을 구사한다.	5 4 3 2 1
	새로운 정보에 대한 이해가 빠르다.	5 4 3 2 1
	어떤 상황이나 현상에 대한 인과관계를 빨리 파악한다.	5 4 3 2 1
	자신의 생각을 논리적으로 표현한다.	5 4 3 2 1
	소계	
리더십	분명한 삶의 목적과 사명의식을 가지고 있다.	5 4 3 2 1
	자신의 능력을 믿으며 스스로를 자랑스럽게 여긴다.	5 4 3 2 1
	모둠활동을 할 때 다른 친구들과 뜻을 잘 맞추면서 한다.	5 4 3 2 1
	소계	
학업 적성	지원하는 분야에 대한 호기심이 강하다.	5 4 3 2 1
	지원하는 분야와 관련된 배경 지식이 다양하고 풍부하다.	5 4 3 2 1
	소계	
창의성	어떤 상황이 발생되면 다양한 아이디어를 산출해 낸다.	5 4 3 2 1
	주어진 문제에서 다양한 시각으로 방법을 찾아 해결한다.	5 4 3 2 1
	문제를 해결하기 위해 산출한 아이디어나 자료를 논리적으로 분석하고 추론한다.	5 4 3 2 1
	소계	
합계		

[일화 기록 및 종합 의견]

관찰평가의 다양한 방법

선생님이 여러 학생의 수업
모습을 보며 체크리스트에 기록

선생님이 수업시간에 해결하지 못한 문제를
집에서 생각해 보라고 했는데, 한 명의
학생만 남아서 계속 문제를 푸는 경우

여러 학생의 포토폴리오 중에서
한 학생의 포토폴리오가 굉장히
독특한 경우

여러 학생 앞에서 한 학생이 칠판에
남들과 다른 방법으로 문제를 푼 경우

자기소개서 쓰는 법

영재교육기관에 입학하기 위해 제출해야 할 서류에는 자기소개서가 포함되어 있습니다.
영재교육기관에서 자기소개서를 요구하는 이유는 영재교육 대상 선정과 관련한 폭넓은 정보 수집을 통해 지원 학생의 능력을 보다 세밀하게 파악하기 위해서입니다.
먼저 영재교육기관에서 선발하려는 학생 유형을 살펴보고, 실제 자기소개서를 작성해 봅시다.

01 영재교육원에서 선발하려는 학생 유형

영재교육기관에서 선발하려는 학생 유형은 다음과 같습니다.

1. 지원 영역에 대한 기본 개념 및 지식을 갖추어 도전 과제를 수행하는데 무리가 없는 학생

2. 지원영역에 대한 열정(지적 호기심, 도전 정신, 자신감)과 어려운 문제를 끝까지 해결하려는 인내와 끈기(과제집착력)가 있는 학생

3. 평소 자신의 관심 분야에 대해 꾸준히 흥미와 호기심을 갖고 자기 주도적으로 학습을 지속한 학생
(지원 영역 관련 잡지 구독, 지원 영역과 관련된 다양한 독서, 수학일기 작성, 프로젝트 학습, 공연, 전시회, 박물관 등의 관람 및 후기 쓰기 등)

4. 다양한 체험 활동에 적극적이며 창의적이고 도전적인 과제를 즐기는 학생
(선발 과정을 거치는 국내 무료 캠프 체험, 각종 대회 참가, 발명 공작 활동 등)

5. 항상 주변을 주의 깊게 관찰하며 문제를 발견하고 적극적이고 창의적인 방법으로 해결하고자 노력하는 학생

6. 팀 활동을 원활히 수행할 수 있는 학생
(리더십, 논리적인 근거를 가진 의견 제시, 독립적으로 행동하지 않고 함께 문제를 해결하려는 태도, 팀원들 간의 원만한 관계 형성)

7. 장래희망 및 진로 계획이 분명한 학생

02 자기소개서 작성의 실제

자기소개서는 각 문항에서 묻는 핵심 사항을 파악하여 그에 적합한 자신의 경험을 구체적인 사례를 들어 스토리 있게 써야 합니다.

다음 자기소개서 문항에 대한 예시를 읽어 보고, 스스로 자기소개서를 작성해 봅시다.

Q1. 자신을 선발해야 하는 이유를 지원 동기 및 장래 희망을 중심으로 기술하고, 영재교육원의 교육을 통하여 자신의 성장에 기대하는 바를 기술하시오.

Q2. 가정환경(부모 교육관), 자신의 장점 및 단점 등 본인을 소개하는 내용을 기술하시오.

Q3. 자신과 친구, 선생님과의 관계에 대해 기술하고, 가장 기억에 남는 봉사 활동을 선택하여 느꼈던 점을 기술하시오.

Q4. 수학에 흥미와 관심을 가지게 된 계기를 구체적으로 기술하시오.

Q5. 교내(영재학급, 과학영재교육원 포함)에서 참가했던 수학 관련 대회 또는 활동 중 가장 인상 깊었던 과정과 그 내용을 기술하시오.

Q6. 수학과 관련된 내용을 학교에서 배울 때 가장 흥미로웠던 학습 주제를 소개하고, 그에 관하여 심화해서 배우거나 연구한다면 어떻게 학습할 것인지 간략한 학습 계획을 기술하시오.

Q7. 자신의 장래 희망을 기술하고, 장래 희망을 위해 어떻게 노력할 것인지 기술하시오.

Q8. 본인이 수학 영역에 지원하기 전까지 이 분야와 관련된 책 중 가장 많은 성취감을 얻은 도서 1권을 선정하고, 이 책을 통해 배운 내용 또는 영향 받은 내용을 기술하시오.

자기소개서 예시

Q1. 자신을 선발해야 하는 이유를 지원 동기 및 장래 희망을 중심으로 기술하고, 영재교육원의 교육을 통하여 자신의 성장에 기대하는 바를 기술하시오.

기술 Point

- ✔ 지원 분야에 관심을 가지게 된 사건이나 계기, 자신의 활동, 노력 등을 구체적인 사례를 들어 쓰세요.
- ✔ 지원 분야에 대한 자신의 열정, 앞으로 어떤 일들을 하고 싶다고 반드시 표현하세요.
- ✔ 영재교육원의 수업에서 얻고자 하는 것이 무엇인지, 어떤 기대를 하고 있는지, 자신의 목표를 이루기 위해 어떻게 학습할 것인지 등을 설득력 있게 쓰세요.

아름다운 건축가를 꿈꾸는 ○○초등학교 ○학년 ○반 ○○○입니다.

평소 건축에 관심이 많은 저는 아빠와 차를 타고 지나가다 건설 중인 다리를 보게 되었습니다. 그때 문득 '저 다리의 기둥은 왜 원기둥으로 만들까? 왜 삼각기둥이나 사각기둥으로는 만들지 않을까?' 라는 생각이 들었습니다. 아빠에게 그 이유를 물어보았더니 아빠도 왜 그런지 궁금하다고 하셔서 직접 실험을 해 보았습니다.

평소 호기심이 생기면 궁금증을 해결하고야 마는 성격인 저는 이번에도 스티로폼으로 원기둥, 사각기둥, 삼각기둥을 만들고 실험을 한 결과, 원기둥의 다리가 가장 많은 무게를 견디는 것을 발견하였습니다. 그 이유를 탐구하는 과정에서 '같은 둘레의 길이를 가진 평면 도형 중에서 원이 가장 넓다'라는 사실도 알게 되었습니다. 그래서 원이 가지는 특징과 탐구한 결과를 보고서로 작성하여 학교 대표로 지역 교육청 탐구보고서 발표 대회에 출전하기도 하였습니다.

평소 당연하게 생각했던 것에 '왜 그럴까?'하는 작은 의문에서 시작했지만 그것을 탐구하는 과정 속에서 저는 많은 것을 배우고 깨닫게 되었습니다. 그 이후로 저는 무심코 지나쳤던 우리 주변 현상에 대해서 '왜?' 하고 생각해 보는 습관을 갖게 되었습니다.

저의 장래 희망은 시드니 오페라 하우스를 설계한 덴마크 건축가 요른 우촌 같은 건축가입니다. 그래서 저도 미래에 튼튼하고 기능이 다양한 아름다운 건축물을 설계해서 많은 사람들이 오래도록 이용하면서 아름다움과 행복함을 느끼도록 하고 싶습니다.

하나의 건축물을 만들기 위해서는 수학, 과학, 예술, 공학 등 여러 학문의 지식이 융합되어야 합니다. 그래서 여러 학문의 기초인 수학과 과학을 더욱 공부하기 위해 이번 ○○대 영재교육원 수학과 과학 융합분야에 지원하게 되었습니다.

○○대 영재교육원은 제가 해보고 싶었던 탐구와 실험을 보다 체계적으로 할 수 있고 저와 관심이 같은 친구들과 즐겁게 문제도 해결하고, 탐구, 실험, 토론을 함께 할 수 있다는 생각에 가슴이 설렙니다. 영재교육원의 수업이 제 꿈을 이루는데 발판이 될 것이라 확신하며, 수업에 성실하게 임하며 최선을 다하겠습니다.

면접시 예상질문

Q1. 건축물을 만들기 위해서는 왜 수학, 과학, 예술, 공학 등이 융합적으로 필요하다고 생각하는가?

Q2. 원이 가지는 특징 1개를 설명하고, 주변에서 그 특징을 활용한 예를 찾아 설명해 보시오.

자기소개서 직접 써 보기

Q1. 자신을 선발해야 하는 이유를 지원 동기 및 장래 희망을 중심으로 기술하고, 영재교육원의 교육을 통하여 자신의 성장에 기대하는 바를 기술하시오.

Q2. 가정환경(부모 교육관), 자신의 장점 및 단점 등 본인을 소개하는 내용을 기술하시오.

기술 Point

- ✔ 부모님의 교육관, 교육 방법, 부모님께 자신이 받은 영향 등을 구체적인 사례를 들어 진솔하게 쓰세요.
- ✔ 자신의 장점이 돋보인 사례를 1~2가지 써야 하나, 너무 많은 장점을 장황하게 쓰지 않도록 하세요.
- ✔ 자신의 단점은 1~2가지 정도만 쓰고 이를 개선하기 위해서 현재 어떤 노력을 하고 있는지 쓰세요.

저희 가족은 아빠, 엄마, 저 이렇게 세 식구입니다.

저희 아빠는 스스로 좋아하는 것을 즐기라고 하십니다. 누구도 즐기는 자를 절대 이길 수 없다고 하시면서 제가 좋아하는 것은 무엇이든 관심을 갖고 해 볼 수 있도록 지원해 주십니다.

얼마 전에도 기계를 좋아하는 저를 위해 아빠는 컴퓨터를 같이 분해해 청소하고 조립하자고 하셨습니다. 청소를 하기 위해 분해를 하면서 이런 조그만 부품이 모여 컴퓨터가 작동된다는 것이 너무 신기했습니다. 아빠가 알려 주시는 대로 조립을 도와드렸는데, 아빠는 잘했다고 칭찬을 아끼지 않으시며 다음엔 다른 것에도 도전해 보자고 용기를 주셨습니다.

저희 엄마는 제가 어렸을 때부터 학원을 보내시기 보다는 도서관이나 서점에 자주 데리고 가서 책을 읽는 습관을 기르도록 해 주셨고, 박물관, 전시회, 공연 등 다양한 경험을 할 수 있도록 해 주셨습니다. 가장 인상 깊었던 일은 예술의 전당에서 '반 고흐부터 피카소까지'의 그림 전시회에 갔었을 때입니다. 그림들을 보다가 문득 '왜 피카소는 자연, 인물 등을 그리지 않고 저런 이상한 형태의 그림을 그렸을까?'하는 의문이 생겼습니다. 집에 돌아와 일기를 쓰며 예술의 전당 곳곳에서 찍은 사진을 보던 중 '사진은 무엇이든 보이는 대로 찍을 수 있고, 피카소는 보이지 않는 감정, 생각 등을 그림으로 표현한 것이로구나.'라는 것을 생각해 내고 너무 뿌듯해 했던 기억이 납니다. 그 이후 미술의 변천사에 대해서도 많은 관심을 갖게 되었습니다.

저의 큰 장점은 긍정적인 사고입니다. 그래서 늘 밝고 명랑하게 생활합니다. 선생님들께서도 행동이 활기차며 매사에 말씨와 행동에 붙임성이 있어 친구 관계가 매우 좋다고 말씀해 주십니다.

점심 시간을 이용하여 친구들과 야구를 종종 하는데 경기 결과에 상관없이 친구들과 어울리는 것 자체를 즐기려고 노력하고, 이런 긍정적이고 적극적인 사고 방식은 스트레스를 줄이고 제가 어떤 일이든 도전하는데 힘이 됩니다.

저의 단점은 조금 덜렁대고 종종 실수를 한다는 것입니다. 그래서 수학 시험에서 가끔 계산 실수를 합니다. 하지만 저는 그런 저의 단점을 알고 있기 때문에 문제를 다 푼 후에는 다시 한 번 검산해 보는 습관을 가지려고 노력해서 지금은 많이 좋아졌습니다.

저는 앞으로도 장점은 좀 더 개발하고 단점은 고치려고 노력할 것입니다.

면접시 예상질문

Q1. 미술의 변천사에 관심을 갖게 되었다고 했는데, 그래서 어떻게 하였는지 이야기 해 보시오.

Q2. 자신에게 어려운 일이 닥친 사례 1가지를 말하고, 어떻게 극복했는지 말해 보시오.

Q2. 가정환경(부모 교육관), 자신의 장점 및 단점 등 본인을 소개하는 내용을 기술하시오.

1
단계

Q3. 자신과 친구, 선생님과의 관계에 대해 기술하고, 가장 기억에 남는 봉사 활동을 선택하여 느꼈던 점을 기술하시오.

기술 Point

✔ 학교 생활은 친구 관계와 선생님과의 관계를 보여줄 수 있는 구체적인 사례를 들어서 쓰세요.
✔ 선생님께 칭찬을 받았던 경험이 있다면 선생님이 어떤 면을 칭찬해 주셨는지 구체적으로 쓰세요.
✔ 봉사 활동을 통해 느낀 점을 진솔하게 쓰세요.

저는 수업 시간에 적극적으로 참여하고 집중합니다. 또, 친구들과 의견을 나누며 함께 공부하는 것을 좋아합니다. 친구들은 종종 제가 수학 문제를 잘 풀고 설명을 잘해 준다며 질문을 하곤 합니다. 그때마다 친구들에게 도움을 주는 것도 보람 있지만, 저도 그 문제를 확실히 알게 되어 잊어버리지 않고, 때론 미처 몰랐던 사실을 깨닫기도 합니다. 그래서 나만의 수학 비법 노트를 만들었는데 친구들이 수학을 제일 잘한다고 인정해 주어 자연스럽게 친구들과 더 가까워졌고 자신감도 많이 생겼습니다.

저는 학급에서 반장입니다. 선생님께서는 저에게 리더십도 있고 유머 감각도 있어서 반 분위기를 좋게 만든다고 칭찬해 주십니다. 지난 운동회 때는 저희 반 친구들과 함께 응원 구호와 응원가를 재미있게 만들고 모두 함께 열심히 응원하여 응원상을 받기도 하였습니다.

저는 얼마 전 엄마, 아빠와 함께 전남 강진에 홍수로 인해 수해를 입은 곳에 갔습니다. 그곳에는 수해 복구를 위해 애쓰시는 많은 자원봉사자들이 있었습니다. 저는 집을 잃은 지역 주민들에게 점심을 드리는 자원봉사를 했습니다. 저는 반찬을 담아주는 일을 하였는데, 어린 꼬마 아이가 많이 배가 고팠는지 반찬도 몇 가지 되지 않았는데도 너무 맛있게 먹었습니다. 꼬마 아이는 집에 흙더미들로 가득차서 들어갈 수가 없다며 울먹였습니다. 저는 집에서 반찬 투정을 많이 해서 꾸중을 많이 들었는데 여기에 와서 보니 그동안 안락한 집에서 편안히 밥을 먹을 수 있다는 것에도 감사한 마음이 들었습니다.

이번 봉사 활동을 통해 어렵고 힘든 상황은 언제든 누구에게나 닥칠 수 있고 작은 힘이라도 조금씩 합치면 큰 힘이 되어 그 어려움을 함께 이겨낼 수 있다는 것을 배웠습니다. 봉사 활동을 하고 나니 몸은 피곤하고 힘들었는데, 처음으로 다른 사람들을 위해서 일을 했다는 것이 너무나 즐겁고 뿌듯했습니다. 앞으로 꾸준히 제가 할 수 있는 자원봉사 활동을 찾아 해야겠다고 결심하였습니다.

면접시 예상질문

Q1. 최근에 친구에게 설명한 문제 1개를 생각하고, 친구에게 어떻게 설명했는지 말해 보시오.

Q2. 앞으로 자신의 재능을 활용하여 봉사 활동을 한다면 어떤 것을 할 수 있다고 생각하는가?

Q3. 자신과 친구, 선생님과의 관계에 대해 기술하고, 가장 기억에 남는 봉사 활동을 선택하여 느꼈던 점을 기술하시오.

1
단계

Q4. 수학에 흥미와 관심을 가지게 된 계기를 구체적으로 기술하시오.

기술 Point

✔ 인상적인 1~2가지 경험을 구체적으로 제시하고 무엇을 했는지, 무엇을 느꼈는지, 추후에 어떤 영향을 끼쳤는지 일관성 있게 쓰세요.

✔ 꾸준히 활동을 해 오면서 느꼈던 보람과 기쁨 등 자신만이 느낄 수 있었던 감정도 표현해 보세요.

옥스퍼드대학교 마커스 사토이 교수님의 크리스마스 과학콘서트 강연을 들은 적이 있었습니다. 모두 4개 강의가 있었는데 게임의 승리 전략에 관한 강의가 제일 재미있었습니다. 특히, 초콜릿 20개를 한 번에 1개에서 3개까지 가져갈 수 있고 맨 마지막 20번째 초콜릿을 가져가야 승리하는 게임이 있었는데 교수님이 계속 이기셨습니다. 그 이유는 이 게임에는 거꾸로 생각하여 맨 마지막 20번째 초콜릿을 가져가기 위해서 16번째 초콜릿을 가져오면 된다는 승리 전략이 있었기 때문이었습니다.

평소에 승부욕이 강한 저는 그 이후에 수학 보드 게임을 할 때마다 항상 승리 전략을 고민하는 버릇이 생겼고 그 결과 친구들과 보드 게임을 하면 많이 이길 수 있었습니다. 이것을 계기로 수학이 좋아졌고, 어려운 수학 문제를 푸는 것도 즐기게 되었습니다.

어려운 수학 문제를 풀 때는 눈물이 날 정도로 안 풀리고 이해가 되지 않을 때도 있었지만, 그 문제를 꼭 해결하고야 말겠다는 생각으로 계속 집중하여 생각하다 보니 어느 순간 나만의 방법으로 안 풀리던 문제가 풀렸고, 그때의 기분은 말로 표현할 수 없을 정도로 기뻤습니다.

평상시에도 어떤 규칙이나 원리를 찾아내는 것을 좋아하는 저는 영재 학급 수업 중 하노이 탑의 규칙도 가장 빨리 찾아내기도 하였습니다.

저는 제 수학 실력이 어느 정도인지 점검해 보고 싶어서 도전했던 수학 경시 대회에서도 좋은 결과를 얻었고, 지금도 틈틈이 어려운 문제를 풀며 즐거움을 느끼곤 합니다.

면접시 예상질문

Q1. 수학 보드 게임을 1가지 말하고, 자기만의 승리 전략을 설명해 보시오.

Q2. 영재학급 수업에서 가장 기억에 남는 내용은 무엇인가?

Q4. 수학에 흥미와 관심을 가지게 된 계기를 구체적으로 기술하시오.

1
단계

Q5. 교내(영재학급, 과학영재교육원 포함)에서 참가했던 수학 관련 대회 또는 활동 중 가장 인상 깊었던 과정과 그 내용을 기술하시오.

기술 Point

✔ 참가한 대회 또는 활동명을 적으면서 어떤 상을 수상했느냐 보다는 도전 과정을 비중 있게 쓰세요.

✔ 준비 과정에서 무엇을 느꼈는지, 그리고 어떤 새로운 것을 배웠는지 도전 과정에서 배운 것은 무엇인지 등을 쓰세요.

저는 골드버그 대회에 참가한 적이 있습니다.

과제는 구슬을 여러 가지 장치를 통해 이리 저리 움직이게 하여 결국은 목적지에 도달하게 하는 것이었습니다. 여기서는 창의적인 아이디어와 정해진 시간 안에 장치를 만들고 과제를 성공하는 것이 중요하였습니다.

우리 모둠에서는 어떤 장치들을 설치할 것인지 토의를 통해 설계도를 그리고, 1, 2, 3단계로 나눈 장치들을 둘씩 짝을 지어 만들어 마지막에 그 장치들을 서로 연결하였습니다.

처음에 다 같이 장치를 만들려고 할 때는 우왕좌왕 했는데 단계를 나누어 만드니 자신의 역할이 분명하여 빠르고 정확하게 만들 수 있었습니다.

또, 팀을 이루어 함께 만드니 더 좋은 아이디어들이 많이 나왔습니다.

장치를 모두 완성하고 설레고 떨리는 마음으로 장치를 작동했습니다. 구슬을 실에 매달아 불을 붙여 떨어뜨리는 것을 시작으로 기울어진 여러 막대와 빙글빙글 관을 통과한 후, 소형 자동차를 굴리고 볼링핀을 쓰러뜨려 목적지에 도달하게 하는데 성공하였습니다.

마지막에 볼링핀 하나가 아슬아슬하게 쓰러져 하마터면 실패할 뻔하여 얼마나 떨렸는지 모릅니다.

결국 우리 팀은 2등을 하였지만, 무척 보람되고 자랑스러웠습니다.

면접시 예상질문

Q1. 골드버그 대회에서 장치를 만들 때, 자신은 어떤 역할을 하였는가?

Q2. 이번에 만든 장치에서 부족한 점을 1가지 말하고, 어떻게 개선하면 좋을지 말해 보시오.

Q5. 교내(영재학급, 과학영재교육원 포함)에서 참가했던 수학 관련 대회 또는 활동 중 가장 인상 깊었던 과정과 그 내용을 기술하시오.

Q6. 수학과 관련된 내용을 학교에서 배울 때 가장 흥미로웠던 학습 주제를 소개하고, 그에 관하여 심화해서 배우거나 연구한다면 어떻게 학습할 것인지 간략한 학습 계획을 기술하시오.

기술 Point

- ✔ 흥미로웠던 학습 주제에 대해 흥미로웠던 이유와 알게 된 점들을 구체적으로 쓰세요.
- ✔ 학습 계획은 막연한 계획보다는 자신이 실천할 수 있는 방법으로 구체적으로 쓰세요.

학교 수학 시간에 테셀레이션에 대하여 배웠을 때 신기하고 재미있었습니다.

왜냐하면 무심코 지나쳤던 보도 블록, 벽면의 타일에도 수학의 원리가 들어 있었기 때문입니다. 또, 원, 오각형 등으로 벽면을 잘 꾸미지 않는 이유는 테셀레이션이 되지 않기 때문이라는 사실도 알 수 있었습니다.

특히 화가 에셔는 새, 나비, 말, 도마뱀 모양으로 테셀레이션 작품을 만들었는데, 너무 신기하였습니다. 선생님께서는 수업시간에 우리 반 친구들에게 테셀레이션 작품을 각자 만들어 보라고 하셨습니다. 그때 저는 삼각형과 육각형을 붙여 고깔 모자 쓴 행복한 삐에로 모양으로 테셀레이션을 완성하였고, 그것을 보신 선생님께서는 잘했다고 칭찬하시며 게시판에 전시를 해 주셨습니다. 또, EBS에서 알함브라 궁전을 본 적이 있습니다. 그 궁전은 아주 꼼꼼하고 세밀한 장식으로 궁전 곳곳이 테셀레이션 되어 있었는데, 보는 사람들마다 모두 감탄할 정도로 아름다웠습니다. 저는 에셔의 테셀레이션 작품뿐만 아니라 세계 유명한 건축물들의 테셀레이션 작품에 관한 자료를 수집하고 각각의 테셀레이션 제작 원리를 탐구하여 나만의 새롭고 창의적인 테셀레이션 작품을 만들어 볼 것입니다.

면접시 예상질문

Q1. 테셀레이션을 할 수 있는 모양을 만든다면, 어떤 모양으로 만들겠는가? 왜 그렇게 생각했는가?

Q2. 수학이 실생활에서 왜 필요한지 설명해 보시오.

Q6. 수학과 관련된 내용을 학교에서 배울 때 가장 흥미로웠던 학습 주제를 소개하고, 그에 관하여 심화해서 배우거나 연구한다면 어떻게 학습할 것인지 간략한 학습 계획을 기술하시오.

1
단계

Q7. 자신의 장래 희망을 기술하고, 장래 희망을 위해 어떻게 노력할 것인지 기술하시오.

기술 Point

- ✔ 자신의 미래의 목표를 뚜렷하게 쓰세요.
- ✔ 장래 희망을 갖게 된 이유와 그것을 이루기 위해 지금까지 해왔던 노력, 앞으로의 구체적인 학습 계획을 일관성 있게 쓰세요.
- ✔ 너무 어려운 용어나 거창한 내용, 막연한 내용을 쓰지 마세요.
- ✔ 미래에 자신의 재능으로 사회에 어떤 기여를 할 수 있는지 고민하여 함께 쓰세요.

앞으로 건축가가 되는 것이 저의 꿈입니다.

아름답고 멋진 건축물이 주변을 더욱 아름답게 만들고 그것을 보고 이용하는 사람들을 행복하게 할 수 있다고 생각하면 기분이 너무 좋습니다.

저는 건축가가 되기 위해서 ○○대 영재교육원에서 심화, 사사과정을 거쳐 영재 학교에 간 뒤 수학과 과학을 더 많이 공부하여 아름답고 튼튼하고 실용적인 건축물을 설계할 것입니다.

저는 건축가가 되기 위해 틈날 때마다 도서관에서 수학, 과학, 공학, 예술 등 여러 분야의 책, 기사, 잡지 등을 보며 여러 가지 공부를 하고 있습니다. 또, 그것에 대해 생각하고 이야기 하는 것을 좋아하며, 이해가 안 되거나 모르는 것이 있으면 부모님과 함께 이야기 하고 찾아봅니다. 또한 다양한 실험도 해 보고 세계 유명한 건축물을 보면서 그 속에 숨어 있는 수학적인 규칙을 찾아보고 수학 일기에 정리합니다.

요즘은 세계 각지에서 지진과 태풍 등 자연 재해가 종종 일어나 많은 사람들의 목숨을 위협하고 있습니다. 그래서 저는 지진, 태풍과 같은 자연 재해에도 건물을 안전하게 보호할 수 있는 내진 설계, 힘의 분산과 같은 물리적인 법칙도 공부하여 견고한 건축물을 만들 것입니다.

또, 세계에서 가장 견고하고 아름답고 다양한 기능이 있어 실용적인 최고의 명품 건축물도 설계할 것입니다.

면접시 예상질문

Q1. 건축가는 우리 사회에 어떤 부분에서 기여를 할 수 있다고 생각하는가?

Q2. 세계 유명한 건축물에서 발견한 수학적인 규칙을 1개 설명해 보시오.

Q7. 자신의 장래 희망을 기술하고, 장래 희망을 위해 어떻게 노력할 것인지 기술하시오.

Q8. 본인이 수학 영역에 지원하기 전까지 이 분야와 관련된 책 중 가장 많은 성취감을 얻은 도서 1권을 선정하고, 이 책을 통해 배운 내용 또는 영향 받은 내용을 기술하시오.

기술 Point

- ✔ 느낌 없이 줄거리만 나열하지 마세요.
- ✔ 책을 읽고 느끼고 생각한 점, 깨달은 점, 본받을 점 등을 쓰세요.
- ✔ 앞으로 자신의 장래 희망과 학업 계획, 하고 싶은 일 등과 연결하여 써 보세요.

선정 도서 : 건축 속 재미있는 과학이야기

저자/역자: 이재인

저는 이 책을 통해서 제 꿈에 대해서 많은 생각을 하게 되었습니다. 건축 속에 숨어 있는 과학적인 원리를 발견하여 설명해 줌과 동시에, 세계 유명한 건축물들을 예로 들어 역사와 함께 재미있게 설명하는 이 책은 세계에서 가장 견고하고 아름다운 건축물을 만들겠다는 나의 꿈에 한 발짝 더 가까이 가는 데 큰 도움을 주었습니다.

건축물은 단지 하나의 구조물에 불과한 것이 아니라 도시라는 전시장 안에 전시된 작품으로서의 역할뿐만 아니라 그 안의 사람들이 장기간 거주할 수 있는 기술이 필요하고, 주변 환경, 자연 환경과도 밀접한 관련이 있다는 사실을 알 수 있었습니다.

또한 바람, 소리, 진동, 빛, 열 등 제가 미처 생각하지 못한 많은 것들이 건축물을 설계할 때에는 고민되어야 한다는 사실을 알게 되었습니다.

저는 미래에 건축물을 설계할 때 수학과 과학의 원리를 이용하여 견고하고 다양한 기능을 가진 건축물을 설계할 것입니다.

면접시 예상질문

Q1. 읽은 내용 중 가장 인상 깊었던 내용은 무엇인가?

Q2. 자신이 미래에 설계할 건축물을 1개 정하고, 그 건축물을 설계할 때 가장 중요한 것은 무엇인지, 그것을 고려하여 어떻게 설계할 것인지 설명해 보시오.

Q8. 본인이 수학 영역에 지원하기 전까지 이 분야와 관련된 책 중 가장 많은 성취감을 얻은 도서 1권을 선정하고, 이 책을 통해 배운 내용 또는 영향 받은 내용을 기술하시오.

03 자기소개서 작성 후 체크 사항

자기소개서를 다 작성한 후에는 다음 사항들을 체크하며, 여러 번 읽어 보고 수정 보완합니다.

- ✔ 각 질문에 적합한 핵심 사항이 들어있습니까?
- ✔ 구체적인 사례를 들어 스토리 있게 작성했습니까?
- ✔ 자신을 설명하는 몇 가지의 키워드가 있고 그것들이 서로 연결되어 있습니까?
- ✔ 전체적으로 내용의 일관성이 있습니까?
- ✔ 전체적으로 글이 매끄럽게 읽혀집니까?
- ✔ 제시된 〈자기소개서 작성시 주의 사항〉을 잘 지켜 작성했습니까?
- ✔ 문체가 통일되어 있습니까?
- ✔ 띄어쓰기와 맞춤법이 틀린 곳은 없습니까?

memo

2단계는 영재 담당 선생님이 담임 선생님으로부터 추천 받은 학생의 영재성을 파악하기 위해 담임 선생님과 수시로 대화, 면담을 통해 학생에 대한 의견을 수집 • 분석하며 영재성 진단 도구(영재성 검사, 창의적 문제해결력 검사) 등을 활용하여 학생의 영재성을 평가합니다.

(1) 관찰추천위원회가 학생의 수업 태도 및 수행 과제 점검
(2) 창의력, 문제해결력, 리더십, 봉사정신, 타인과의 의사소통 능력 등 잠재 역량과 성장 가능성을 다면적으로 면밀히 검토하여 평가

시기	일정	내용	자료
10월	행동 특성 체크리스트	• 영재 행동 특성 검사, 창의성 검사, 과제 동기 행동 검사, 리더십 특성 검사, 특수학업 적성 검사	선발도구 2-1 ~ 선발도구 2-5
	영재성 여부 판단	• 영재성 검사 • 창의적 문제해결력 검사	
	영재교육 대상자 최종 추천	• 학교추천위원은 각종 평가 및 체크리스트의 점수를 합산한 후 환산하여 단위학교 영재교육 추천 학생 최종 선정	

단계

2

관찰 대상자 집중 관찰

Part 1 | 영재성 검사

Part 2 | 창의적 문제해결력 검사

1. 영재 행동 특성 검사 선발도구 2-1

영재 행동 특성 검사

(　　)학년 (　　)반 이름 : ____________

※ 학생의 평소 행동 특성을 가장 잘 나타낸다고 생각되는 곳에 ✔표 해 주십시오.

행동 특성	미흡		보통		우수	
	1	2	3	4	5	6
1. 높은 수준의 어휘를 사용하고 깊이 있는 사고를 할 줄 한다.						
2. 새로운 정보에 대한 이해가 빠르다.						
3. 관심 영역에 대해 많은 정보를 가지고 있다.						
4. 관심 분야에 대하여 호기심을 가지고 적극적으로 사고하고 탐구한다.						
5. 상황에 대하여 정확하고 비판적으로 판단할 줄 안다.						
6. 어떤 상황이나 현상에 대해 인과 관계를 빨리 파악한다.						
7. 오랫동안 한 가지 일에 지속적으로 집중한다.						
8. 사실적인 정보에 대한 기억력이 우수하고 숙달하는 속도가 빠르다.						
9. 혼자서 독립적으로 학습하기를 좋아한다.						
10. 구조화되지 않은 융통성 있는 과제를 해결하기 좋아한다.						
11. 감각(시각, 청각, 촉각, 신체 • 운동적)을 활용해서 학습하기를 좋아한다.						
12. 높은 자존감을 가지고 독립적으로 의사결정 하기를 좋아한다.						
13. 성패에 상관없이 스스로 문제를 해결하고 그 결과에 책임을 진다.						
14. 사회 정의에 관심을 가지고 다른 사람의 상황에 대해서 이해하려고 한다.						
15. 새로운 상황에 도전하기를 좋아하고 변화를 두려워하지 않는다.						
16. 어떤 문제에 대해서 유머 감각을 가지고 즐겁게 접근하는 자세를 보인다.						
17. 상상력이 풍부하고 공상하기를 좋아한다.						
18. 독창적인 방식으로 문제를 해결하는 능력이 뛰어나다.						
19. 다른 아동들이 도움을 요청한다.						
20. 규칙을 만들고 집단 활동을 이끈다.						

소계						
총합						

2. 창의성 검사 선발도구 2-2

창의성 검사

(　　)학년 (　　)반 이름 : ____________

※ 학생의 평소 행동 특성을 가장 잘 나타낸다고 생각되는 곳에 ✔표 해 주십시오.

행동 특성	미흡		보통		우수	
	1	2	3	4	5	6
1. OO는 처음 보는 물건을 보면 그것이 어떻게 작동하는지 알고 싶어한다.						
2. OO는 혼자 있을 때 무슨 일을 해야 할지 스스로 알아서 한다.						
3. OO는 엉뚱한 말로 주위 사람들을 잘 웃기곤 한다.						
4. OO는 모르는 문제가 있으면 그것을 알 때까지 파고든다.						
5. OO는 종종 게임의 규칙을 바꾸는 것도 잘 받아들인다.						
6. OO는 궁금한 것이 많다.						
7. OO는 다른 나라 친구와 사귀고 싶어한다.						
8. 비록 실패하거나 잘못할지라도, OO는 정말 하고 싶은 일이면 도전한다.						
9. OO는 자신의 능력을 믿으며 스스로를 자랑스럽게 여긴다.						
10. OO는 쉬운 문제보다는 어려운 문제를 더 좋아한다.						
11. OO는 한 번 마음먹은 일은 어떤 어려움이 있더라도 끝까지 해내고 만다.						
12. OO는 유머감각이 꽤 있다.						
13. OO는 더 나은 생각이나 아이디어라고 생각되면 곧 받아들인다.						
14. OO는 '만약 ~라면 어떻게 될까?'라는 생각을 자주 한다.						
15. OO는 남들이 당연하게 보는 것도 그냥 지나치지 않고 의문을 갖는다.						
16. OO는 자신의 커다란 꿈이나 희망을 이룰 자신감이 있다.						
17. OO는 다른 사람들이 뭐라고 해도 스스로를 믿는다.						
18. OO는 이야기 속의 주인공이 되어 상상해 보기를 좋아한다.						
19. OO는 '옛날에는 어떻게 살았을까?'라는 생각을 자주 한다.						
20. 친구들은 OO의 행동이나 말에 대해 재미있어 한다.						

소계						
종합						

2
단계

3. 과제 동기 행동 검사 선발도구 2-3

과제 동기 행동 검사

(　　)학년 (　　)반 이름 : ____________

※ 학생의 평소 행동 특성을 가장 잘 나타낸다고 생각되는 곳에 ✔표 해 주십시오.

행동 특성	미흡		보통		우수	
	1	2	3	4	5	6
1. 어떤 일을 할 때 일이 제대로 될 때까지 끝까지 매달린다.						
2. 과제를 할 때 너무 집중해서 다른 일들을 잊어버리기도 한다.						
3. 자신에 대한 기대치가 높은 편이다.						
4. 자기가 한 일을 끊임없이 평가한다.						
5. 다양한 분야에 흥미를 가지고 있다.						
6. 상황이나 사건의 분위기를 알아차리고 잘 적응한다.						
7. 새로운 내용과 이미 알고 있는 것과 관련성을 잘 찾는다.						
8. 이해하지 못한 채 그냥 외우지 않는다.						
9. 쉬운 문제보다 어려운 문제에 집중한다.						
10. 수학(과학)을 공부하는 것은 나에게 중요한 의미를 지닌다.						
11. 집중하기 위해 주위의 환경을 변화시킨다.						
12. 모르는 것이 있으면 주변사람에게 묻는 것이 어색하지 않다.						
13. 스스로 해결하지 못하면 주변사람의 도움을 받아 해결한다.						
14. 화를 잘 내고 민감한 편이다.						
15. 어떤 일이 잘못되더라도 실망하지 않고 다시 시작한다.						
16. 빠른 시간 내에 문제의 핵심에 주의력을 집중한다.						
17. 계획하는 것을 좋아하고 오랫동안 실천할 수 있다.						
18. 다른 사람에게 자신의 생각을 표현하는 것을 두려워하지 않는다.						
19. 위험한 일이나 흥분되는 일을 시도한다.						
20. 완벽하려고 애쓴다.						

소계						
종합						

4. 리더십 특성 검사 선발도구 2-4

리더십 특성 검사

(　　)학년 (　　)반 이름 : ________________

※ 학생의 평소 행동 특성을 가장 잘 나타낸다고 생각되는 곳에 ✔표 해 주십시오.

행동 특성	미흡		보통		우수	
	1	2	3	4	5	6
1. OO는 자신의 능력을 믿으며 스스로를 자랑스럽게 여긴다.						
2. OO는 계획을 세우면, 계획대로 추진해 나간다.						
3. OO는 여러 가지 대안들 중 적절한 것을 잘 선택한다.						
4. OO는 불이익이 되더라도 사람들과 약속한 것은 지킨다.						
5. OO는 현재의 상황에서 할 수 있는 최선을 다해 맡은 일을 해낸다.						
6. OO는 자신의 생각을 다른 사람에게 분명하고 조리 있게 말할 수 있다.						
7. OO는 그룹 활동을 할 때 다른 사람들과 뜻을 잘 맞추면서 한다.						
8. OO는 누가 감독하지 않아도 최선을 다해 해야 할 일들을 한다.						
9. OO는 일을 행할 때 각 구성원에게 책임을 적절하게 맡기는 편이다.						
10. OO가 제시한 의견을 다른 사람들이 잘 받아들인다.						
11. OO는 다른 사람의 의견을 들을 때 그 사람의 입장을 이해하려고 노력한다.						
12. OO는 아무리 친한 사이라도 잘못한 것은 잘못했다고 지적한다.						
13. OO는 아무리 원하는 일이라도 수단과 방법이 옳지 않으면 하지 않는다.						
14. OO는 본인이 느끼는 바를 말로 잘 표현하는 편이다.						
15. OO는 그룹 활동을 할 때 알고 있는 지식이나 정보를 친구들과 공유한다.						
16. OO는 친구들의 자신감을 북돋워준다.						
17. OO는 어떤 일에 궁금함을 잘 느낀다.						
18. OO는 자신의 능력 계발을 위해 계획을 세우고 실천하고 있다.						
19. OO는 새로운 것을 접하면 그것이 무엇인가 알기 위해 관련 정보를 찾아본다.						
20. OO는 다른 사람들에게 도움이 되는 일을 하면서 살고 싶어 한다.						

소계						
종합						

2 단계

5. 특수 학업 적성 검사 선발도구 2-5

특수 학업 적성 검사

(　　)학년 (　　)반 이름 : ____________

※ 학생의 평소 행동 특성을 가장 잘 나타낸다고 생각되는 곳에 ✔표 해 주십시오.

행동 특성	미흡		보통		우수	
	1	2	3	4	5	6
1. 도전적인 수학 퍼즐, 게임 및 논리 문제를 좋아한다.						
2. 수학의 패턴을 파악하기 위해 자료나 정보를 잘 조직한다.						
3. 창의적인 방식으로 수학 문제를 해결한다.						
4. 문제에서 수학적 구조를 분석하는데 흥미를 가지고 있다.						
5. 새롭고 어려운 수학 문제를 해결하는데 도전의식을 가지고 있다.						
6. 수학 공식이나 개념을 이해하는 속도가 또래보다 빠르다.						
7. 수학적 언어(용어, 기호, 수식, 그림 등)를 유창하게 사용한다.						
8. 수학 문제를 해결할 때 적절하거나 필요하다면 쉽게 전략을 바꾼다.						
9. 구체적인 자료의 도움이나 조작 없이도 추상적으로 수학 문제를 해결한다.						
10. 수학적 감각이 뛰어나다.(예 큰 수와 작은 수를 감지하고 쉽게 연상함)						
소계						
총합						

※ 일화 기록 (3건 이상)

순번	관찰 내용
1	
2	
3	

Part 1

영재성 검사

창의성 1 발명하기

전략 Point

발명하기는 서로 관련이 없거나 전혀 다른 두 물건을 사용하여, 남들이 쉽게 생각하지 못하는 새로운 물건을 만드는 것입니다.

❶ 아이디어 개수로 점수를 얻습니다.

❷ 외형적인 특징을 단순히 결합하는 것보다 기능적인 면과 감정적인 면의 특징을 결합하여 새로운 물건을 만들면 보너스 점수를 얻을 수 있습니다.

예 모래와 자석 이용 : 종이 밑에 자석을 여러 군데 붙인 후, 모래를 뿌려 미술 작품을 만든다. (기능적인 면 결합)

❸ 독창적인 것이 포함되어 있으면 보너스 점수를 얻을 수 있습니다.

❹ 아이디어가 어느 정도 현실적으로 가능한 것이어야 합니다.

창의 ❶ 기출 유형 탐구

다음 보기와 같이 아래에 제시된 두 물체를 함께 사용해서 새로운 물건을 만들고, 그것의 이름과 용도를 가능한 많이 쓰시오. 기출 문제

보기

지팡이와 롤러블레이드

이름	용도
롤러블레이드 초보 도우미	롤러블레이드를 처음 배우는 사람이 넘어지지 않도록 지팡이로 보조한다.
땅 위에서 즐기는 크로스컨트리	지팡이를 폴로 사용해서 앞으로 잘 나아가게 한다.

스펀지와 초

이름	용도

2 단계
영재성 검사
창의적 문제 해결력 검사

친구 답안

관련 사고 능력	점수
융통성 (3점) / 독창성 (2점)	5점

친구의 답안을 어떻게 채점하였는지 살펴봅시다.

V 캠핑 수세미 - 스펀지에 아주 긴 초를 달아 전기가 안 들어오는 어두운 야외에서도 설거지를 할 수 있다

V 깔끔이 초 - 스펀지에 구멍을 뚫어서 초를 세운다. 촛농이 스펀지로 떨어져 손에 묻지 않고 지저분해지지도 않게 한다.

V 스케이트 수세미 - 볼에 초를 문질러 미끄럽게 한 다음 큰 스펀지를 스케이트보드처럼 타고 다닌다

V 캠핑 모자 - 스펀지로 모자를 만들고 초를 꽂아, 어두운 야외에서 활동할 수 있게 한다.

V 환상 조명등 - 스펀지를 원통형으로 잘라 만들어 초를 세우면, 은은한 조명등이 된다

V 초 그림 - 스펀지를 도화지로 생각하고, 촛농과 그을음으로 그림을 그린다. ← 독창성

V 안전 탱크 장난감 - 스펀지로 탱크의 몸체를, 초로 대포를 만든다. 아이들이 던져도 다치지 않는다.

V 재활용 케이크 - 스펀지로 케이크 모양을 만들고, 초를 세워 생일 케이크를 만든다.

V 로맨틱 목욕 용품 - 스펀지를 예쁜 장미 모양으로 만들고 가운데 초를 꽂아 물에 띄운다.

아이디어(9개) : 2점
독창성 : 1점
3점

채점 POINT

❶ 두 물건의 외형적인 특징과 일반적인 기능을 이용하여 다양한 새로운 물건을 만들었습니다. 그러나 두 물건의 기능적인 특징의 결합으로 새로운 물건을 만드는 독창성의 보너스 점수를 더 받지 못한 것이 조금 아쉽습니다.

아이디어의 개수	점수
1 ~ 5개	1점
6 ~ 11개	2점
12개 이상	3점

❷ 아이디어의 개수에 따라 채점합니다.

연습 01 망원경과 자전거를 함께 사용해서 새로운 물건을 만들어 봅시다.

망원경

자전거

(1) 망원경과 자전거가 어떤 부품으로 이루어져 있는지 적고, 그 부품은 어떤 모양과 어떤 재료로 만들어져 있는지 적어 보시오.

망원경		
부품	모양	재료

자전거		
부품	모양	재료

(2) 각 물건의 부품, 재료, 모양을 변형시켜서 새로운 물건을 다양하게 만들어 보시오.

연습 | 02 다음은 아직 이름을 갖고 있지 않은 새로운 발명품의 특징입니다. 이 발명품에 적당한 이름을 붙이시오.

발명품 특징	발명품 이름
크레파스, 물감, 매직 등을 동시에 사용할 수 있는 필기구	
발의 크기에 맞게 자동으로 크기가 조절되는 운동화	
운반할 때 컵, 그릇 등이 움직이지 않는 쟁반	
흔들면 밧데리가 자동으로 충전되는 핸드폰	
타지 않을 때에는 접어서 들고 다닐 수 있는 오토바이	
다 읽은 후에 맛있게 먹을 수 있는 책	
더러워진 겉면을 벗겨서 새 신발을 만들 수 있는 운동화	

연습 03 타고 가던 배가 갑작스런 폭풍우에 침몰되고 있는 상황에서 배를 탈출하기 전에 비옷을 입고, 목에는 카메라를 챙겼습니다. 자신이 파도에 밀려 간신히 무인도에 도착하였다면, 자신이 가지고 있던 비옷과 카메라로 무엇을 할 수 있을지 여러 가지 용도를 적으시오.

비옷

카메라

실전 01 우리가 사용하는 물건 중에서 불편함을 느끼는 것은 없습니까? 여러분이 사용하는 물건을 하나 골라 보기와 같이 각 부분별로 자세하게 나누어 불편한 점과 어떻게 바꾸면 좋을지 적으시오.

보기

• 선택한 물건 : 자전거

바꾸고 싶은 부분	어떤 점이 불편한가?	어떻게 바꿀까?
색상	한 가지 색상으로 되어있어 지루하다.	빛에 따라 색이 변하는 자전거
기능	추운 겨울에 손이 시렵다.	핸들 부분에 손장갑 주머니를 단다.

• 선택한 물건 : ____________

바꾸고 싶은 부분	어떤 점이 불편한가?	어떻게 바꿀까?

실전 02 100년 후 지구온난화로 인해 화성으로 가서 살게 되었습니다. 다음 도형을 이용하여 화성에서 필요한 발명품을 여러 가지 만들어 보시오. 기출 문제

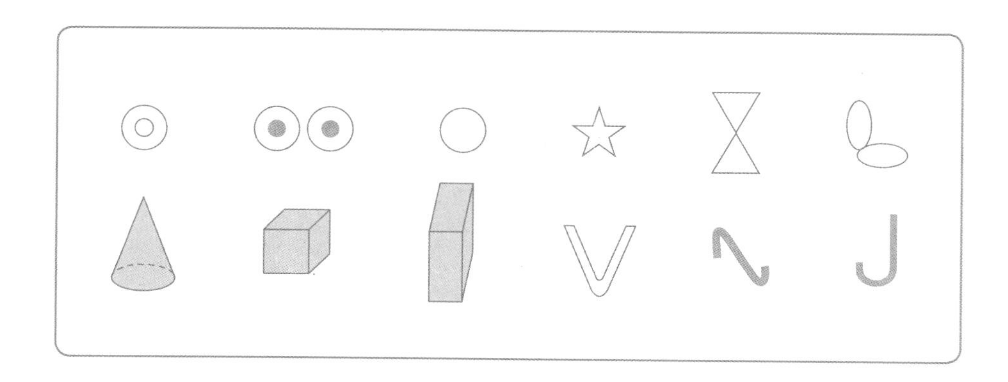

그림	이름	설명

창의성 2 그림 완성하기

전략 Point

그림 완성하기는 주어진 도형을 사용하거나 미완성 상태의 그림을 완성하는 것입니다.

❶ 제목

• 제목이 적절하게 상징적으로 표현되도록 합니다.

예

제목	물고기	어항 속의 물고기	물고기 '나모'	고독
점수	0점	1점	2점	3점

• 제목에 감정, 상상, 유머 등이 표현되도록 합니다.

예

제목	산타크로스	하늘을 나는 산타크로스	루돌프 꼬리에 매달린 산타크로스
점수	0점	2점	3점

• 제목에 따옴표, 느낌표, 물음표 등의 문장 부호를 쓰도록 합니다.

❷ 그림

• 그림은 최소 기본 요소 이외에 부수적으로 세부 묘사도 합니다.

예

최소 기본 요소	세부 묘사(아이디어 1개)
얼굴	콧구멍, 주근깨, 보조개, 안경, 귀걸이, 치아는 개수마다 아이디어 1개로 봄.

• 그림 속에 특수 효과, 움직임의 표현, 기본 그림 주위의 세부 상황 등이 표현되도록 합니다.

예 바람 : 물결 : 움직임 :

• 그림 속에서 ① 기쁨, 화남 등의 감정, ② 웃음이 나오는 상황, ③ 냄새, 소리 등의 감각의 사용, ④ 상상 속의 동물 또는 동물의 의인화 등을 표현하도록 합니다.

창의 ❷ 기출 유형 탐구

영미가 그림을 그리다가 잠이 들어 그림을 완성하지 못했습니다. 아래 영미가 그리다가 만 그림을 완성하고, 그림의 제목을 쓰시오. 기출 문제

제목 : ______________________

친구 답안

관련 사고 능력	점수
융통성 (3점) / 정교성 (5점) / 정서적 민감성 (2점)	10점

친구의 답안을 어떻게 채점하였는지 살펴봅시다.

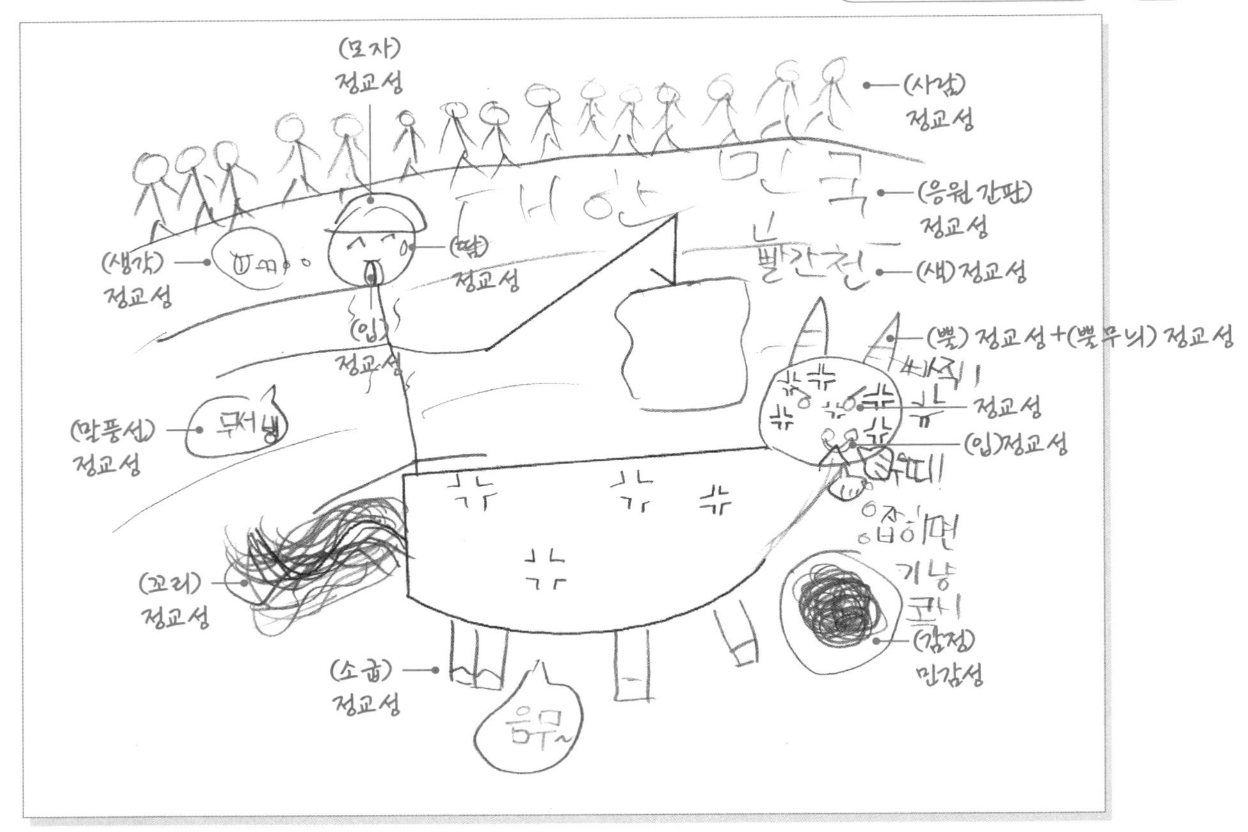

제목 : 약올리는 투우사와 화가난 황소 —(제목 그림 설명) 융통성 1점

(감정) 민감성 1점

아이디어 (16개) : 4점
융통성 : 1점
정서적민감성 : 2점
7점

채점 POINT

❶ 이 작품에는 투우사의 무서워하는 감정과 황소의 화가 난 감정이 다양한 방법으로 표현되어 있고, 색, 글자, 황소의 표정, 황소의 꼬리 등 다양한 추가 요소들이 그려져 있어 정서적 민감성과 정교성이 뛰어납니다.

❷ 그러나 융통성과 관련된 제목에서 그림을 적절하게 상징적으로 표현하고 있지 못해 조금 아쉽습니다.

❸ 아이디어의 개수에 따라 채점합니다.

아이디어의 개수	점수
1 ~ 5개	1점
6 ~ 10개	2점
11 ~ 15개	3점
16 ~ 20개	4점
21개 이상	5점

연습 01 다음 친구의 작품 중에서 다른 사람과 다르게 표현한 부분을 찾아 이야기해 보고, 더 추가하여 그리면 좋을 부분을 찾아 그리시오.

제목 : 조스의 침략

다른 사람과 다르게 표현한 부분

①

②

③

연습 | 02 지수가 그리다가 만 그림을 완성하고, 그림의 제목을 쓰시오.

제목 : ______________________

연습 03 다음 도형을 모두 사용하여 새로운 그림을 그리고, 그림의 제목을 쓰시오.

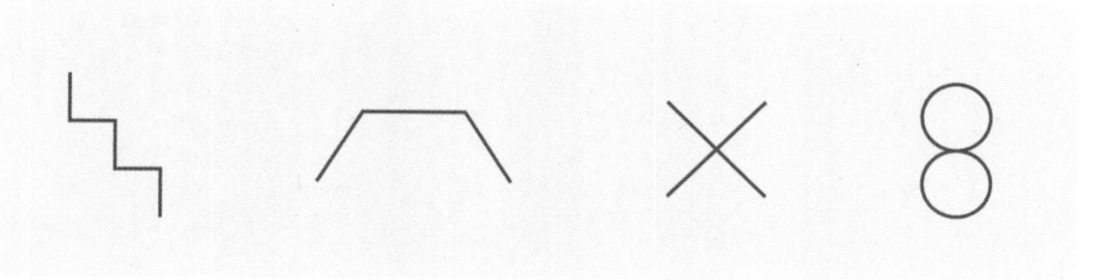

제목 :

실전 01 다음 삼각형 6개를 모두 사용하여 새로운 그림을 그리고, 그림의 제목을 쓰시오. (단, 삼각형 모양은 돌릴 수 있습니다.) 기출 문제

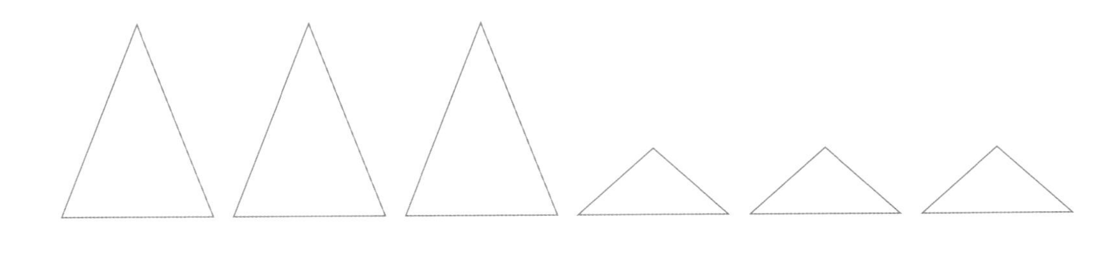

제목 : ______________________

실전 02 다음 숫자를 가능한 많이 사용하여 새로운 그림을 그리고, 그림의 제목을 쓰시오.

1 2 3 4 5 6 7 8 9

제목 : ____________________

창의성 ③ 때에 따라 다른 것 찾기

전략 Point

때에 따라 다른 것 찾기는 상황에 따라 대비되는 두 성질을 가진 사물이나 감정을 찾는 것입니다.

❶ 아이디어의 개수로 점수가 부여되므로 가능한 많은 아이디어를 적습니다.

❷ 상황을 설명할 필요가 있는 경우에는 부연 설명을 쓰도록 합니다.

❸ 같은 아이디어가 반복되는 경우에는 그 아이디어는 1개로 평가합니다.
예 시간, 세월

❹ 너무 추상적이거나 질문과 관계가 없는 경우에는 아이디어로 평가하지 않습니다.
예 작으면서 큰 것 : 컴퓨터 키보드

다음 제시된 표현에 해당된다고 생각하는 것을 가능한 많이 쓰시오. 기출 문제

빠르고 느린 것

작고도 큰 것

친구 답안

관련 사고 능력	점수
유창성 (6점)	6점

친구의 답안을 어떻게 채점하였는지 살펴봅시다.

빠르고 느린 것

V 같은아이디어
- 파란 신호등에서 빨간 신호등으로 바뀌는 시간
- 형광등 켜지는 데 깜박거리는 시간

V 용돈 받는 날

V 손톱, 발톱 자라는 시간

V 같은아이디어
- 초등학교 1학년일 때부터 지금까지의 시간
- 계절이 바뀌는 속도

V 시험 준비 기간

V 목욕탕에서 목욕하는 시간

V 지하철 가는 속도

V 소문

V 인터넷 게임하는 시간

아이디어 (9개) : 2점

작고도 큰 것

V 욕심

V 공기

V 반장 선거때 한 표

V 돈

V 이빨에 낀 고춧가루

V 손에 박힌 가시

V 소문

V 같은아이디어
- 별
- 어둠 속의 불빛

V 아기의 울음 소리

V 겨울에 문 틈새로 들어오는 바람

V 풍선

아이디어 (11개) : 3점

채점 POINT

❶ 두 문제 모두 질문이 '빠르고도 느린 것', '작고도 큰 것'과 같이 개인의 심리적 상태에 따라 다르게 느껴지는 것입니다. 따라서 대부분의 사람들이 인정할 수 있는 대답이어야 하며, 너무 추상적인 경우에는 아이디어로 평가받지 못합니다.

❷ 아이디어의 개수에 따라 채점합니다.

아이디어의 개수	점수
1 ~ 5개	1점
6 ~ 10개	2점
11개 이상	3점

연습 01 다음 제시된 표현에 해당된다고 생각하는 것을 가능한 많이 쓰시오.

따뜻하고 차가운 것

길고도 짧은 것

연습 02 다음 제시된 표현에 해당된다고 생각하는 것을 가능한 많이 쓰시오.

무게가 없는 무거운 것

부드러우면서 강한 것

연습 03 우리 주변에서 볼 수 있는 혼합물을 가능한 많이 찾고, 그 이유를 쓰시오.

보기

[바다]는 혼합물이다.

왜냐하면 [물고기, 미역, 조개, 바위, 산호, 플랑크톤 등이 섞여 있기]때문이다.

① [ ]는(은) 혼합물이다.

왜냐하면 [ ]때문이다.

② [ ]는(은) 혼합물이다.

왜냐하면 [ ]때문이다.

③ [ ]는(은) 혼합물이다.

왜냐하면 [ ]때문이다.

④ [ ]는(은) 혼합물이다.

왜냐하면 [ ]때문이다.

⑤ [ ]는(은) 혼합물이다.

왜냐하면 [ ]때문이다.

⑥ [ ]는(은) 혼합물이다.

왜냐하면 [ ]때문이다.

⑦ [ ]는(은) 혼합물이다.

왜냐하면 [ ]때문이다.

실전 01 수학에서 '1+1=2'입니다. 그런데 1+1=1도 맞습니다. 물방울 하나에 물방울 하나를 더하면 큰 물방울 하나가 되기 때문입니다. 이외에도 '1+1=1'이 되는 경우를 여러 가지 쓰시오.

①

②

③

④

⑤

⑥

⑦

⑧

⑨

⑩

실전 02 우리가 어른이 되면 사라질 직업도 있을 것이고, 새로 생겨날 직업도 있을 것입니다. 미래에 사라질 직업과 새로 생겨날 직업을 각각 5가지씩 쓰고, 그렇게 생각하는 이유도 쓰시오. 기출 문제

사라질 직업	이유

생겨날 직업	이유

창의성 4 기발한 해결 방법

전략 Point

기발한 해결 방법은 남들이 쉽게 생각하지 못하는 특별한 해결 방법을 생각하여 주어진 문제를 해결하는 것입니다.

❶ 아이디어의 개수로 점수가 부여되므로 가능한 많은 아이디어를 적습니다.

❷ 독창적인 것이 포함되어 있으면 보너스 점수를 얻을 수 있습니다.

❸ 해결 방법이 합리적이고 어느 정도 현실적으로 가능한 것이어야 합니다.
예 나무 위에 연이 걸린 경우 : 슈퍼맨에게 내려 달라고 한다. (비현실적 아이디어)

❹ 남들이 쉽게 생각할 수 있는 것은 아이디어로 평가하지 않습니다.

❺ 같은 아이디어가 반복되는 경우에는 그 아이디어는 1개로 평가합니다.
예 버스를 타고 간다. 택시를 타고 간다.

창의 ④ 기출 유형 탐구

자신의 이름이 '모지란'이라고 가정해 봅시다. 자신은 '모지란'이라고 불리는 것이 괴로울 것입니다. 자신의 이름을 가지고 사람들이 놀리지 않게 하기 위한 해결 방법을 여러 가지 찾아보시오.

친구 답안

관련 사고 능력	점수
유창성 (3점) / 독창성 (2점)	5점

친구의 답안을 어떻게 채점하였는지 살펴봅시다.

V 1. 가명을 만들어 쓴다.

V 2. '나의 호적상의 이름은 '모지란'이 아니라 '모델' 이란다. 앞으로 그렇게 불러줘' 라고 한다.

3. 다른 학교로 전학을 간다 ← 흔한 방법

V 4. 이름이 '모지란' 이고, 성은 '안' 이라고 말한다 그리고 앞으로 '안모지란' 으로 부르게 한다.

V 5. 내 성은 '모지' 이고, 이름은 '란' 이라고 말한다 ← 독창성 따라서 친구들에게 '란' 이라고 불러 달라고 한다.

V 6. 난초 이름 중에 '모지란' 이 있거든. 예쁜 난초 이름이라고 자랑한다

7 법원에 가서 개명한다. ← 흔한 방법

8 다른 별명을 알려 주어 부르게 한다 ← 1과 같은 방법

V 9. 이름을 소개할 때, 항상 성을 말하지 않는다

아이디어(6개) : 2점
독창성 : 1점
3점

채점 POINT

❶ 흔한 아이디어와 같은 아이디어가 반복되고 있어, 점수를 더 많이 받지 못해 아쉽습니다. 그러나 독창적인 아이디어가 있어 보너스 점수를 얻을 수 있습니다.

❷ 아이디어의 개수에 따라 채점합니다.

아이디어의 개수	점수
1 ~ 2개	1점
3 ~ 4개	2점
5 ~ 6개	3점
7 ~ 8개	4점
9개 이상	5점

연습 01 다음 상황에서 어떻게 하면 될지 여러 가지 해결 방법을 찾아봅시다.

욕실의 수도가 고장 나서 수도꼭지를 잠글 수 없고, 물이 계속 흘러나오고 있습니다.
그대로 두면 온 집안이 물바다가 될 것입니다.

(1) 집에 누가 있습니까?

(2) 집 또는 욕실에는 어떤 도구들이 있습니까?

(3) 물을 막는 것 이외에 물을 사용할 곳이 있습니까?

(4) 위의 (1), (2), (3)을 참고하여 여러 가지 해결 방법을 찾아보시오.

연습 | 02 어느 나라에 사는 부자의 이름은 '천원만'입니다. 이 부자는 누군가가 자신의 이름을 부르면 천 원씩 생기는 요술 주전자를 가지고 있습니다. 이 나라의 샘이 많은 왕은 이 부자의 이름을 부르지 못하게 명령을 했습니다. 부자가 자신의 이름인 '천원만'을 다른 사람들이 부르게 할 수 있는 방법을 여러 가지 찾아보시오.

연습 03 쥐들은 항상 고양이에게 잡힐까봐 걱정합니다. 어느 날 쥐들은 회의 끝에 고양이 목에 방울을 달기로 하였습니다. 쥐들이 고양이 목에 방울을 달 수 있는 여러 가지 방법을 쓰시오.

실전 01 다음 그림을 보고 어떤 일이 벌어진 것인지 설명하고, 해결 방법을 여러 가지 찾아보시오.

실전 02 악어가 몹시 아픕니다. 수의사는 악어를 살리려면 체온을 낮추어야 하므로 악어를 냉장고에 넣어야 한다고 합니다. 악어를 냉장고에 넣는 방법을 여러 가지 찾아보시오.

언어적 사고력 1 언어의 규칙

전략 Point

언어의 규칙은 2가지 이상의 정보가 어떤 유사성, 공통점, 차이점을 갖고 있는지 관계를 파악하는 능력을 보는 것입니다.

❶ 2가지 이상의 정보, 대상 사이에 어떤 공통점과 차이점이 있는지 살펴봅니다.

❷ 2가지 이상의 대상을 무게, 형태, 양, 용도, 역사 등 여러 차원에서 비교해 봅니다.

❸ 낱말의 비슷한 말과 반대말을 생각해 봅니다.

❹ 낱말의 운율을 생각해 봅니다.
- 같은 낱말을 두 번 반복 : 소곤소곤, 두근두근
- 의미가 다른 두 낱말을 연결 : 오락가락, 아롱다롱

❺ 의성어인지 의태어인지 생각해 봅니다.
- 의성어 : 사물의 소리를 흉내낸 말 예 멍멍, 땡땡, 우당탕, 퍼덕퍼덕 등
- 의태어 : 사람이나 사물의 모양 또는 움직임을 흉내낸 말 예 아장아장, 번쩍번쩍 등

다음을 보고, 규칙을 찾아 쓰고 ⑦번의 빈칸을 채우시오. 기출 문제

① 비행기 – 연필 – 운송 – 필기

② 영화 – 예술 – 추석 – 명절

③ 컴퓨터 – MP3 – 키보드 – 이어폰

④ 숲 – 나무 – 책 – 글자

⑤ 나침반 – 자 – 방향 – 길이

⑥ 배 – 돛 – 시계 – 바늘

⑦ [ ] – [ ] – [ ] – [ ]

규칙

친구 답안

점수
5점

친구의 답안을 어떻게 채점하였는지 살펴봅시다.

⑦ 전화기 – 줄넘기 – 통화 – 운동

규칙

V 1. 홀수번호 단어의 규칙
셋째 번 단어는 첫째 번 단어의 용도, 넷째 번 단어는
둘째번 단어의 용도.

V 2. 짝수 번호 단어의 규칙
첫째 번 단어는 둘째 번 단어를 포함, 셋째 번 단어는
넷째번 단어를 포함.

빈칸 채우기 : 2점
규칙 찾기 : 3점
5점

채점 POINT

❶ **유비 추론**은 2가지 이상의 대상에서 공통점과 유사성 관계의 내용을 파악하고 이해하는 능력으로, 추론 영역에서 매우 중요한 능력입니다.

❷ 다음 기준에 따라 채점합니다.

구분	점수	점수
빈칸 채우기	규칙에 맞게 빈칸을 완성한 경우	2점
규칙 찾기	홀수째 번 단어의 묶음과 짝수째 번 묶음의 규칙을 알맞게 찾아낸 경우	3점

연습 01 다음 보기 와 같이 앞문장에 쓰인 단어의 관계와 뒷문장에 쓰인 단어의 관계가 같은 문장을 여러 가지 만들어 보시오.

보기

해는 낮에 비추고, 달은 밤에 비춥니다.

①

②

③

④

⑤

⑥

⑦

⑧

⑨

⑩

연습 02 다음 보기 와 같이 앞뒤의 단어와 합쳐져 하나의 단어가 되도록 빈칸에 알맞은 단어를 써넣으시오. 기출 문제

보기

총각 [김치] 독 [거미] 집 [청소] 시간

(1) 제비 [ ] 수리 [ ] 복

(2) 장미 [ ] 가루 [ ] 방울 [ ] 씨앗

(3) 자동 [ ] 길 [ ] 등 [ ] 그늘

(4) 충치 [ ] 주사 [ ] 국 [ ] 맛

(5) 고속 [ ] 시간 [ ] 사기 [ ] 세트

연습 03 다음 보기 는 어떤 공통점을 가진 낱말입니다. 같은 공통점을 가진 또 다른 낱말들을 많이 찾아 쓰고, 찾아낸 낱말들이 모두 들어가는 이야기를 만들어 보시오.

보기

다리미, 두루미, 가자미, 올빼미

공통점을 가진 낱말

내가 만든 이야기

실전 01 다음 규칙 에 따라 빈칸에 알맞은 말을 써넣으시오. 기출문제

(1)	뽕	➡	☐	➡	뽀보봉
(2)	☐	➡	짜장	➡	짜자장
(3)	용	➡	☐	➡	☐
(4)	☐	➡	☐	➡	쑤숭
(5)	☐	➡	☐	➡	여어엉

실전 02 보기 의 낱말들과 같은 방법으로 만들어진 낱말을 10개 이상 쓰시오. 기출 문제

보기

미주알고주알, 갈팡질팡, 아롱다롱, 오락가락, 쥐락펴락

①

②

③

④

⑤

⑥

⑦

⑧

⑨

⑩

⑪

⑫

⑬

⑭

⑮

⑯

언어적 사고력 2 조건에 맞게 글쓰기

전략 Point

조건에 맞게 글쓰기는 '주어진 단어로 글쓰기', '주어진 단어로 다른 단어 설명하기', '3행시 짓기', '동요 가사 바꾸기' 등이 있습니다.

조건에 맞게 글쓰기를 할 때에는 다음 사항에 유의해야 합니다.

❶ 주어진 소재를 반드시 사용하여 글을 써야 합니다.

❷ 글에는 반드시 표현하고자 하는 생각이 있어야 합니다. 즉, 짧은 글에도 전달하려는 주제가 표현되게 합니다.

❸ 글의 종류가 주어지지 않은 경우에는 수필과 같이 다른 사람이 생각하는 형식보다는 시, 시조 등 다양한 형식으로 글을 쓰도록 합니다.

❹ 글 속에 자신만의 재미있고, 독창적인 표현을 사용하도록 노력합니다.

언어 ❷ 기출 유형 탐구

다음 보기 에 나와 있는 단어들을 보고 떠오르는 느낌을 1~3개의 단어로 쓰고, 보기 의 일곱 단어를 모두 사용하여 시를 지으시오. 기출 문제

보기

구름, 우유, 시계, 친구, 성, 햇살, 연필

떠오르는 느낌

시 짓기

친구 답안

점수 5점

친구의 답안을 어떻게 채점하였는지 살펴봅시다.

떠오르는 느낌

따뜻하다
맑다
행복하다

시 짓기

따뜻한 햇살을 받으며
친구와 나란히 누워 하늘을 바라보니
우유처럼 하이얀 구름이 둥둥 떠다니고 (비유법)
연필로 그린 것 같이 행복한 우리의 추억도 (비유법)
아스라히 지나가네

이 시간이 정말 꿈만 같아
이 곳이 바로 천국의 섬과 같아 (비유법)
할 수만 있다면 시계 바늘을 멈추고 싶어라.

사용한 소재 개수(7개) : 3점
소재의 느낌과 시의 느낌 통일+비유법(3개) : 7점
10점

채점 POINT

❶ 주어진 소재 (구름, 우유, 시계, 친구 등)의 느낌과 시의 느낌이 비슷하게 되도록 써야 합니다. 즉, 떠오른 느낌을 시 짓기에서 살릴 수 있도록 시를 짓습니다.

❷ 시에서 은유, 직유 등의 다양한 비유법을 사용하도록 합니다.

❸ 다음 기준에 따라 채점합니다.

사용한 소재의 개수	점수
1 ~ 3개	1점
4 ~ 6개	2점
7개	3점

시의 기준	점수
소재에서 떠오르는 느낌과 시의 느낌이 비슷하고, 다양한 비유법이 사용된 경우	7점
소재에서 떠오르는 느낌과 시의 느낌이 비슷하나, 비유법의 사용이 없는 경우	4점
소재에서 떠오르는 느낌과 시의 느낌이 다른 경우	2점

연습 01 다음은 동화 '말소리가 얼어붙는 나라'의 내용입니다. 조각난 글자를 잘 맞추어 빈칸에 들어갈 말을 만드시오.

북쪽 아주 추운 얼음 나라 이야기입니다. 아침 일찍, "안녕히 주무셨어요?"하고 인사를 하면 말소리가 얼어붙어서 들리지가 않아요. 아직 해가 뜨지 않아서 날씨가 너무 춥기 때문이죠. 그러다 시간이 지나 해가 뜨면 말소리가 녹아요. 그러면 여기저기서 한꺼번에 "안녕히 주무셨어요?" "안녕히 주무...?" "안녕히...?"하고 아침 인사 소리가 녹아서 나라 안이 온통 시끌시끌 하답니다.
이 얼음 나라의 임금님은 파티를 너무도 좋아해서 이웃 나라 여왕님과 사람들을 불러 자주 파티를 열었답니다. 그런데 어느 날, 눈보라가 휘몰아쳐서 파티를 열 수가 없었어요.
임금님은 마당에 나가서 큰소리로 외쳤습니다.
"오늘 파티는 그만 두고 연기다." 엄청난 눈보라 때문에 임금님의 말소리는 꽁꽁 얼어붙고 말았습니다. "자, 이 '오늘 파티는 그만 두고 연기다.' 얼음 테이프를 이웃 나라 여왕님께 전하라." 신하는 얼음 녹음 테이프를 들고 눈보라 속을 달리다가 그만 미끄러지고 말았어요. 얼음 테이프는 그만 산산조각이 나고 말았어요.
"아이고 큰일났네. 임금님이 뭐라고 하셨지?" 생각이 나지 않아 고민하던 신하는 얼음 테이프를 말이 되게 다시 맞춰 이웃 나라로 달려갔습니다.
이웃 나라 성 안에 도착하니 얼음 테이프가 녹아 임금님의 말이 들렸어요.

이 말을 듣고 모두 기뻐했습니다. "틀림없이 맛있을 거야." 밤이 되자 이웃 나라 사들은 모두 눈보라 속을 걸어 얼음 나라로 갔습니다.
이웃 나라 사람들이 도착했을 때 임금님은 깜짝 놀라며 말했어요. "아니, '오늘 파티는 그만 두고 연기'라고 알렸을 텐데..."

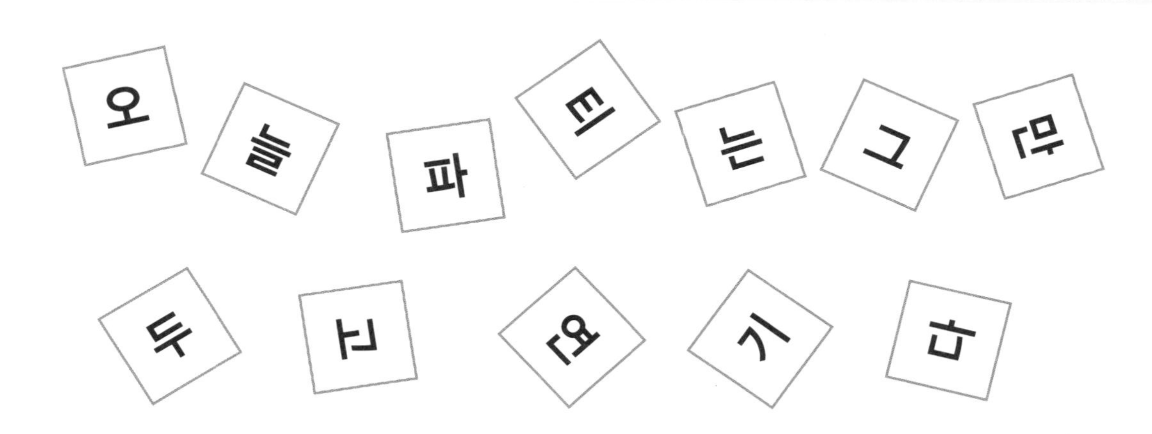

연습 | 02 다음 낱말들을 한 개씩 연결시켜서 재미있는 문장을 만들어 보시오.

보기

왕자, 마법, 실타래, 오늘 밤, 까마귀 밥

마녀는 왕자에게 마법의 실타래를 주고 실의 길이를 오늘 밤 자정까지 알아 내지 못하면 까마귀 밥이 될 것이라고 하였습니다.

장난감, 수박, 야단맞다

고구마, 할머니, 뛰어가다

컵, 자동차, 복사기, 가위, 냉장고, 연필, 풀, 책, 지우개 연습 03 다음 주어진 각 단어의 첫 글자가 들어가도록 3행시 또는 4행시를 지어 보시오.

백두산	백	
	두	
	산	

무궁화	무	
	궁	
	화	

시나브로	시	
	나	
	브	
	로	

실전 01 다음은 동요 '햇볕은 쨍쨍'의 노래 가사입니다. 다음 동요를 색다르게 고쳐서 써 보시오.

실전 02 다음 세 단어 중 한 단어를 선택하여 나머지 두 단어를 설명해 보시오.

보기

경험, 승리, 해결

- 승리는 다른 사람과의 내기에서 이기는 경험을 말한다.
- 해결은 여러 가지 경험을 바탕으로 문제를 원만히 푸는 것을 말한다.

연설, 지원, 기회

재료, 물건, 반영

2단계 영재성 검사 창의적 문제 해결력 검사

언어적 사고력 3 스토리텔링(storytelling)

전략 Point

스토리텔링(Storytelling)은 주어진 문장으로부터 추론되는 상황을 정리하여, 자연스럽게 이어지도록 이야기를 쓰면 됩니다.

❶ 글의 제목

- 적절하게 상징적으로 표현해야 합니다.

  예 빗나간 운명
- 따옴표, 느낌표, 물음표 등의 문장 부호를 쓰도록 합니다.
- 글의 내용을 직설적으로 나타내거나, 중심 소재가 아닌 소재를 단순히 나열한 경우에는 좋은 점수를 얻지 못합니다.

  예 깨어진 항아리(2점), 항아리와 사탕(1점)

❷ 이야기 쓰기

- 글의 내용의 구성에서 반전과 역전이 있도록 씁니다.
- 제한된 분량 내에서 주제를 적절하게 글로 나타내어야 합니다.
- 상황만을 상세하게 쓴 경우에는 좋은 점수를 얻지 못합니다.

다음의 두 문장과 자연스럽게 이어지도록 이야기를 지어 쓰고, 적절한 제목을 붙이시오.

기출 문제

할머니는 선반 위에 놓인 항아리에서 매일 영수에게 사탕을 꺼내 주셨다. 그러던 어느 날, 영수는 항아리를 앞에 놓고 울고 있었다.

제목 : ____________________

친구 답안

점수
10점

친구의 답안을 어떻게 채점하였는지 살펴봅시다.

제목 : 다정한 할머니와 의사의 실수 ←2점

영수는 사탕을 더 먹고 싶어서 울은것이다. 할머니는 영수에게 사탕을 더 주셨다. 그런데 영수에게 문제가 생겼다.
사탕을 먹고 이빨을 닦지 않아 치과에 가야 하는 것이다.
치과에 가서 의사선생님이 영수에게 사탕을 먹지 말라고 하셨다.
그런데 영수가 의사선생님 말을 듣지 않아 의사 선생님이 말했다.
영수야 착하지 말 잘 들으면 사탕줄께.
그래서 의사 선생님한테 사탕을 받고 나서 집으로 돌아온 영수.
"할머니 저 말 잘 들었죠?"
"그래 말 잘 들었다. 상으로 사탕을 줄게."
고맙습니다. 영수는 사탕을 2개나 받아서 기분이 좋았다.

사탕을 먹고 치과에 간 손자에게 상으로
다시 사탕을 준 경우로
이야기의 반전이 있는 경우: 7점

9점

채점 POINT

❶ 다음 기준에 따라 채점합니다.

• 글의 제목

제목	점수
상징적으로 표현한 경우	3점
직설적으로 표현한 경우	2점
소재를 단순히 나열한 경우	1점

• 이야기 쓰기

내용	점수
반전과 역전이 있는 경우 (사탕을 먹고 이가 썩어 치과에 간 손자에게 상으로 다시 사탕을 준 경우)	7점
주제를 함축적으로 표현 (다이어트 때문에 사탕이 있지만 먹지 못해서 울고 있는 경우)	5점
상황을 상세하게 묘사한 경우 (항아리 속의 사탕이 언젠가는 다 없어질 것이고, 그때를 생각하면 울음이 나는 경우)	3점

연습 01 다음은 '소금을 만드는 맷돌'이야기입니다. 이 글의 등장 인물, 주제, 내용, 이야기가 전개되는 장소, 시간 등을 이용하여 독특한 제목을 여러 가지 지어 보시오.

옛날 옛날 아주 먼 옛날에, 한 임금님이 요술 맷돌을 가지고 있었습니다. "나와라, 밥!"하면 밥이 나오고, "그쳐라, 밥!"하면 뚝 그치는 신기한 맷돌이었답니다.
사람들은 모두 그 맷돌을 부러워했습니다. 그런데 어느 날, 아주 뻔뻔스러운 도둑이 궁궐 벽을 훌쩍 넘어 들어와 맷돌을 훔쳐 달아났습니다. "바다 건너로 멀리 달아나서 살아야겠다."
도둑은 배를 타고 바다를 건너갔습니다. "무엇을 나오게 해 볼까? 옳아! 소금을 나오게 하면 큰 돈을 벌 수 있을 거야." 도둑은 맷돌을 돌리면서 쩌렁쩌렁한 목소리로 "나와라, 소금!"하고 외쳤습니다. 그러자 맷돌에서 꾸물꾸물 하얀 소금이 쏟아져 나왔습니다.
도둑의 욕심보처럼 산더미같이 소금이 배 안에 쌓여 갔습니다. 어, 배가 기우뚱거립니다. "큰일이다."
도둑은 너무 당황해서 '그쳐라, 소금!'이라는 말을 잊어버렸습니다. 어떻게 되었을까요? 맷돌은 도둑과 함께 바다 속에 가라앉고 말았습니다.
바다 속에서도 맷돌은 쉬지 않고 돌았습니다. 그 바람에 바닷물이 지금처럼 짜답니다.

①

②

③

④

연습 | 02 다음 동화는 '양치기 소년'입니다. 그림을 보고 전혀 다른 동화를 만들고, 제목을 붙여 보시오.

실전01 두 그림의 상황이 자연스럽게 연결되도록 이야기를 만들고, 제목을 붙이시오. 기출문제

제목 : ____________________

실전 02 다음의 내용과 자연스럽게 이어지도록 이야기를 지어 쓰고, 제목을 붙이시오.

옛날 옛날에 놀부와 흥부 두 형제가 살았는데, 형인 놀부는 부모의 유산을 독차지하고 동생인 흥부를 내쫓았습니다. 흥부는 아내와 여러 자식을 거느리고 움집에서 헐벗고 굶주린 채 갖은 고생을 하면서 묵묵히 살아갔습니다. 그러나 온갖 궂은 일을 도맡아 하여도 흥부의 살림은 여전히 가난하기만 하였습니다. 그러던 어느 날 흥부는 땅에 떨어져 다리가 부러진 새끼 제비를 주워다가 정성껏 돌본 끝에 날려 보냈습니다. <u>그러나 강남으로 갔던 제비는 흥부의 은혜를 까맣게 잊어버리고 말았습니다.</u>

제목 :

수리적 사고력 1 귀납적 논리

대표 유형 탐구

기진, 나미, 다래, 리나, 민수는 각각 '김', '이', '민', '조', '박' 중에서 서로 다른 하나의 성을 가지고 있습니다. 다음 조건이 모두 거짓이라고 할 때, 기진, 나미, 다래, 리나, 민수의 성을 각각 구하시오. 기출문제

조건

- 기진이는 '김' 아니면 '이' 성을 가지고 있습니다.
- '김' 성을 가지고 있는 사람은 나미 아니면 다래입니다.
- 나미는 '이', '조', '민' 성 중의 하나를 가지고 있습니다.
- '조' 성을 가진 사람은 기진 아니면 민수입니다.
- '이' 성을 가진 사람은 다래 아니면 민수입니다.

Lecture

어떤 사람이 "제가 하는 모든 말은 거짓말이에요."라고 말했다고 할 때, 이 말이 참말이라면 제가 하는 모든 말은 거짓말 이라는게 참말이 되어 제가 하는 모든 말은 거짓말이라는게 논리적으로 맞지 않게 됩니다. 또한 이 말이 거짓말이라면 제가 하는 모든 말은 거짓말이라는게 거짓말이 되어 참말을 할 수도 있게 됩니다. 역시 논리적으로 맞지 않게 됩니다.

이와 같이 어떤 경우이든지 논리적으로 맞지 않는 경우를 **패러독스**라고 합니다.

패러독스와 비슷하게 모순이라는 말이 있습니다. 모순은 옛날 중국의 고사에서 유래되었는데, 이 세상에서 어떤 방패도 뚫을 수 있는 날카로운 창과 어떤 날카로운 창도 막을 수 있는 방패를 동시에 파는 상인의 이야기에서 나왔습니다.

어떤 상황을 가정하여 논리적으로 맞지 않은 경우가 발생하거나 조건에 맞지 않는 경우가 생기면 그 가정 자체가 틀렸다는 것을 이용하여 논리 문제를 해결할 수 있습니다.

수리 ❶ Drill

01 인호, 윤호, 미숙, 영호, 수연이의 성은 김, 이, 박, 정, 국씨 중의 하나입니다. 다음 조건이 모두 거짓일 때, 5명의 성과 이름을 쓰시오.

조건

- 영호는 이씨 또는 국씨입니다.
- 윤호는 김씨 또는 정씨입니다.
- 수연이는 정씨 또는 박씨입니다.
- 미숙이는 이씨 또는 김씨입니다.
- 박씨는 미숙 또는 영호입니다.
- 김씨는 수연 또는 영호입니다.

02 지훈, 정우, 도연, 수진이의 직업은 의사, 가수, 화가, 승무원입니다. 다음을 보고 4명의 직업을 각각 구하시오.

- 지훈이와 의사는 같은 동네에 사는 친구입니다.
- 화가는 도연이와 친구가 아닙니다.
- 화가와 의사는 서로 만난 적이 없습니다.
- 수진이는 승무원입니다.

01 여학생인 지우, 수정, 미란이와 남학생인 정혁, 동진, 준영이가 원형 탁자에 둘러 앉아 식사를 하고 있습니다. 남녀가 번갈아 가며 앉아 있다고 할 때, 다음 **단서** 를 읽고 각각의 자리를 알아보시오.

단서

- 지우는 동진이의 옆자리가 아닙니다.
- 준영이의 바로 왼쪽 자리에는 수정이가 있습니다.
- 수정이의 바로 왼쪽 자리는 지우의 옆자리가 아닙니다.

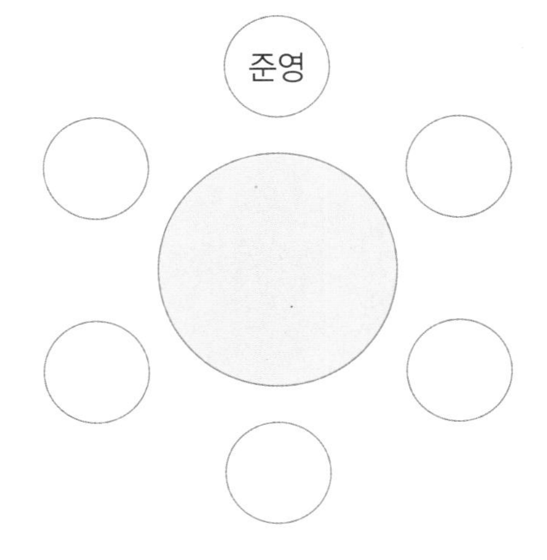

02 그림과 같이 6칸의 우리 안에 원숭이, 사자, 호랑이, 곰, 사슴, 기린이 한 마리씩 들어 있습니다. 다음을 읽고, 각 칸에 알맞은 동물을 써넣으시오.

- 사자와 호랑이의 우리는 서로 붙어 있습니다.
- 호랑이의 우리는 곰의 우리의 서쪽에 있습니다.
- 곰의 우리는 기린의 우리와 가장 멀리 떨어져 있습니다.
- 사슴의 우리는 곰의 우리의 남쪽에 붙어 있습니다.

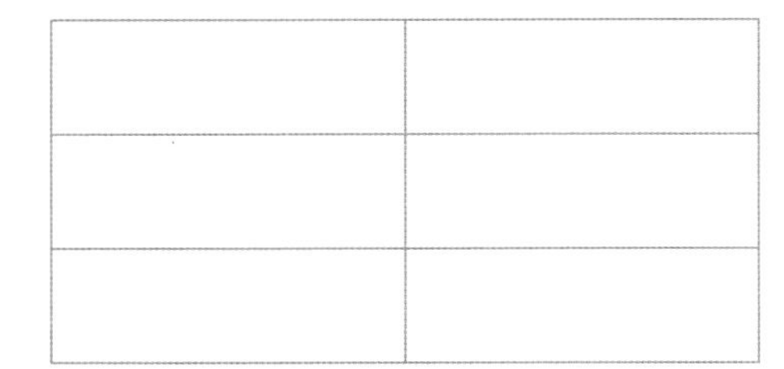

03 ㉮, ㉯, ㉰, ㉱ 네 명 중에서 두 명은 남자이고 두 명은 여자입니다. 네 명이 다음과 같이 말했을 때, 여자가 한 말은 사실이지만 남자가 한 말은 사실이 아니라면 여자는 누구와 누구입니까?

> ㉮ : ㉯와 ㉱는 둘 다 남자입니다.
> ㉯ : ㉰와 ㉱는 둘 다 남자입니다.
> ㉰ : ㉱는 남자입니다.
> ㉱ : ㉮는 남자입니다.

04 정민이와 희재, 수민이는 부산, 대전, 전주로 여행을 다녀왔는데, 이들은 각각 버스, 비행기, 기차를 이용했습니다. 다음을 보고, 세 사람의 여행지와 교통수단을 바르게 짝지으시오.

> - 전주를 다녀온 사람과 버스를 이용한 사람은 친구입니다.
> - 정민이는 출발 전에 공항에서 집으로 전화를 했습니다.
> - 수민이는 멀미 때문에 버스를 타지 않습니다.
> - 비행기를 타고 간 사람은 바다낚시를 즐겼습니다.

+01 Plus

A, B, C 세 명이 공놀이를 하다가 유리창을 깨뜨렸습니다. 세 명이 다음과 같이 말했는데 모두 하나씩만 참말이라면, 유리창을 깨뜨린 사람은 누구입니까?

A : 나는 깨지 않았습니다. C도 깨지 않았습니다.
B : 나는 깨지 않았습니다. 누가 깼는지 모릅니다.
C : 나는 깨지 않았습니다. B도 깨지 않았습니다.

+02 Plus

정은, 세준, 민지, 희연, 효민 5명이 이벤트에 응모했는데, 그 중 한 명만 당첨이 되었습니다. 5명이 다음과 같이 말했는데, 그 중 진실을 말한 사람은 한 사람뿐이라고 합니다. 이벤트에 당첨된 사람은 누구입니까?

세준 : 당첨된 사람은 정은이입니다.
희연 : 나는 당첨되지 않았습니다.
효민 : 당첨된 사람은 세준이입니다.
정은 : 당첨된 사람은 민지입니다.
민지 : 정은이는 내가 당첨되었다고 말하지만 그것은 거짓말입니다.

+03 Plus 어느 마을에 이상한 청년이 살고 있었습니다. 그 청년은 화요일, 목요일, 토요일에는 거짓말을 하고, 다른 날에는 참말을 한다고 합니다. 이 청년이 "나는 어제 참말을 했어."라고 말했다면, 오늘은 무슨 요일인지 구하시오.

+04 Plus A, B, C, D, E 5명의 수영 선수가 참가한 수영 대회의 결과를 동일, 두혁, 지연, 준원이가 각각 다음과 같이 예측하였습니다. 네 사람 모두 한 선수의 결과만을 알아맞혔습니다. 선수들의 등수는 모두 다를 때, 순위는 어떻게 됩니까?

- 동일 : E가 3등, A가 4등
- 두혁 : D가 1등, C가 3등
- 지연 : B가 4등, E가 2등
- 준원 : A가 3등, B가 1등

수리적 사고력 2 규칙 찾기

대표 유형 탐구

계단을 오르는 데 한 번에 한 계단 또는 두 계단을 오를 수 있다고 합니다. 8째 번 계단까지 올라가는 방법은 모두 몇 가지입니까?

Lecture

한 번에 한 칸 또는 두 칸을 오를 수 있는 사다리가 있다고 할 때, 사다리를 오르는 방법의 수를 알아봅시다.

❶ 1칸짜리 사다리의 경우 오르는 방법의 수는 한 가지밖에 없습니다.

❷ 2칸짜리 사다리의 경우 오르는 방법은 1칸씩 두 번 오르거나 한 번에 2칸을 오르는 두 가지 방법이 있습니다. 이것을 (1, 1), (2)로 표시합니다.

❸ 3칸짜리 사다리의 경우 오르는 방법은 1칸씩 세 번 오르거나 (1, 1, 1), 1칸을 한 번, 2칸을 한 번 오르는 방법 (1, 2), (2, 1) 두 가지가 있으므로 모두 3가지 방법이 있습니다.

이와 같이 앞의 두 수를 더하면 그 다음 수가 되는 수열을 **피보나치 수열**이라 합니다.

1, 1, 2, 3, 5, 8, 13, 21, 34, …

이 수열은 중세 이탈리아의 수학자 피보나치가 쓴 산반서에 처음으로 소개되었기에 그의 이름을 따서 피보나치 수열이라 부르게 되었습니다. 피보나치 수열을 이용하면 계단 오르기, 미생물의 번식 등 여러 문제를 손쉽게 해결할 수 있습니다.

보기 와 같은 규칙으로 수를 나열할 때, □ 안에 들어갈 수를 구하시오.

보기

1, 2, 3, 5, 8, 13, 21, …

(1) 2, 6, □, □, 22, …

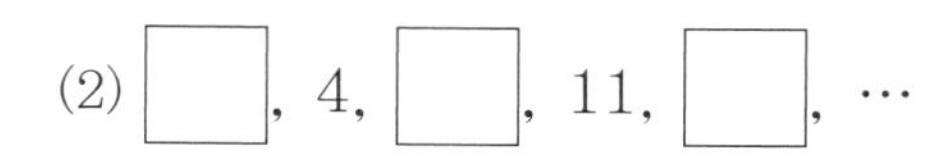

(2) □, 4, □, 11, □, …

(3) □, □, □, 17, 27, …

01 규칙을 찾아 빈칸에 들어갈 수를 구하시오.

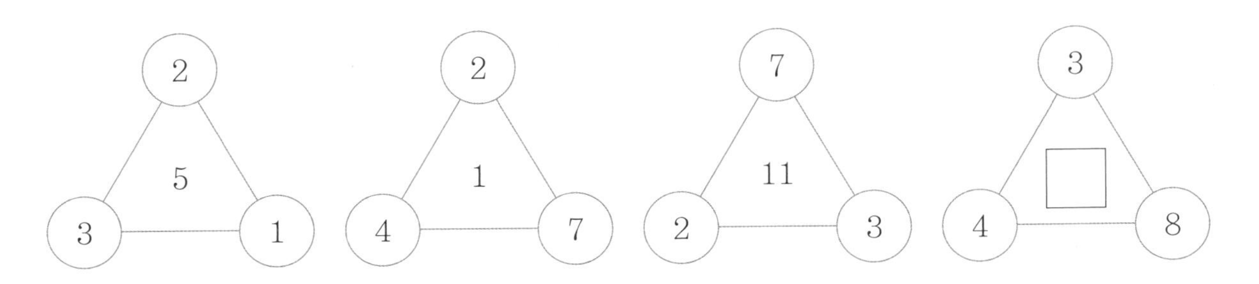

02 다음 보기 를 보고, 물음에 답하시오.

보기

YY(5, 1, 6)=31　XX(5, 1, 6)=29

YY(1, 2, 3)=5　XX(1, 2, 3)=1

YY(3, 6, 9)=33　XX(3, 6, 9)=21

(1) XX(1, 3, 5)의 값을 구하시오.

(2) YY(1, 3, 5)의 값을 구하시오.

03 보기 는 두 직사각형의 번호가 1, 3일 때, 두 직사각형이 겹쳐진 부분은 두 수의 합이 4임을 나타내고 있습니다.

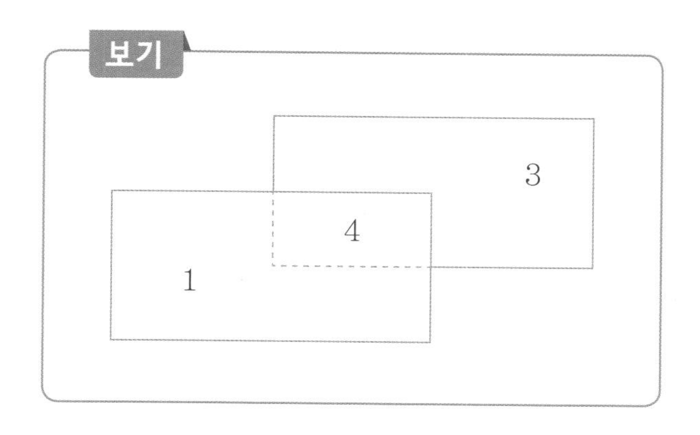

보기 와 같이 다음 그림의 5개의 직사각형에 1에서 5까지의 번호가 쓰여져 있을 때, A와 B에 알맞은 수를 각각 구하시오.

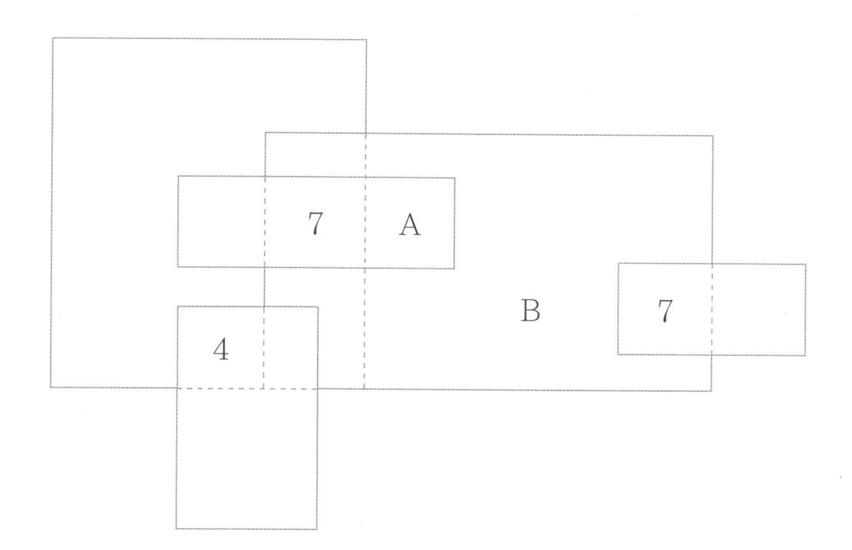

+01 Plus 다음 각 줄의 수들의 합은 일정한 규칙에 따라 변하고 있습니다. 색칠된 칸에 들어갈 수를 구하시오.

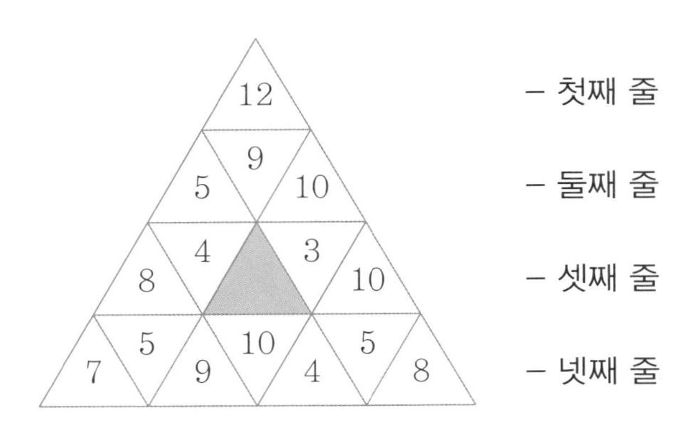

+02 Plus 다음은 다이아몬드가 숨겨진 장소를 나타내는 암호입니다. Key 를 보고, 그 위치가 어디인지 쓰시오.

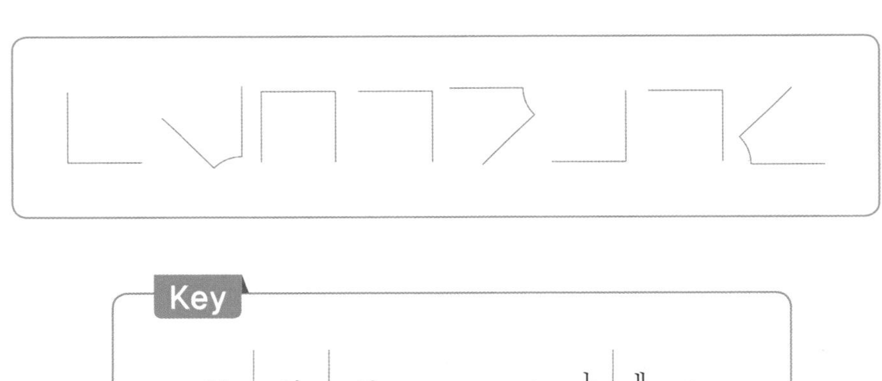

+03 Plus 다음 도형 그림판은 물에 담그면 도형의 모양이 일정한 규칙에 따라 바뀐다고 합니다. 찬물에 담갔을 때는 [그림 1]과 같이 변하고, 따뜻한 물에 담갔을 때는 [그림 2]와 같이 변합니다.

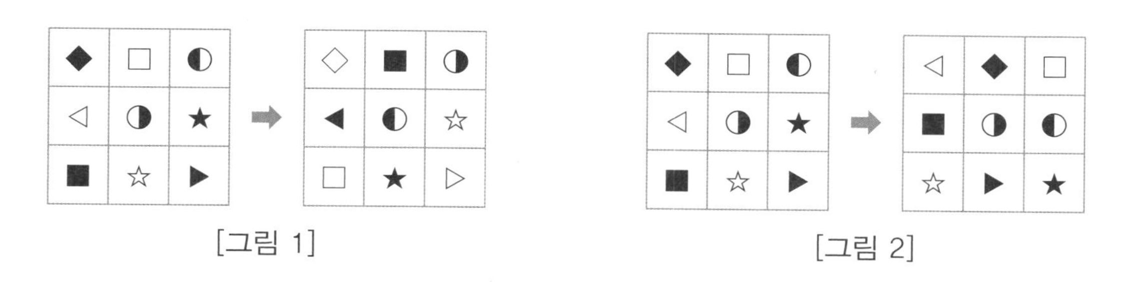

다음과 같은 도형 그림판을 따뜻한 물에 한 번 담갔다가 다시 찬물에 담그면 어떤 모양이 되는지 그리시오.

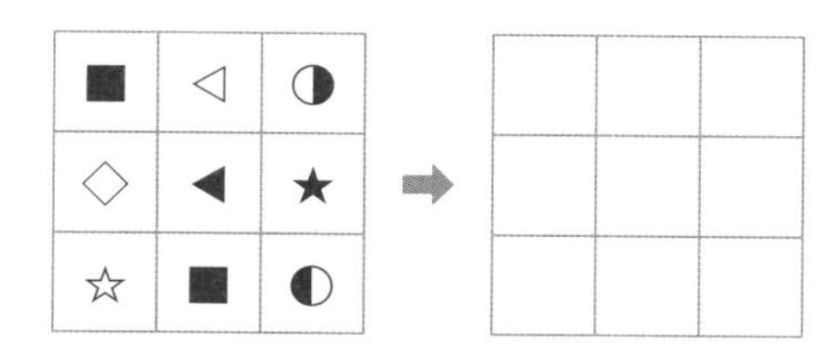

+04 Plus 다음 암호를 해석하여 ABC를 같은 방법으로 나타내시오.

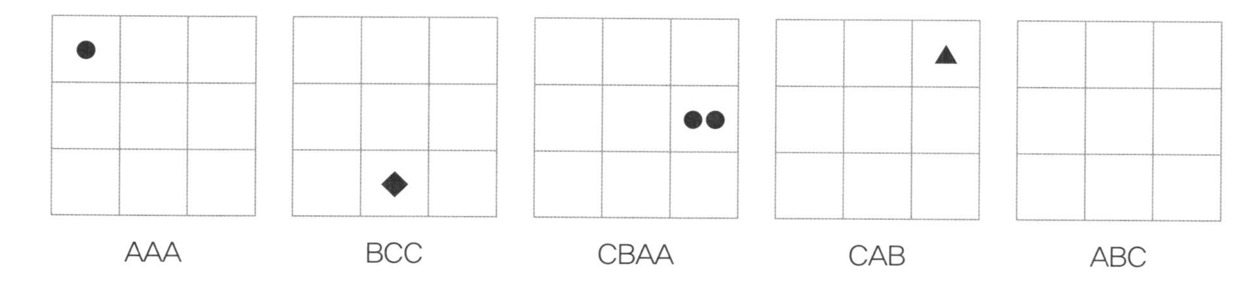

2 단계
영재성 검사
창의적 문제 해결력 검사

대표 유형 탐구

다음 조건 을 보고, 카드를 많이 가진 사람의 순서대로 □ 안에 알맞은 이름을 써넣으시오. 기출 문제

조건

㉠ A는 B와 C 중 한 사람이 가지고 있는 카드 수의 2배를 가지고 있습니다.
㉡ D는 C와 A 중 한 사람이 가지고 있는 카드 수의 3배를 가지고 있습니다.
㉢ C는 둘째 번으로 카드를 많이 가지고 있습니다.

□ — □ — □ — □

Lecture

❶ 거꾸로 생각하기 : 주어진 결과로부터 거꾸로 계산하여 처음의 조건을 찾아냅니다.
❷ 표로 나타내기 : 주어진 상황을 표로 나타내고, 모든 경우를 빠짐없이 찾아 해결합니다.
❸ 식 만들기 : 수와 계산 기호를 사용하는 간단한 형태로 정리한 식을 만들어 해결합니다.
❹ 규칙 찾아 해결하기 : 숨어 있는 규칙을 찾아내어 문제를 해결합니다.
❺ 예상하고 확인하기 : 답을 먼저 예상하여 주어진 조건에 맞는지 확인합니다.
❻ 그림 그려 해결하기 : 주어진 조건을 기호, 수직선, 화살표 등을 사용하여 간단하게 그림을 그려서 해결합니다.

01 구슬을 A, B, C, D, E 다섯 개의 상자에 나누어 담았습니다. 다음을 보고 218개의 구슬이 들어 있는 상자는 어느 것인지 구하시오.

> ㉠ A와 B 상자에 들어 있는 구슬을 더하면 C 상자에 들어 있는 구슬의 4배가 됩니다.
> ㉡ B와 D 상자에 들어 있는 구슬을 더하면 A 상자의 구슬의 2배가 됩니다.
> ㉢ B 상자에서 구슬 7개를 꺼내어 A 상자에 넣으면 A 상자에 들어 있는 구슬은 B 상자에 들어 있는 구슬의 2배가 됩니다.
> ㉣ E 상자에 들어 있는 구슬은 A 상자에 들어 있는 구슬보다 68개 더 많습니다.

Lecture

2, 4, 6, 8과 같이 2로 나누어떨어지는 수를 **짝수**, 1, 3, 5, 7, 9와 같이 짝수가 아닌 수를 **홀수**라고 합니다. 홀수와 짝수는 다음과 같은 성질을 가지고 있는데, 이 성질을 이용하면 복잡한 문제도 간단히 해결할 수 있습니다.

- (홀수)+(홀수)=(짝수) → $3+5=8$, $5+1=6$
- (홀수)+(짝수)=(홀수), (짝수)+(홀수)=(홀수) → $1+4=5$, $8+3=11$
- (짝수)+(짝수)=(짝수) → $2+4=6$, $6+8=14$
- (홀수)×(홀수)=(홀수) → $3\times5=15$, $7\times5=35$
- (홀수)×(짝수)=(짝수), (짝수)×(홀수)=(짝수) → $5\times2=10$, $8\times7=56$
- (짝수)×(짝수)=(짝수) → $4\times6=24$, $6\times8=48$
- (홀수)+(홀수)+⋯+(홀수)+(홀수)=(홀수) (홀수 개), (홀수)+(홀수)+⋯+(홀수)+(홀수)=(짝수) (짝수 개)

02 다음과 같이 어느 자동차 공장에서 월요일부터 토요일까지 자동차를 총 31대 생산했습니다. 각 요일에 생산한 자동차는 몇 대인지 구하시오.

① 화요일에 생산한 자동차는 금요일에 생산한 자동차의 $\frac{1}{2}$이다.
② 이 공장의 최대 하루 생산 대수는 9대이고, 이번 주에는 요일별로 생산한 자동차의 대수가 모두 달랐다.
③ 목요일부터 토요일까지 생산한 자동차는 모두 15대이다.
④ 수요일에는 9대의 자동차를 생산하였고, 목요일에는 이보다 1대가 적은 자동차가 생산되었다.
⑤ 월요일과 토요일에 생산한 자동차를 합하면 10대가 넘는다.

요일	월	화	수	목	금	토
자동차 수(대)						

03 현정이와 정화는 1에서 9까지의 수 중 각자 좋아하는 수를 4개씩 종이에 썼습니다. 각자 종이에 쓴 서로 다른 네 수를 모두 곱하였더니 서로 같은 값이 나왔습니다. 이 값이 50보다 작을 때, 각자 종이에 쓴 수를 구하시오.

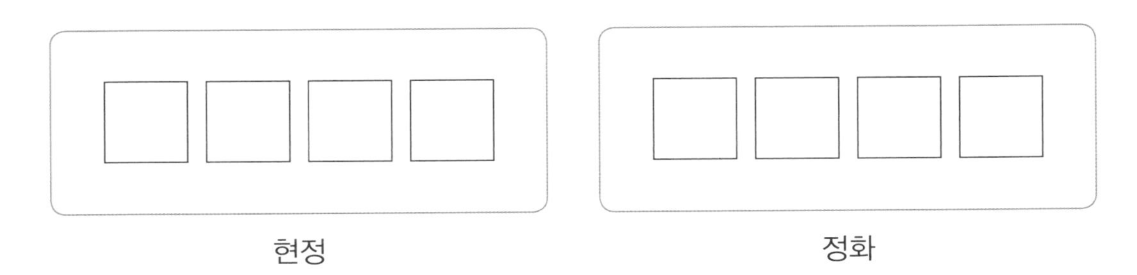

04 숫자 1, 2와 연산기호 ＋만을 사용하여 만든 식 중에서 계산 결과가 3인 식은 다음과 같습니다.

1+1+1　　1+2　　2+1

위와 같은 방법으로 계산할 때, 계산 결과가 7인 식은 모두 몇 가지입니까?

05 보기 의 두 가지 모양을 사용하여 다음 직사각형 모양을 꾸미려고 합니다. 모양을 서로 다르게 꾸밀 수 있는 방법은 모두 몇 가지입니까?

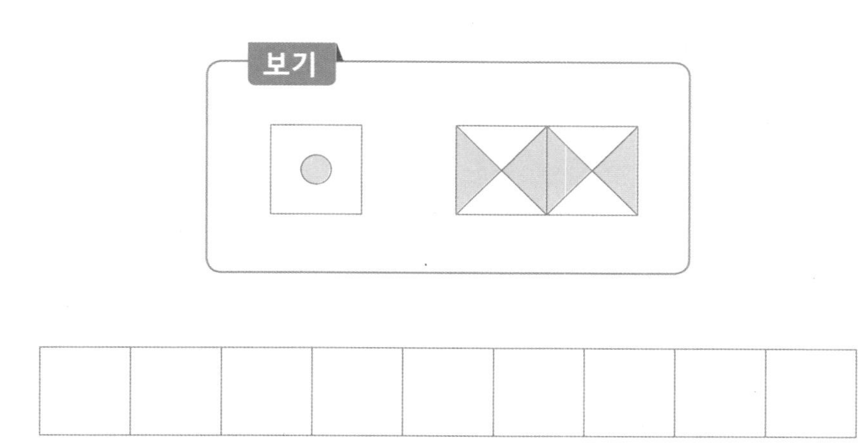

06 모양과 크기가 같은 10개의 금화에 다음과 같이 번호를 붙였습니다. 이 중 8개의 금화의 무게는 8g이고, 나머지 2개는 각각 12g, 13g입니다. 다음 양팔저울을 보고, 13g인 금화의 번호를 쓰시오.

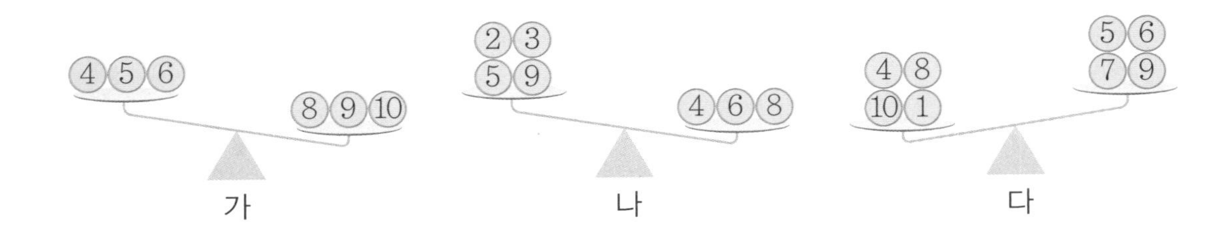

07 다음 대화를 보고, A와 B가 버스정류장에서 만나기로 한 시각과 공항에 도착한 시각을 바르게 연결한 것을 찾으시오.

> A : 내일 인천공항으로 선생님을 마중 나가도록 하자.
> B : 선생님은 다섯 시에 도착하실 거야. 집 근처에 공항까지 가는 버스가 있으니 그걸 타고 가면 돼.
> A : 버스는 매시 15분과 45분에 인천공항으로 출발하고, 인천공항까지는 1시간 20분 정도 걸린다니까 버스 출발 시간 10분 전에 버스 정류장에서 만나도록 하자.
> B : 그래 좋아. 우리 모임은 2시에 끝나지.

	만나기로 한 시각	공항에 도착한 시각
①	오후 2:00	오후 3:15
②	오후 3:05	오후 4:15
③	오후 3:05	오후 4:35
④	오후 3:20	오후 5:00
⑤	오후 2:30	오후 4:25

08 다음 그림과 같이 입구가 아래로 향하도록 4개의 컵이 놓여져 있습니다. 이때 컵을 한 번에 2개씩 뒤집는다면 2번 만에 컵의 입구가 모두 위로 향하도록 놓을 수 있고, 컵을 한 번에 3개씩 뒤집는다면 보기 와 같이 4번 만에 컵의 입구가 모두 위로 향하도록 놓을 수 있습니다.

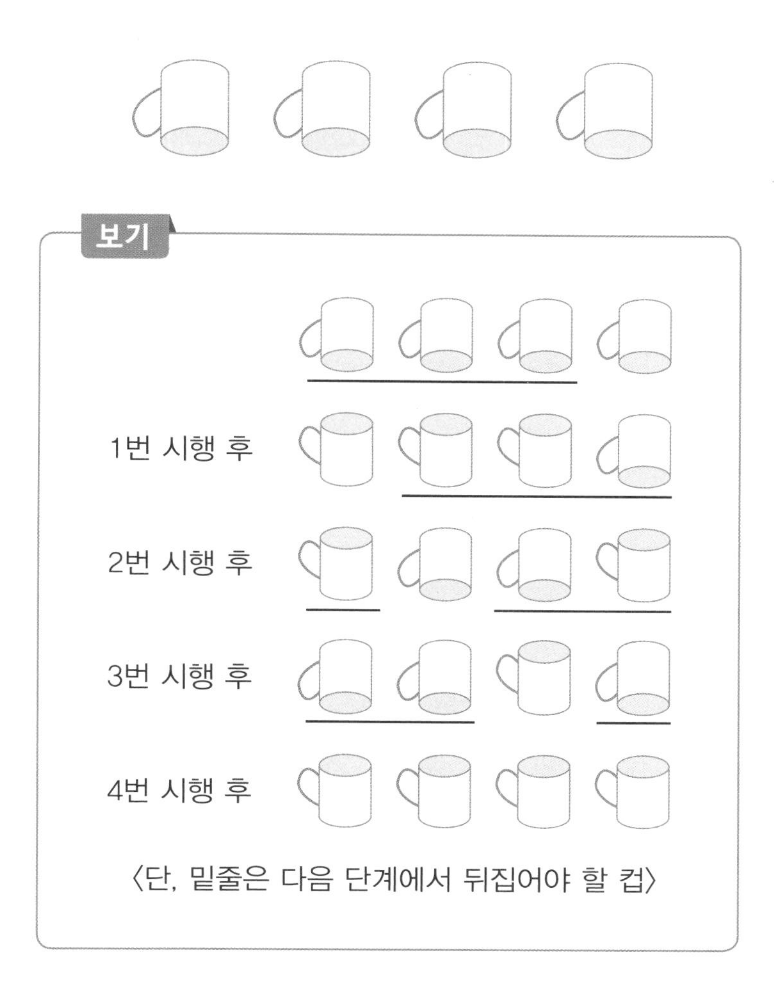

입구가 아래로 향하는 60개의 컵이 놓여 있다고 할 때, 컵을 한 번에 14개씩 뒤집는다면 최소 몇 번 만에 모든 컵의 입구가 위로 향하도록 놓을 수 있겠습니까?

여러 가지 퍼즐

대표 유형 탐구

다음과 같은 규칙 으로 바둑돌이 놓여 있습니다. 기출 문제

규칙

- 검은 바둑돌의 둘레에는 짝수 개의 검은 바둑돌이 놓여 있습니다.
- 흰 바둑돌의 둘레에는 홀수 개의 흰 바둑돌이 놓여 있습니다.
- 격자판의 테두리에는 같은 수의 검은 바둑돌과 흰 바둑돌이 놓여 있습니다.

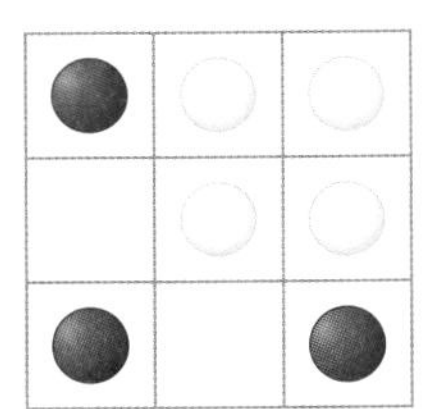

(1) 검은 바둑돌의 개수가 최대로 나오도록 그려 보시오. (단, 빈칸은 얼마든지 넣어도 됩니다.)

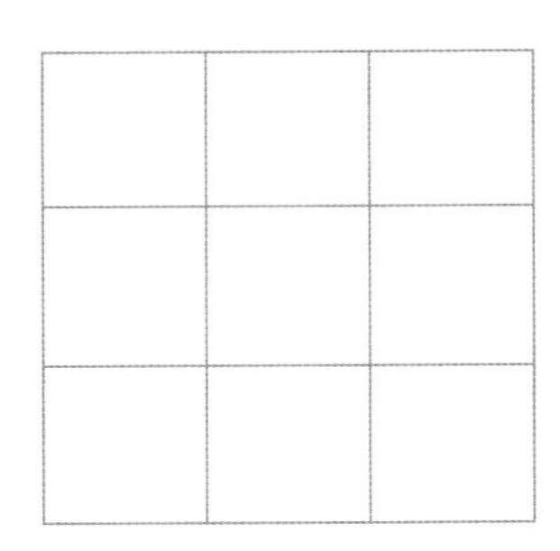

(2) 흰 바둑돌의 개수가 최대로 나오도록 그려 보시오. (단, 빈칸은 얼마든지 넣어도 됩니다.)

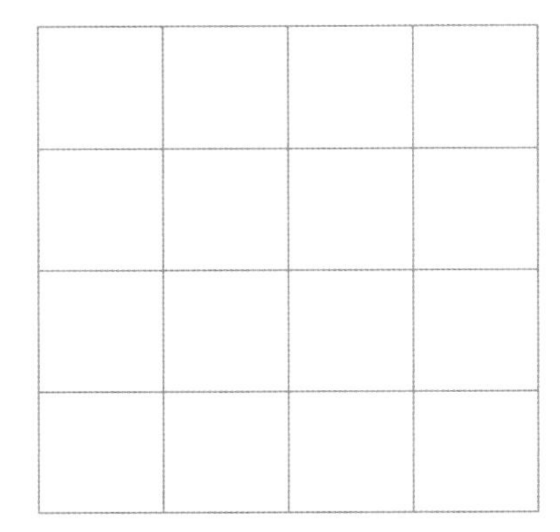

수리 ❹ Drill

다음 주어진 수는 보기 와 같이 수가 쓰인 점에서 선을 따라 목표점까지 가는데 긋는 선분의 개수입니다. 다음 그림에서 가능한 목표점을 모두 찾으시오. (단, 선분의 길이는 상관하지 않습니다. 또한, 선분은 서로 겹쳐질 수 없고, 다른 점에서 출발한 선과 목표점이 아닌 곳에서 만나서는 안됩니다.)

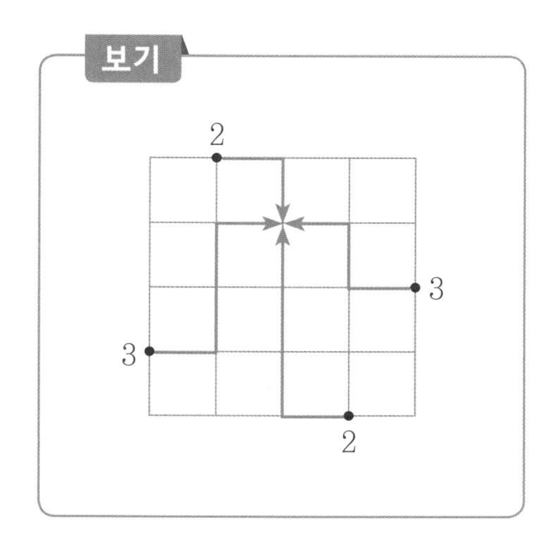

(1)

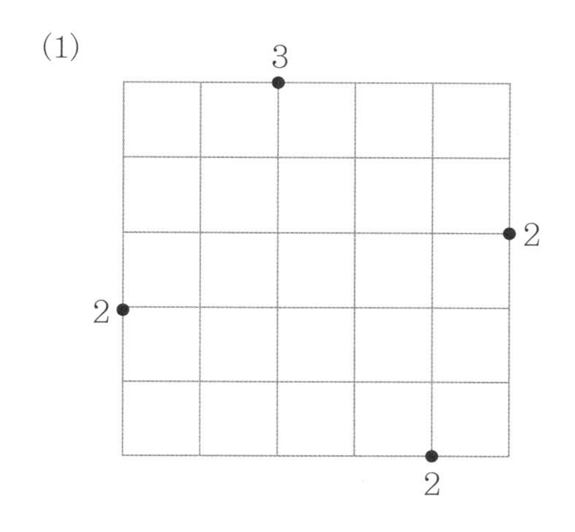

(2)

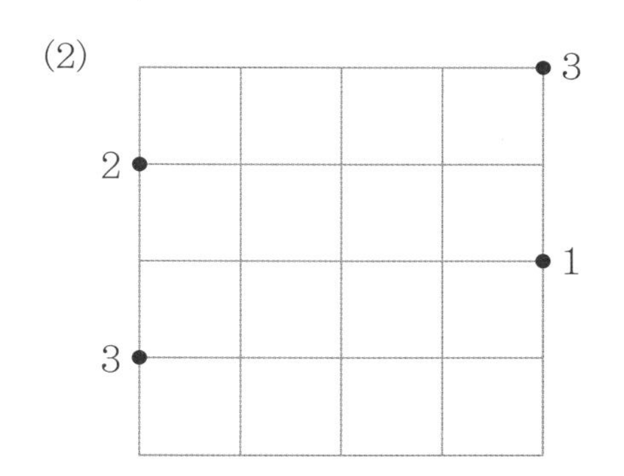

(3)

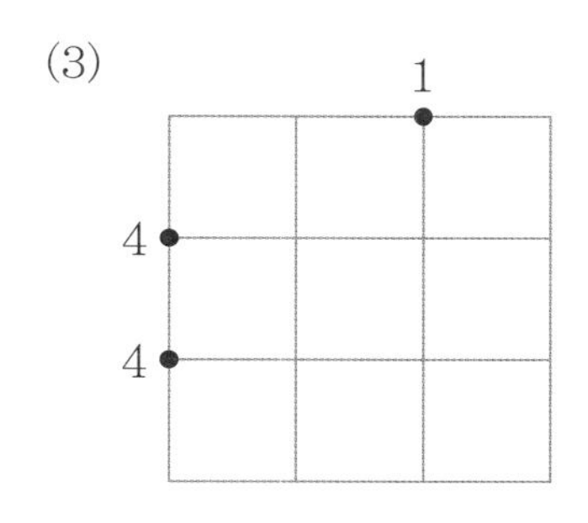

2 단계

영재성 검사

창의적 문제 해결력 검사

01 규칙 에 따라 연속한 수를 차례로 잇는 선을 그으시오.

규칙

- 한 번 지나간 칸은 다시 지날 수 없습니다.
- 위, 아래, 오른쪽, 왼쪽 칸을 따라 이동합니다.

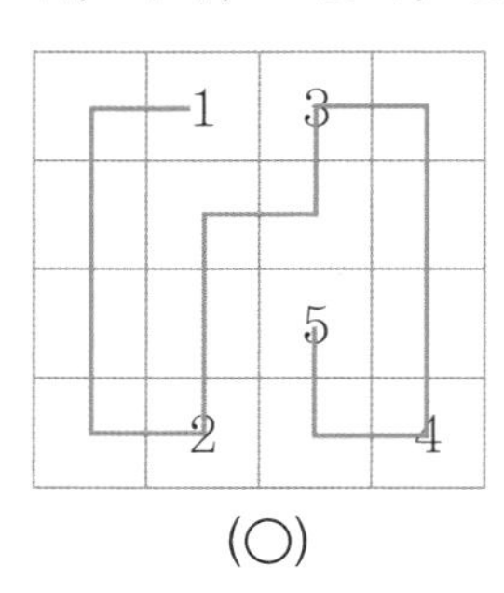

(○)

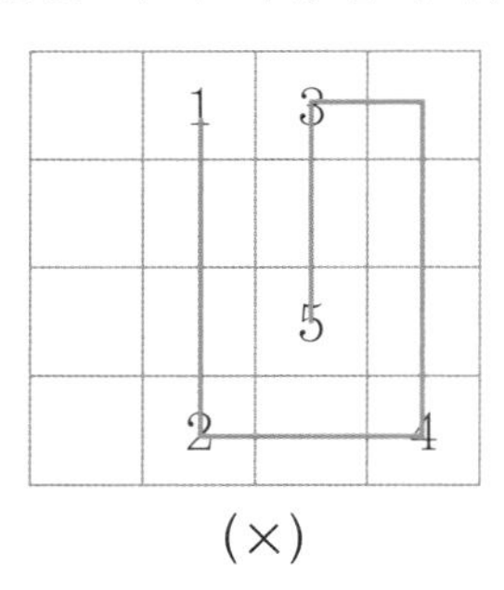

(×)

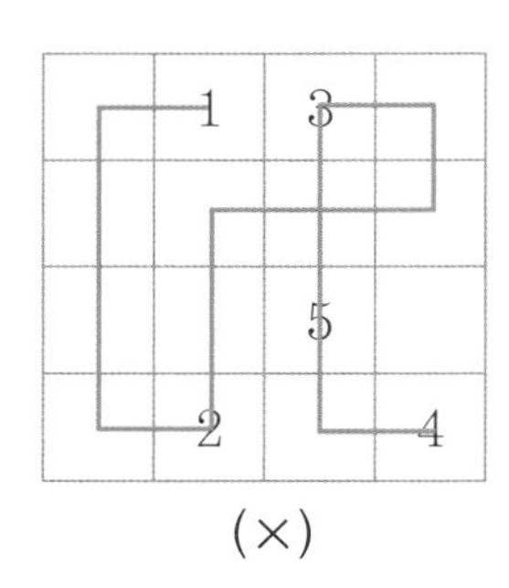

(×)

(1)

	4		
		2	
	1		
	5		3

(2)

4					2
			3		
8				1	
		9	5		
	7				6

02 흩어져 있는 모양을 규칙과 같이 숫자를 이용하여 선을 그어 울타리 안에 넣어보시오.

규칙

- 정사각형 안의 수는 선이 지나가는 변의 개수를 나타냅니다.
- 선은 교차하거나 맞닿지 않아야 합니다.
- 선은 그림처럼 모두 이어져 를 둘러싼 울타리가 되어야 합니다.

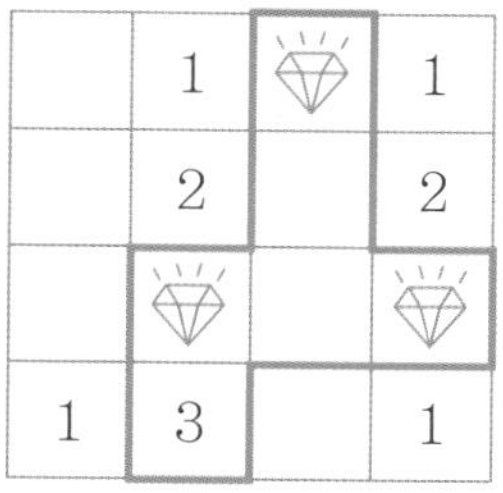

	1		1
	2		2
1	3		1

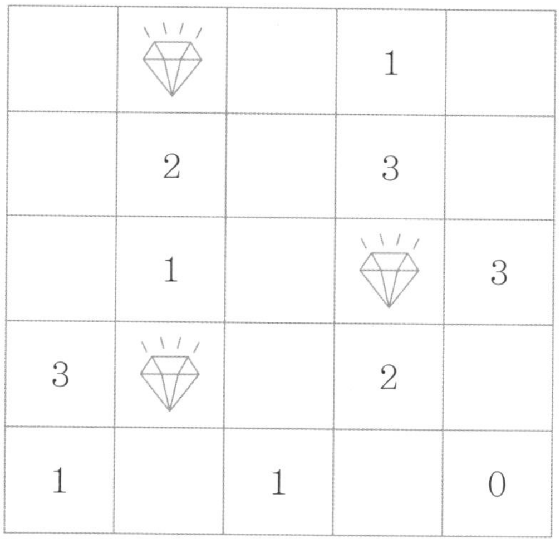

			1	
	2		3	
	1			3
3			2	
1		1		0

03 다음 규칙 에 맞게 텐트 퍼즐을 풀어 보시오.

규칙

- 나무 한 그루와 텐트 한 개는 반드시 짝을 지어 이웃하게 있어야 하고, 큰 정사각형 안에는 같은 수의 나무와 텐트가 있어야 합니다.
- 위쪽에 있는 수는 세로줄에 있는 텐트의 수를, 오른쪽에 있는 수는 가로줄에 있는 텐트의 수를 나타냅니다.
- 텐트를 한 개 놓게 되면 가로, 세로, 대각선의 어느 방향으로도 이웃하게 다른 텐트를 칠 수 없습니다.

〈잘못된 예〉

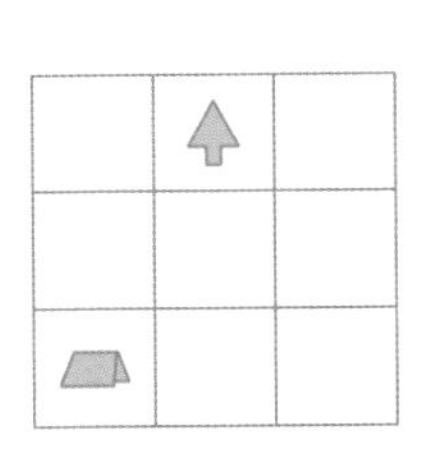

나무와 텐트가 이웃하지 않는 경우

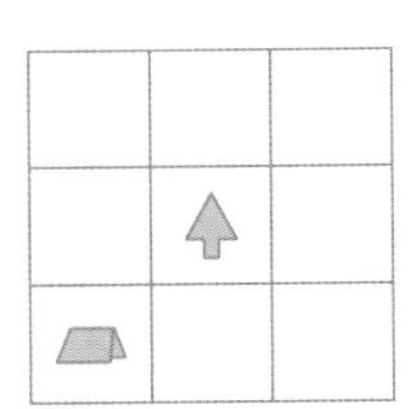

나무의 대각선 방향으로 텐트가 이웃한 경우

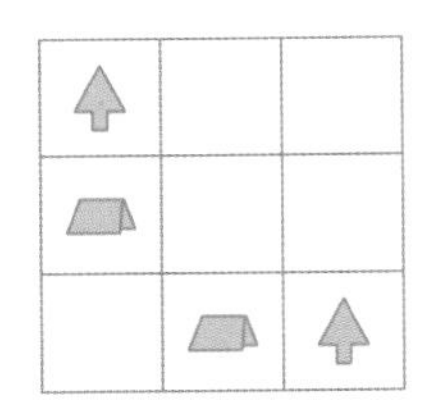

텐트끼리 대각선 방향으로 이웃한 경우

2	2	1	1	2	1	1	
							2
							0
							3
							0
							2
							1
							2

04 체스에서 퀸은 그림과 같이 가로, 세로, 대각선 방향으로 움직일 수 있습니다.

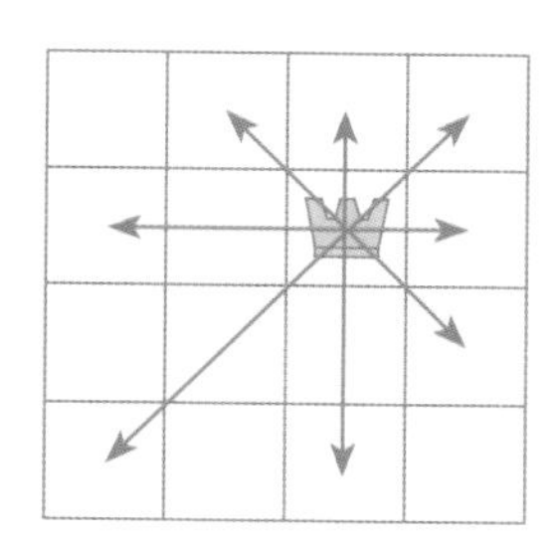

가로, 세로, 대각선 어느 방향으로도 같은 줄에 퀸이 한 개만 있도록 **보기**와 같이 퀸을 최대한 많이 놓으려고 합니다. 다음 각각의 체스판 위에 퀸을 놓을 위치를 표시하시오.

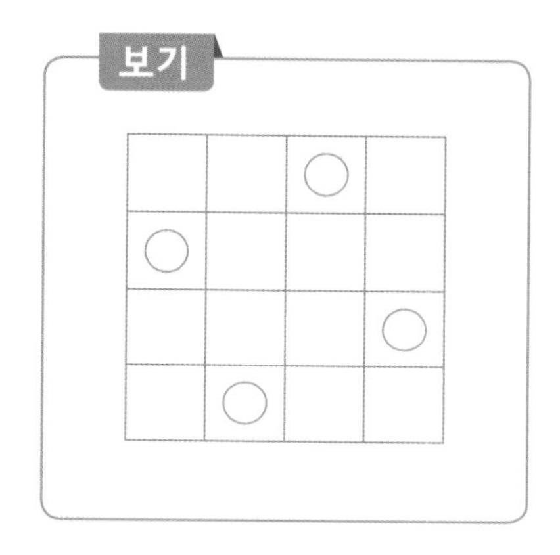

(1)

(2)

공간지각적 사고력

접어서 자른 모양

대표 유형 탐구

다음과 같이 종이를 접어서 색칠한 부분을 잘라서 펼쳤을 때, 생기는 ◯의 개수가 같은 것을 모두 고르시오. 기출 문제

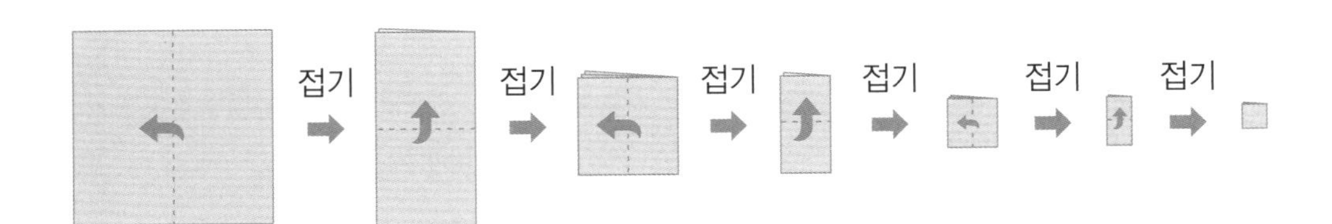

① 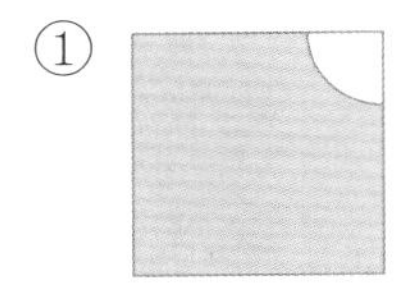

② 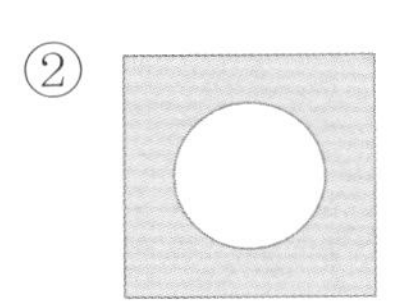

③ 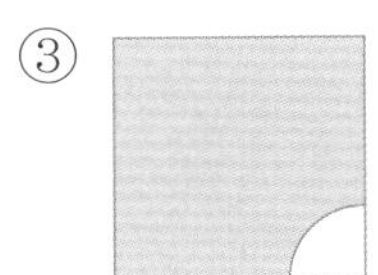

④ 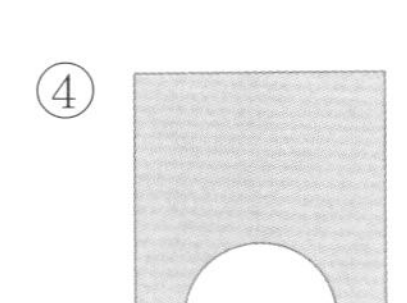

⑤ 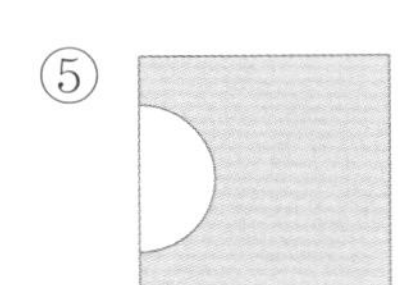

⑥ 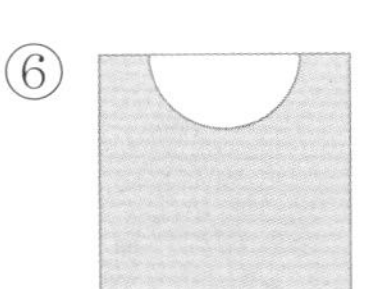

Lecture

접어서 자르거나 구멍을 뚫은 후 펼친 모양은 접은 순서와 반대로 펼친 모양을 생각하여 그려 나가면 됩니다. 다음과 같이 접어서 구멍을 낸 후 다시 펼친 모양을 생각해 봅시다.

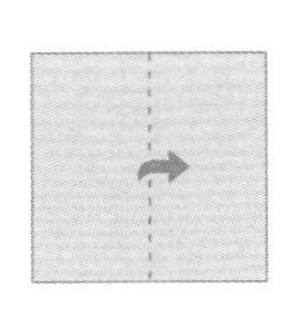

접기

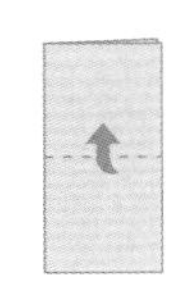

접기

뚫기

펼치기

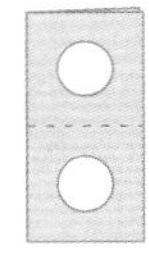

펼치기

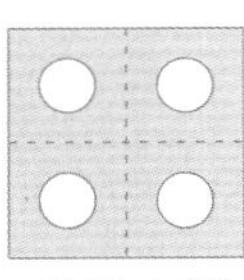

펼친 모양

공간 ❶ Drill

다음과 같이 종이를 접어 색칠한 부분을 잘라낸 다음 펼쳤을 때의 모양을 그리시오.

(1)

접기 접기 접기

뚫기

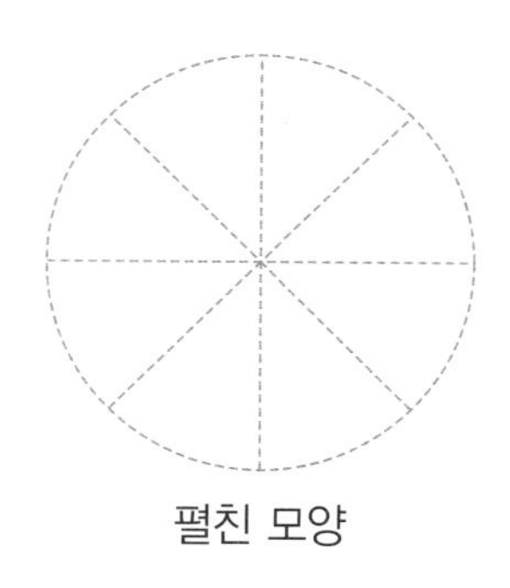

펼친 모양

(2)

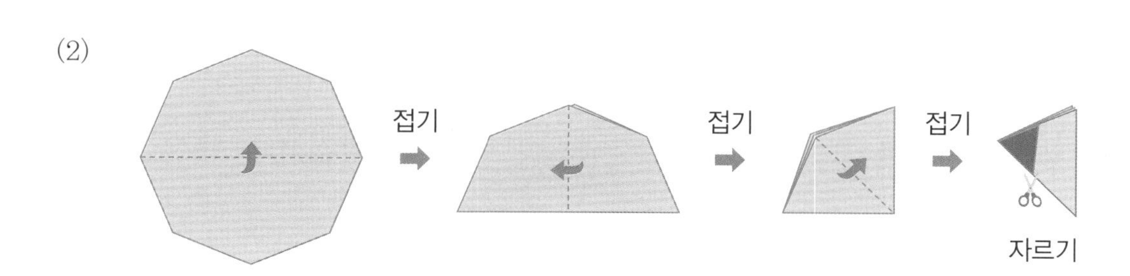

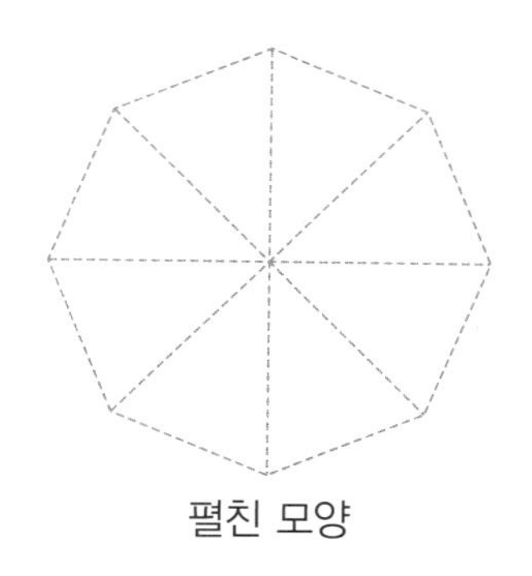

펼친 모양

2 단계 영재성 검사 창의적 문제 해결력 검사

01 정사각형 모양의 종이를 보기 와 같은 순서로 두 번 접은 후, 그림과 같이 오려냈습니다. 오려 내고 남은 종이를 펼친 후, 종이를 돌려서 나올 수 있는 모양을 고르시오. 기출 문제

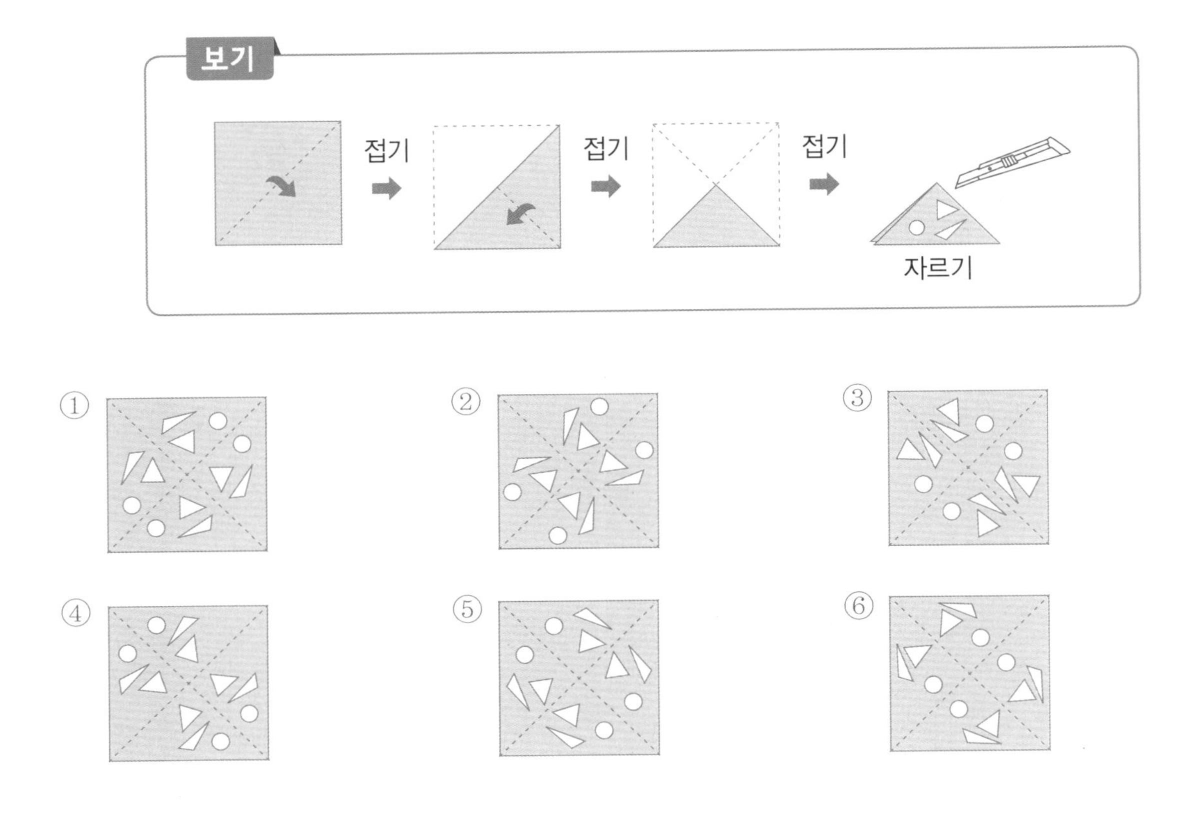

02 정사각형 모양의 색종이를 그림과 같이 접어 색칠된 부분을 잘랐습니다. 펼친 모양을 그리시오.

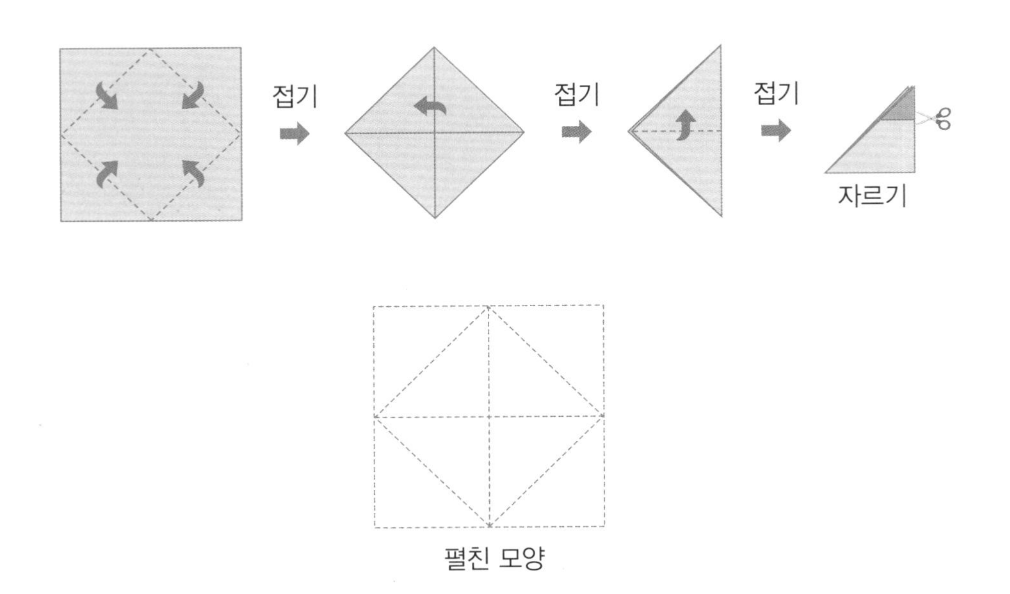

03 정육각형 모양의 종이를 그림과 같이 접어서 만든 삼각형을 가위로 한 번 자른 다음 펼쳤더니 그림과 같은 모양이 되었습니다. 접은 색종이 위에 자른 선을 나타내시오.

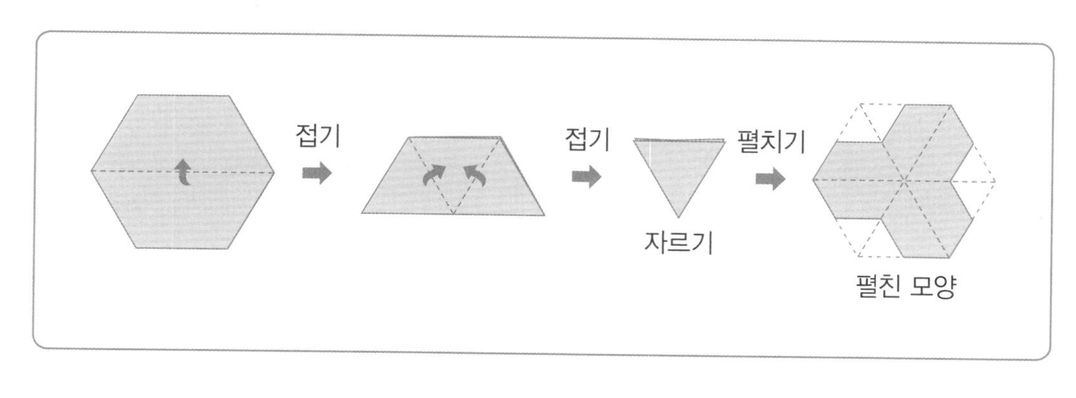

자른 모양

04 다음과 같은 방법으로 종이를 접어 펀치로 구멍을 뚫은 후 종이를 펼치면 구멍은 모두 몇 개 뚫려 있겠습니까? (단, 그림에서는 새롭게 뚫은 구멍만 표시하였습니다.)

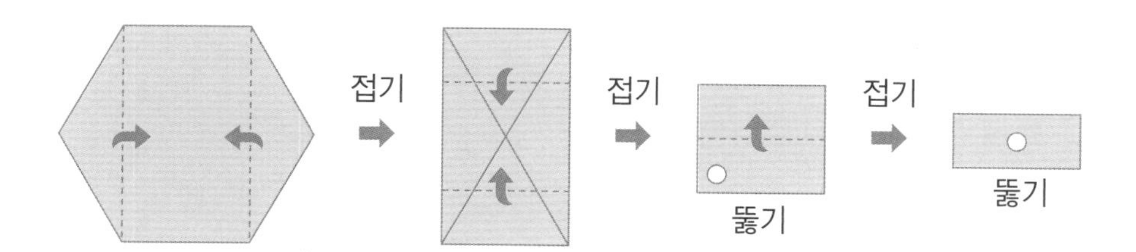

+01 Plus 정사각형 모양의 색종이를 그림과 같이 접은 후 선을 따라 잘랐습니다. 색칠된 부분을 자른 후 색종이를 펼쳤을 때의 모양을 그리시오.

(1)

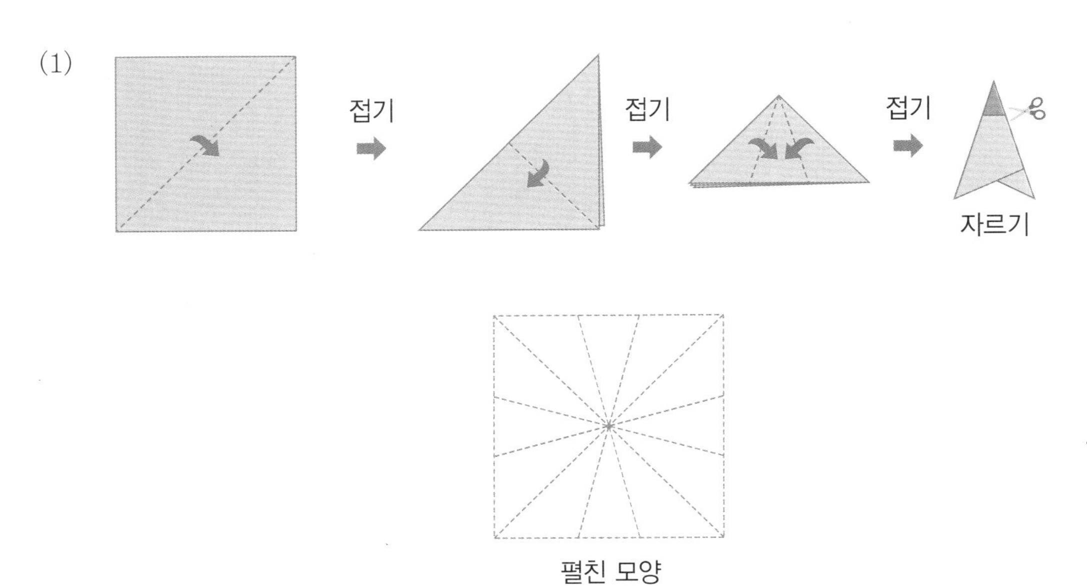

펼친 모양

(2)

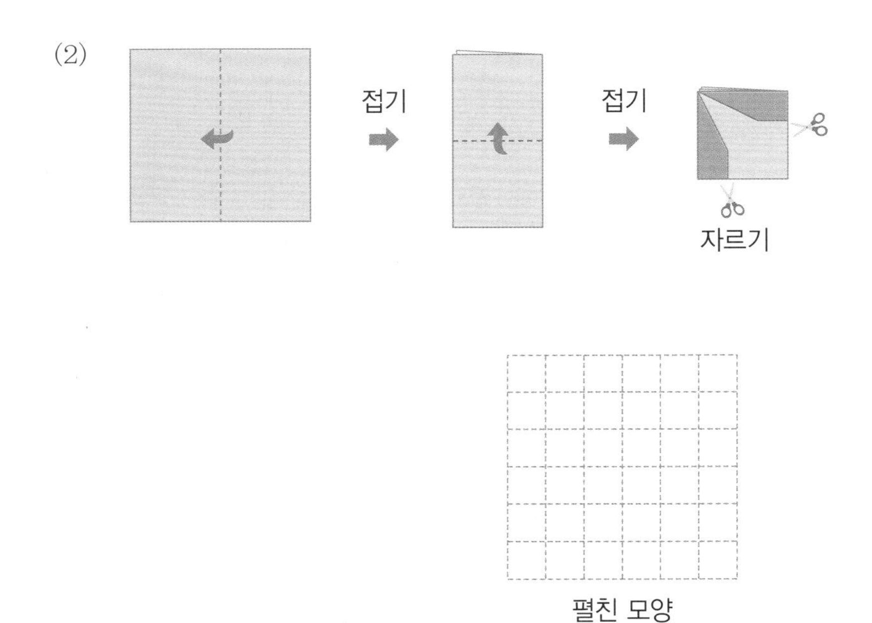

펼친 모양

+02 Plus 수가 쓰여진 정사각형 종이를 여러 가지 방법으로 접은 후 보기 와 같이 직선으로 잘랐습니다. 잘려진 수의 합이 주어진 수가 되도록, 자른 모양과 펼친 모양을 완성하시오.

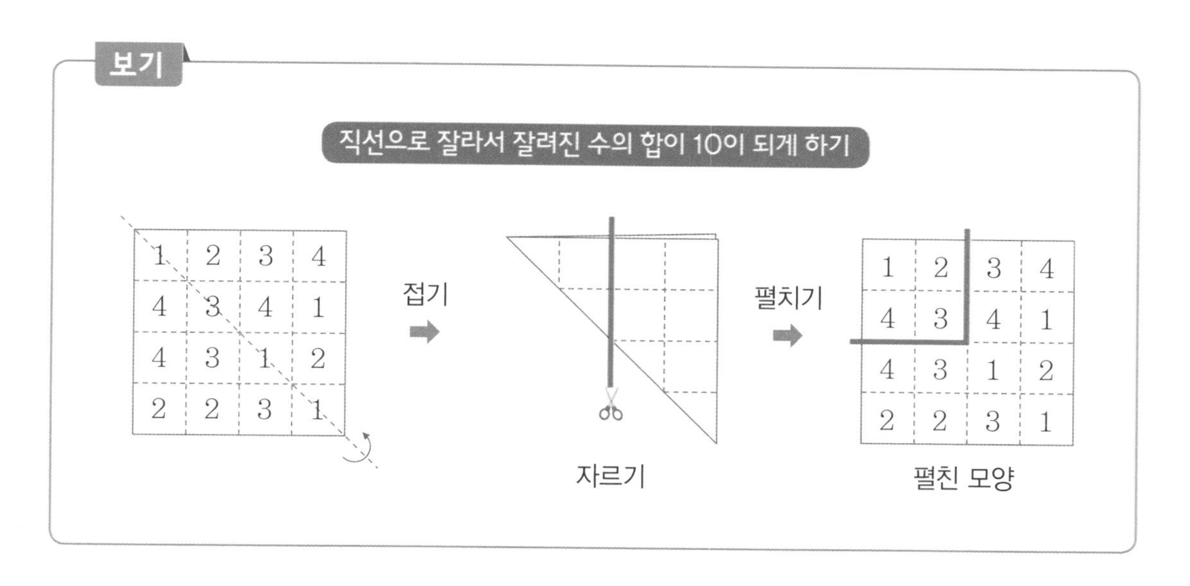

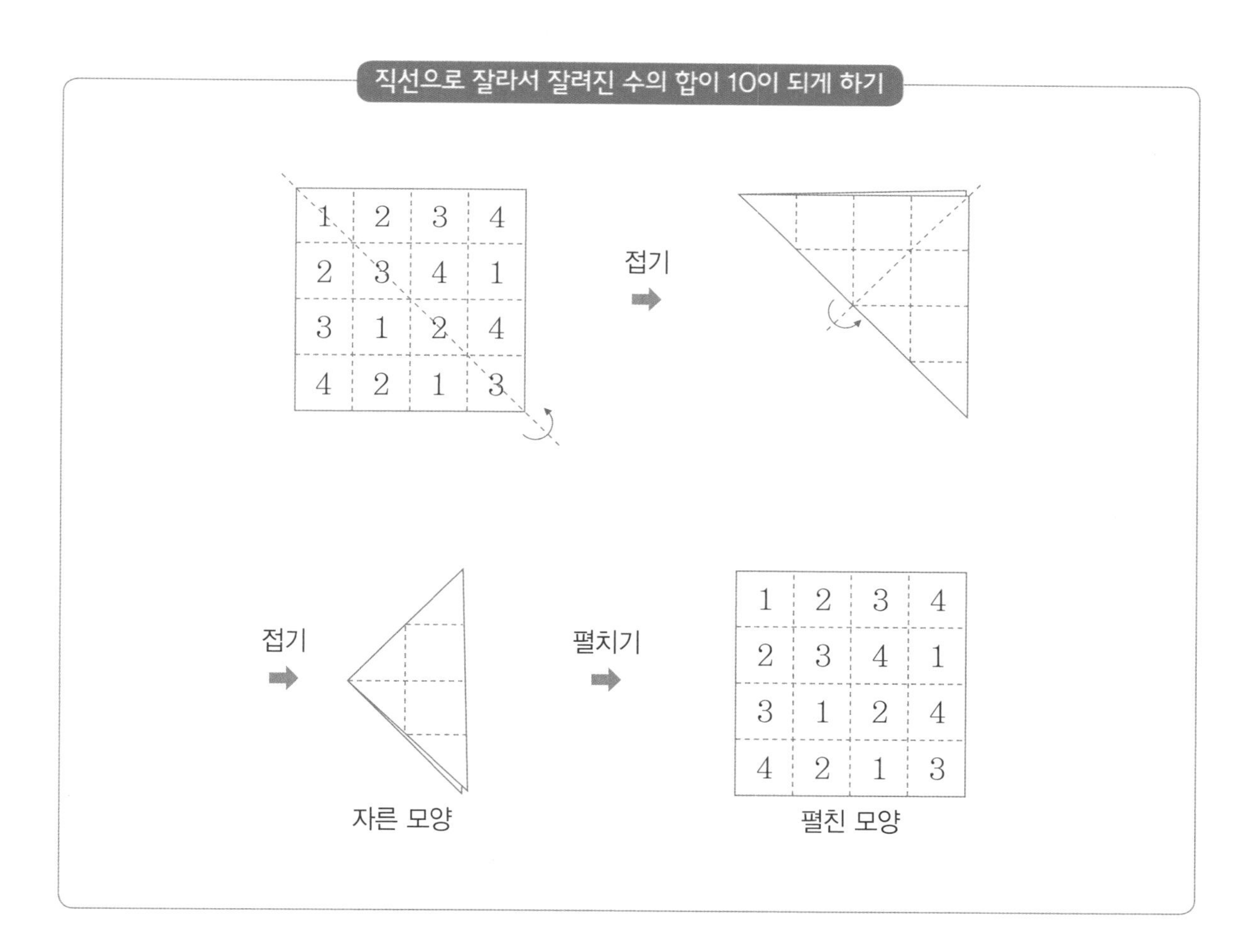

공간지각적 사고력 

거울에 비친 모양

대표 유형 탐구

[그림 1]의 모양을 바닥에 놓고, [그림 2]와 같이 큰 거울을 직각으로 세워 비추어 거울에 비친 그림의 일부분을 돌려서 나올 수 없는 모양을 고르시오. 기출 문제

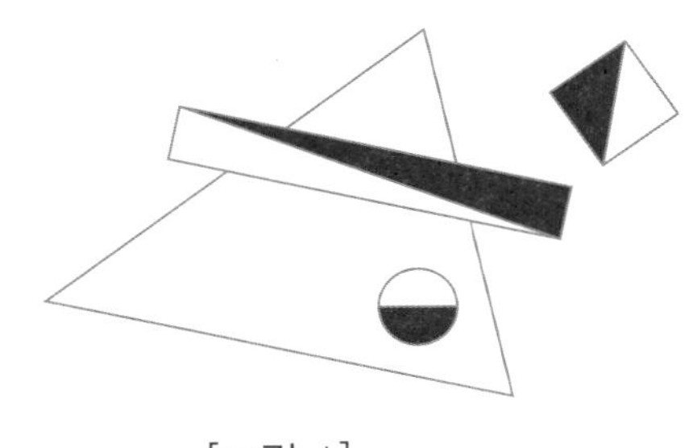

[그림 1]

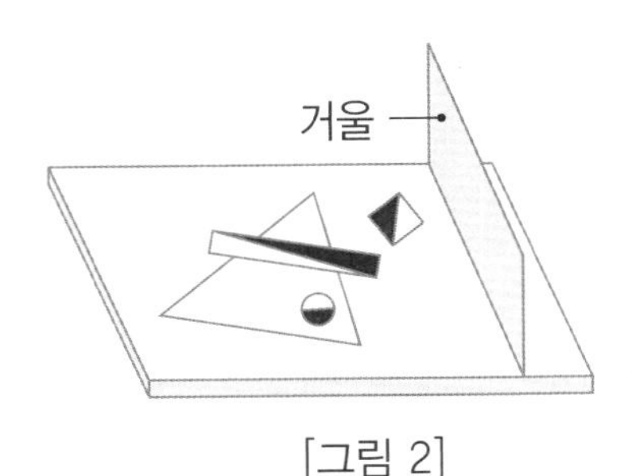

[그림 2]

①
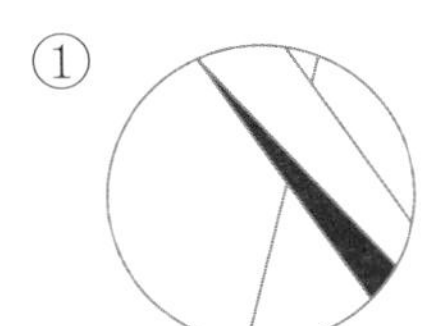

②
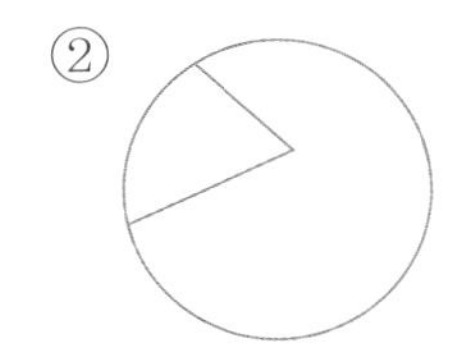

③
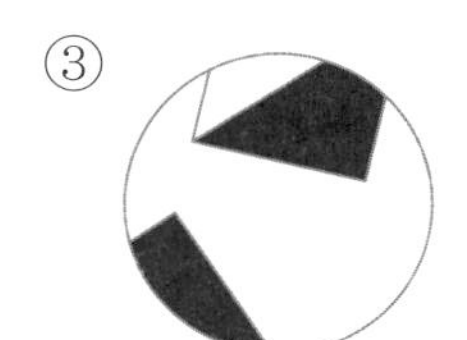

④

⑤
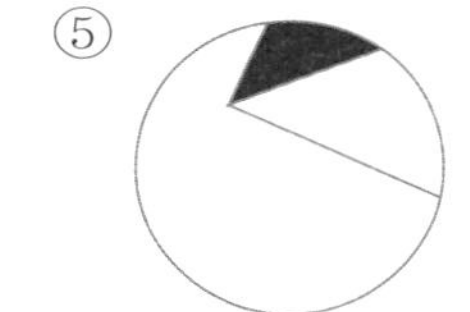

Lecture

거울에 비친 모양은 왼쪽 또는 오른쪽으로 한 번 뒤집기한 모양과 같습니다.
거울에 비췄을 때 변하지 않는 모양의 특징은 오른쪽 그림과 같이 그 모양의 가운데에 세로선을 중심으로 접으면 완전히 겹쳐집니다.

거울에 비췄을 때 모양이 변하지 않는 것은 다음과 같습니다.

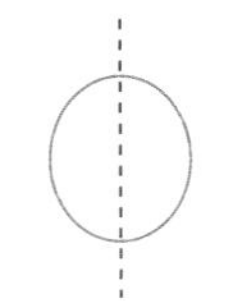
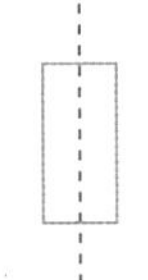
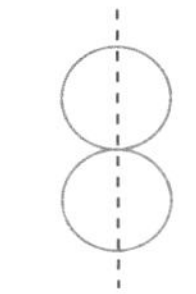

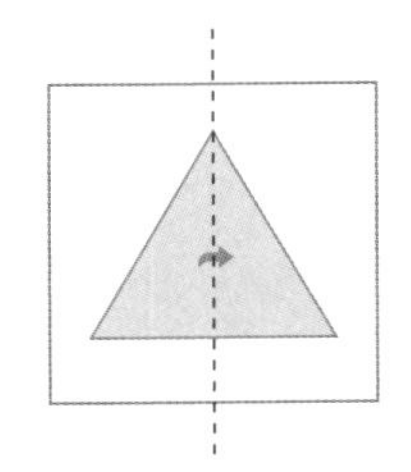

접으면 완전히
겹쳐집니다.

다음 그림의 오른쪽에 거울을 수직으로 세웠을 때, 거울에 비친 모양을 그리시오.

거울

(1)

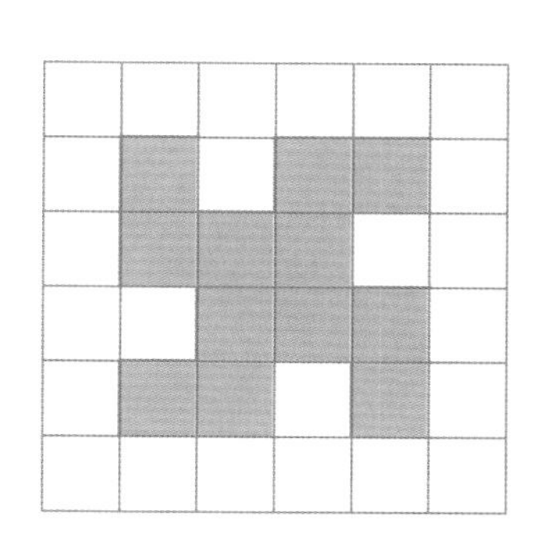

(2)

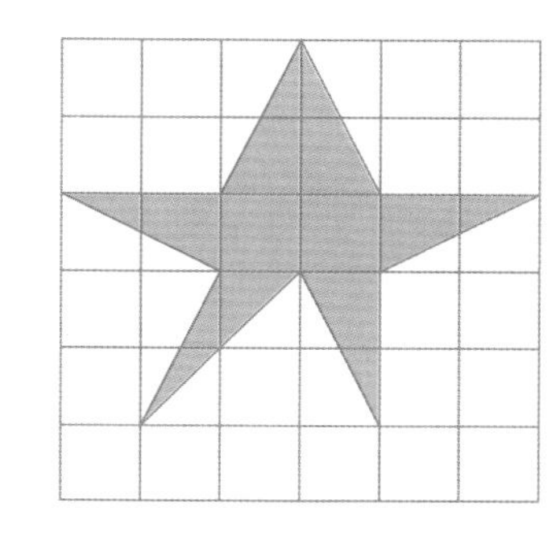

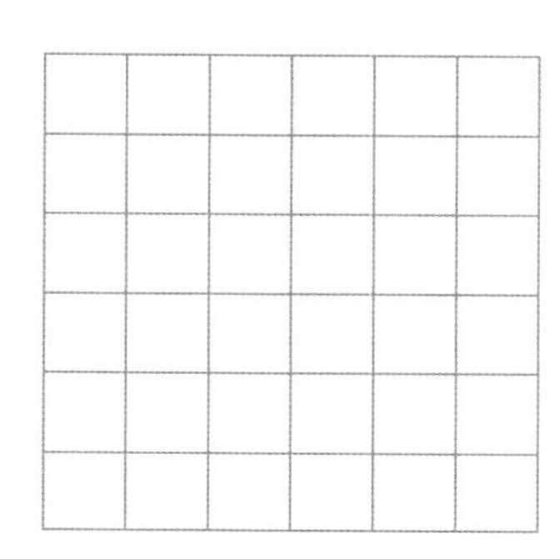

(3)

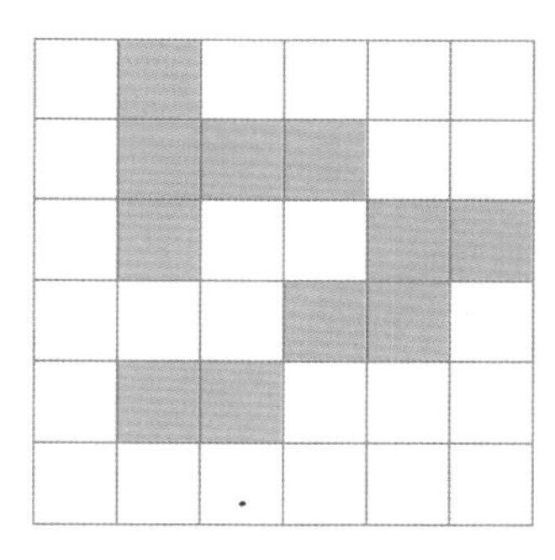

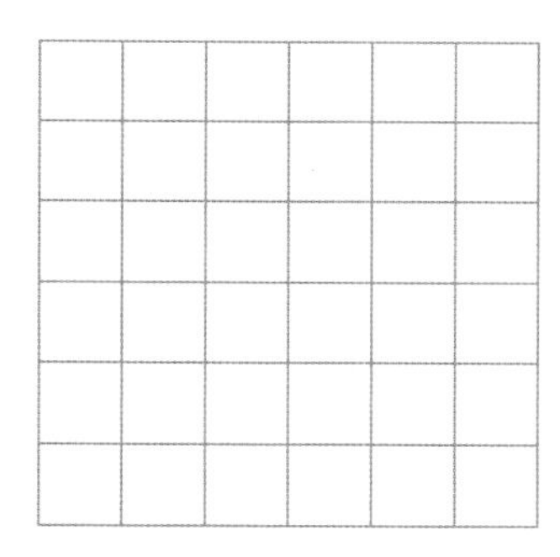

(4)

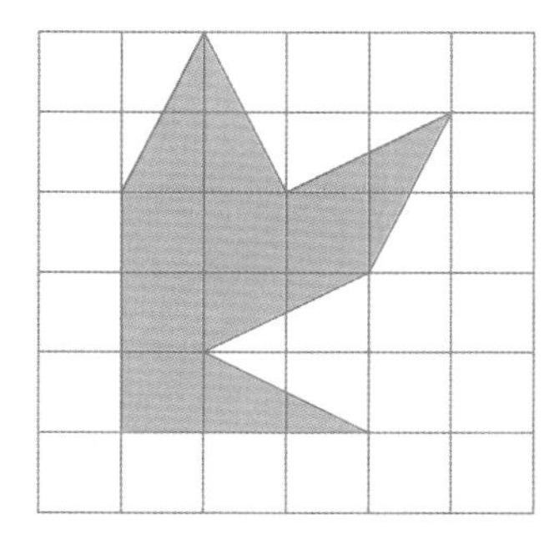

01 왼쪽 모양판 위에 거울을 그림과 같이 시계 방향으로 돌리면서 거울에 비친 모양을 관찰합니다. 거울에 비친 그림을 모두 찾아보시오.

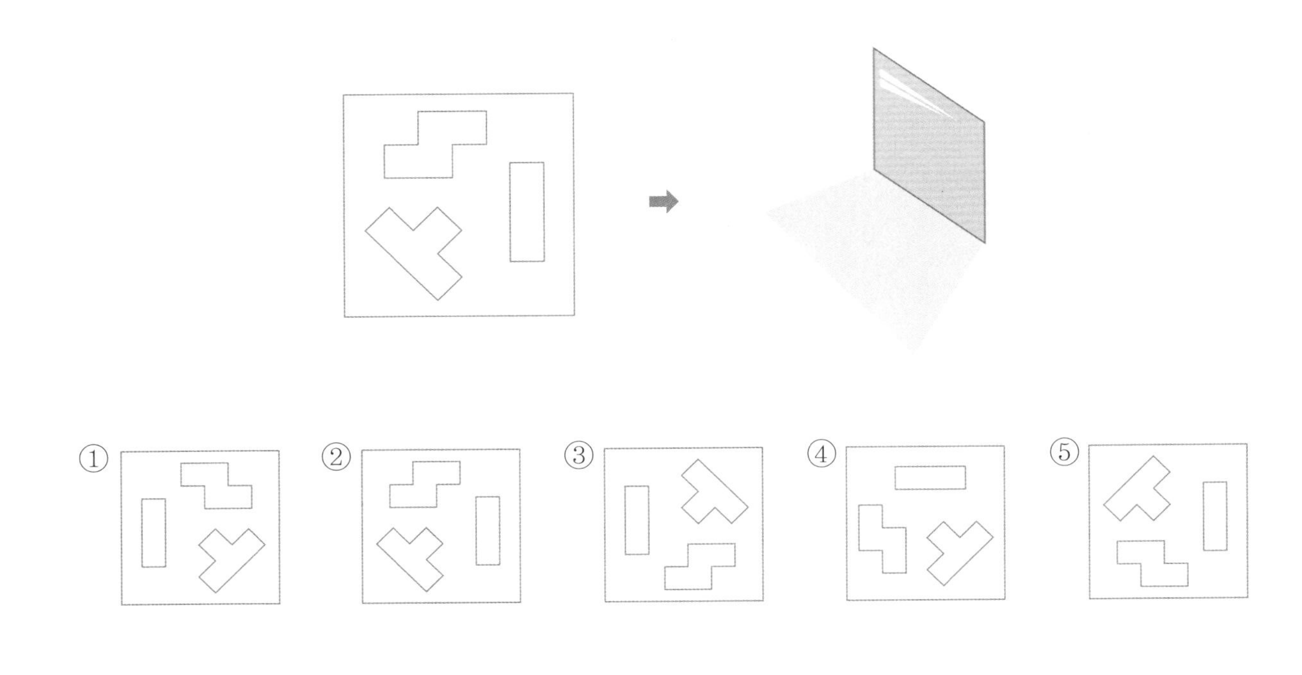

02 다음 그림의 오른쪽에 거울을 수직으로 세워 거울에 비친 모양을 관찰하였을 때 거울 속에 나타난 그림의 일부가 될 수 있는 것을 고르시오.

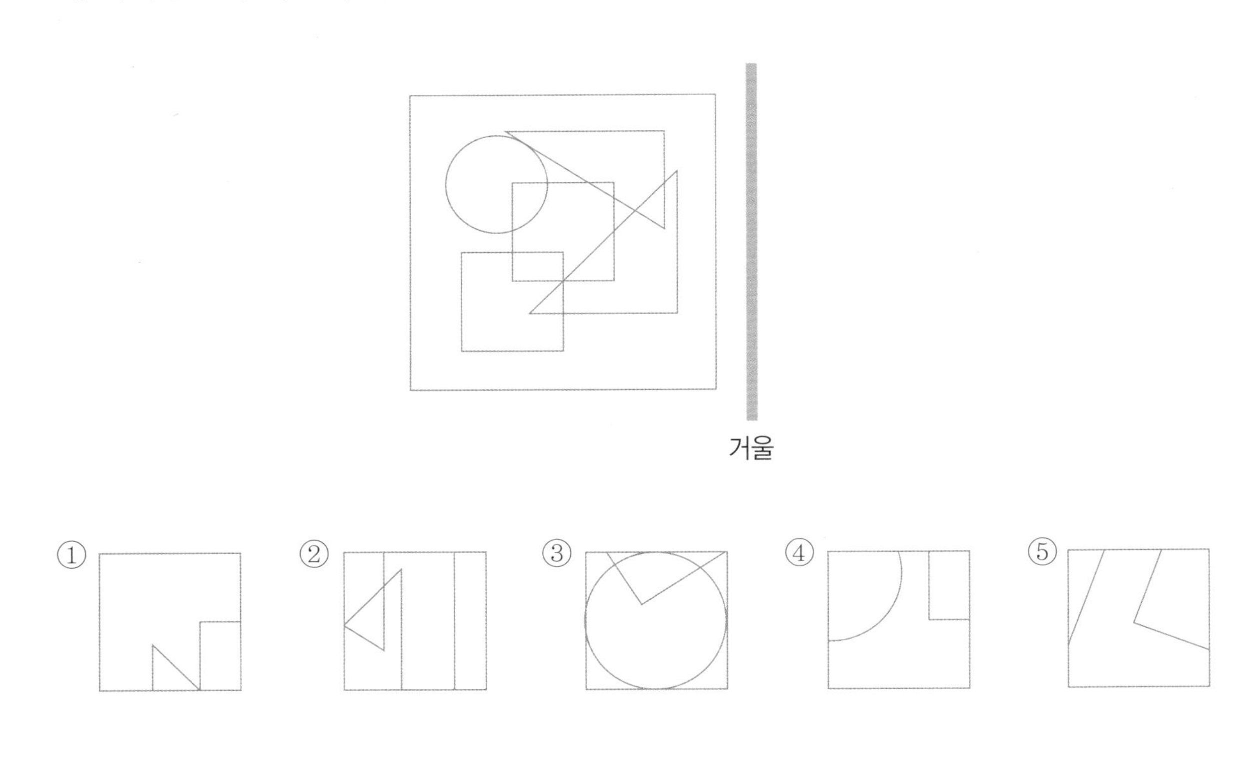

03 육각형을 보기 와 같이 거울에 비추면 다양한 모양을 만들 수 있습니다.

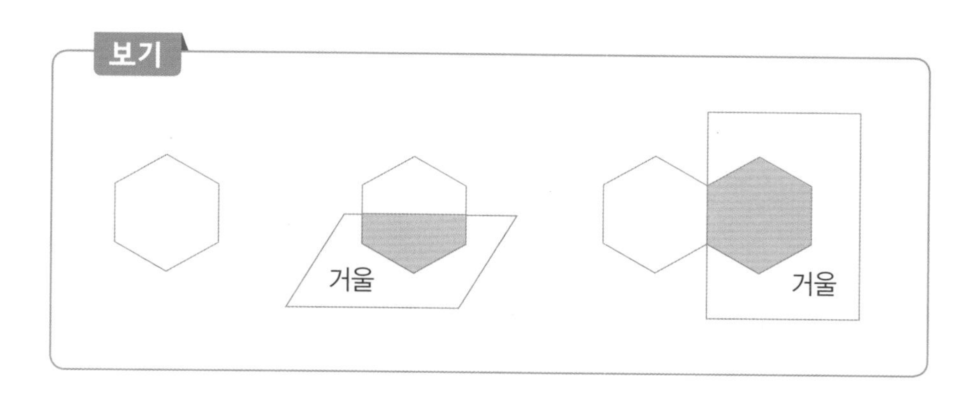

다음 그림을 거울에 비췄을 때 나올 수 <u>없는</u> 모양을 고르시오.

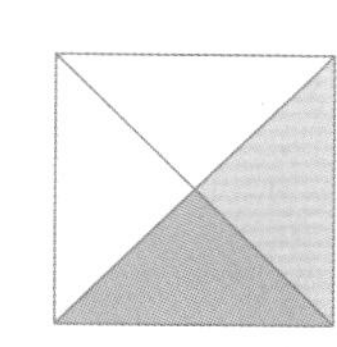

①
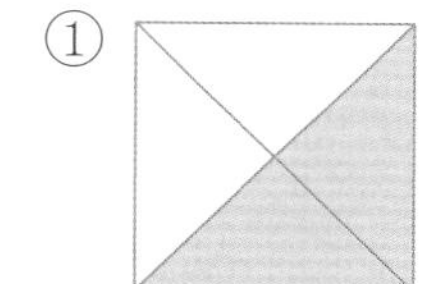

②
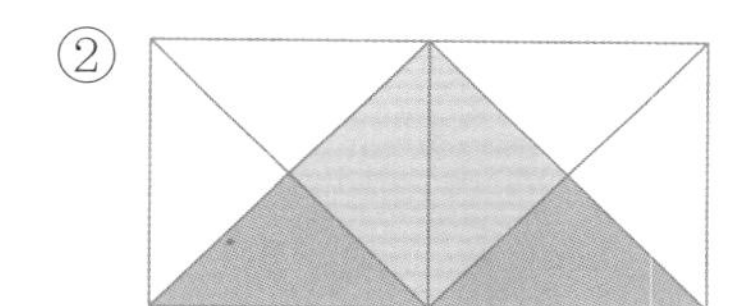

③
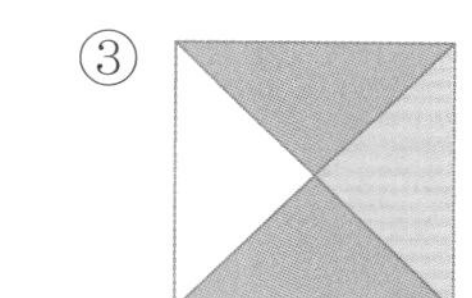

④
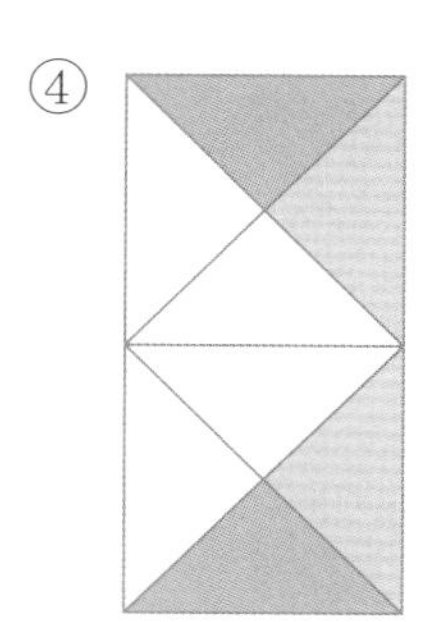

⑤
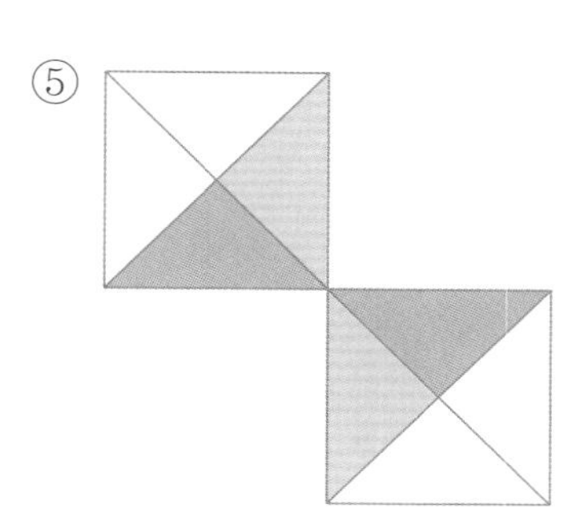

+01 Plus

다음 중 보기의 도형 위에 거울을 세웠을 때, 거울 속에 비친 모양과 종이 위의 모양이 합쳐져서 만들어진 모양이 아닌 것은 어느 것입니까?

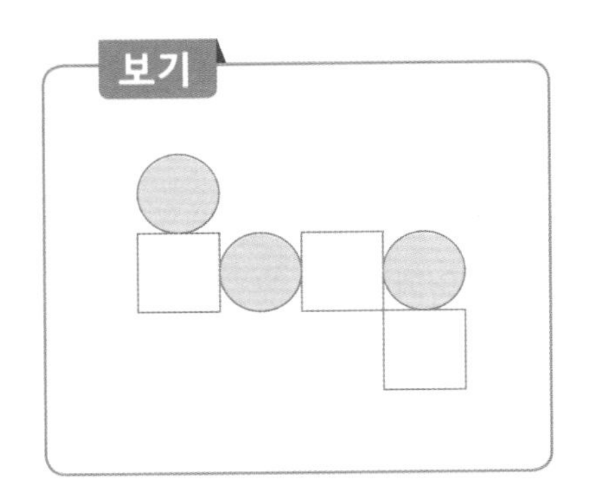

①

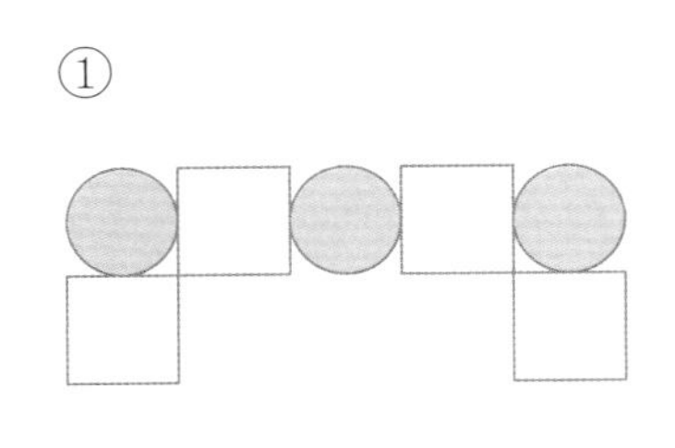

②

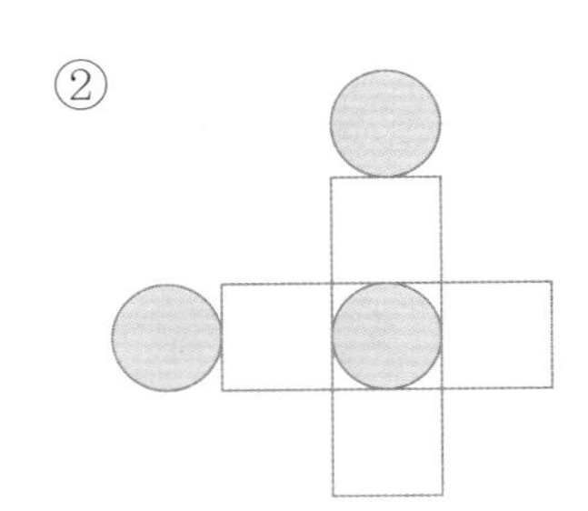

③

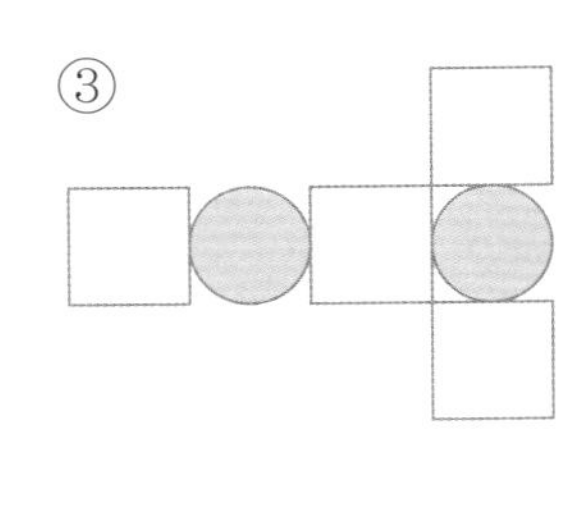

④

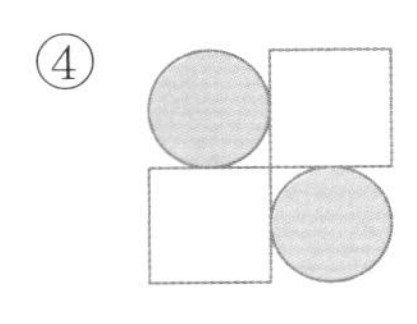

⑤

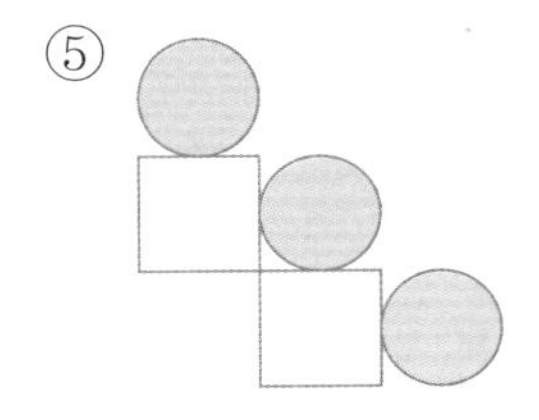

+02 Plus 이상한 안경을 쓰면 보기와 같이 보입니다. 이 안경을 쓰고 디지털 시계를 볼 때의 모양을 그리시오.

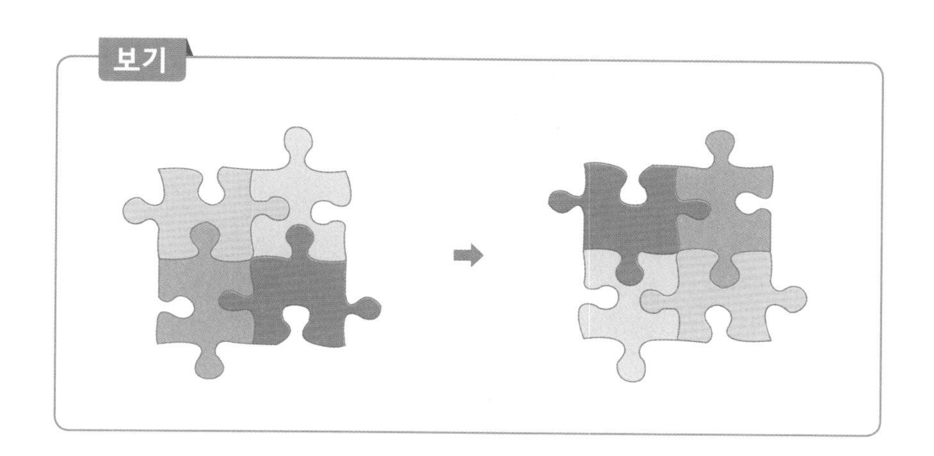

(1) 12:43 →

(2) 16:59 →

3 위, 앞, 옆에서 본 모양

대표 유형 탐구

다음은 입체도형을 위, 오른쪽 옆에서 본 모양입니다. 이 입체도형을 앞에서 본 모양을 그리시오.

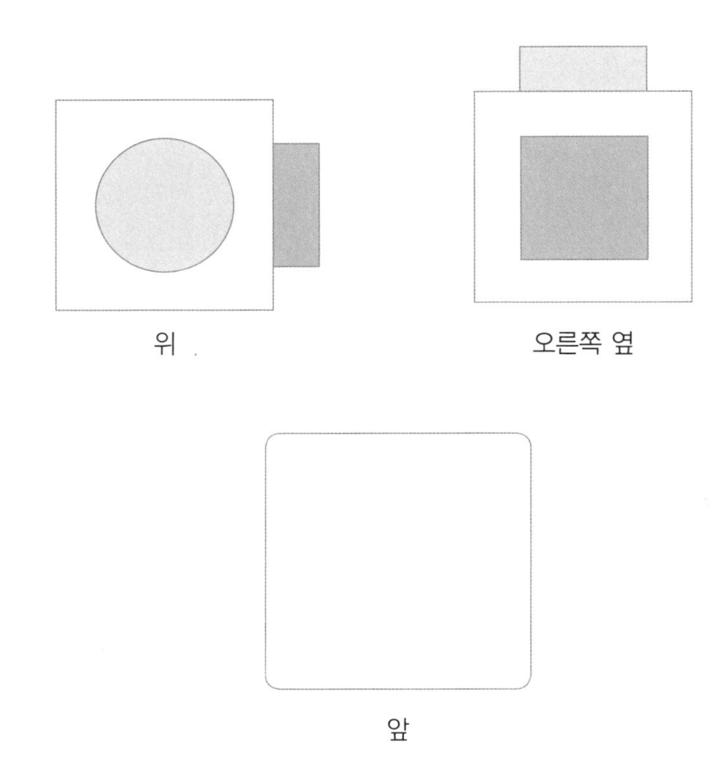

Lecture

쌓기나무를 여러 방향에서 본 모양은 다음과 같습니다.

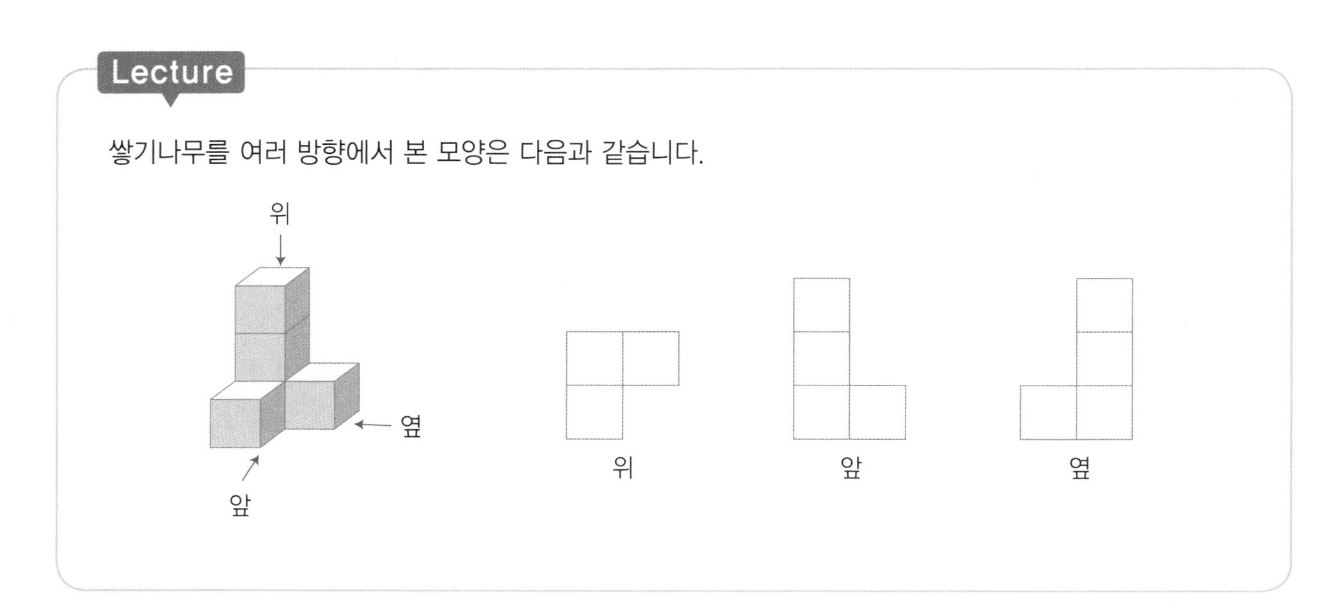

다음 입체도형을 화살표 방향에서 본 모양을 그리시오.

(1)

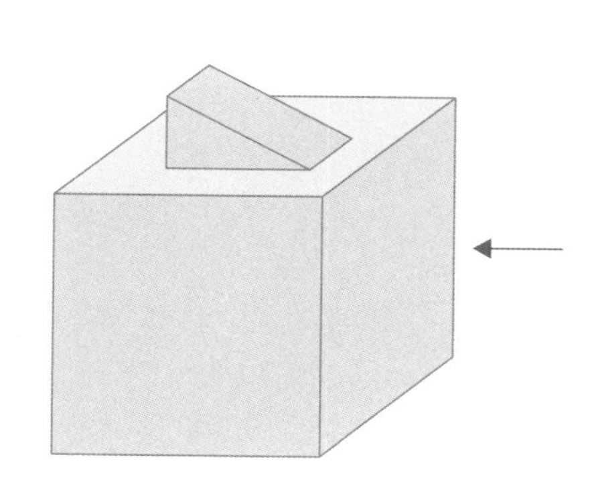

(2)

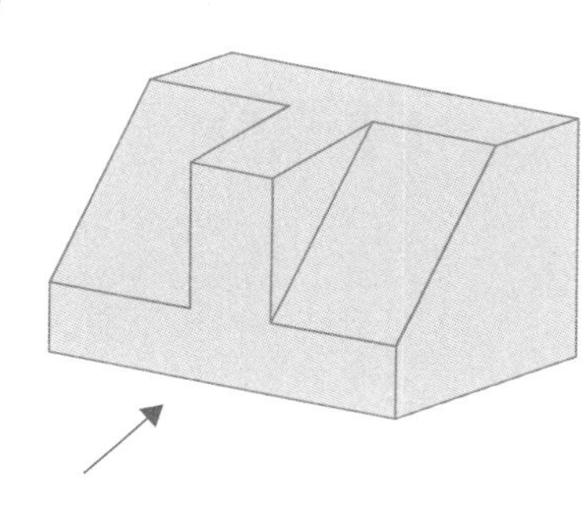

(3)

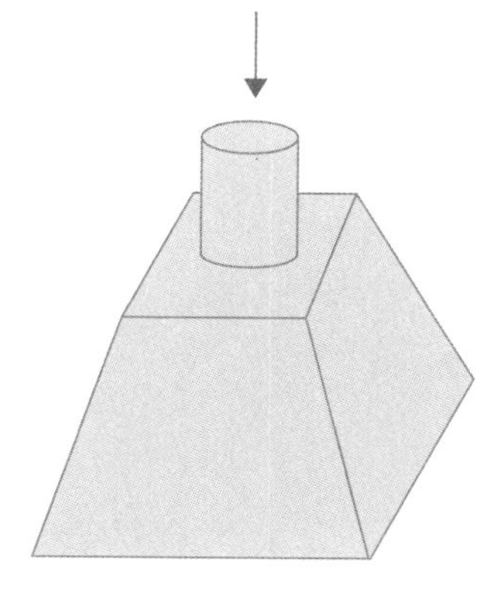

01 다음 입체도형을 위, 앞, 옆에서 각각 빛을 비추었을 때 벽에 나타난 그림자를 그리시오.

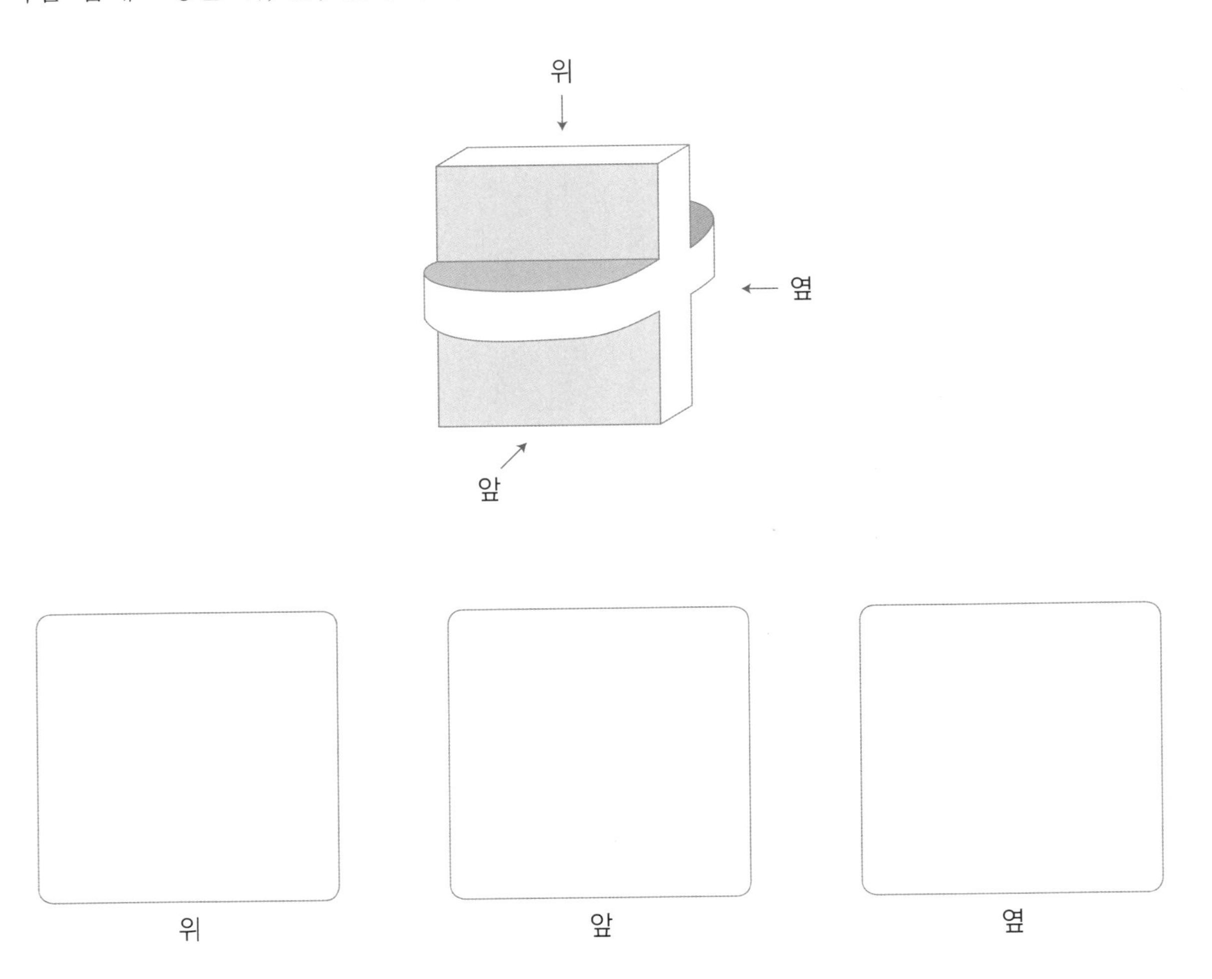

02 다음 입체도형을 위에서 보았을 때, 보이는 면은 어느 것입니까?

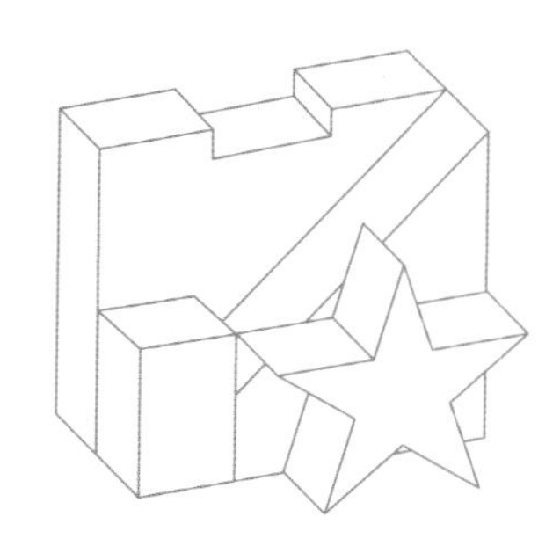

① 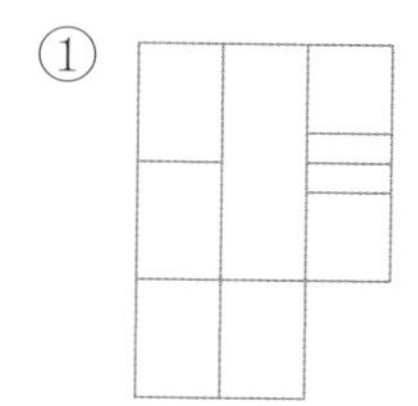

② 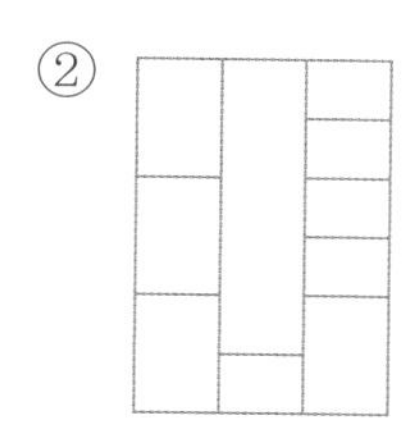

③ 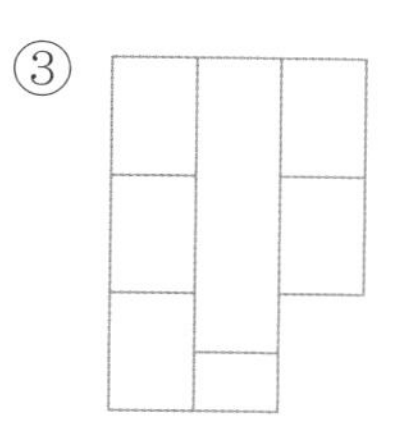

④ 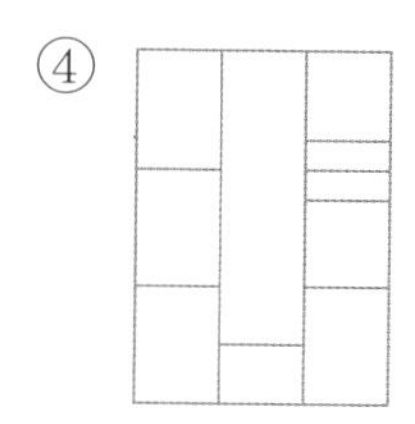

⑤ 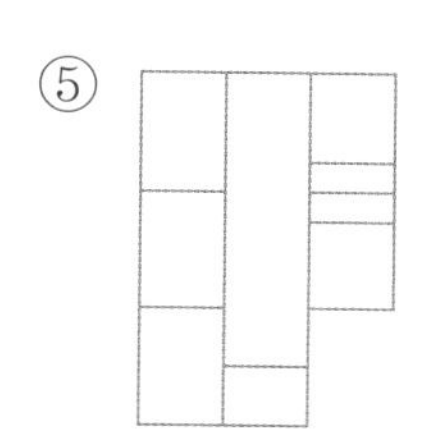

⑥ 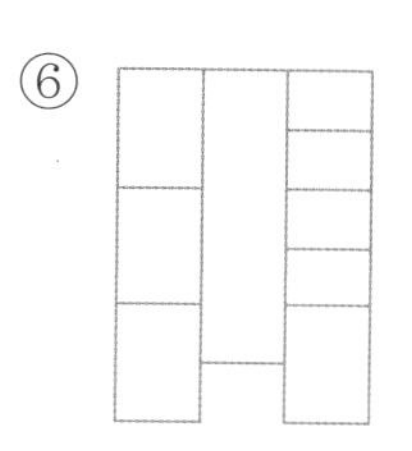

01 Plus 다음은 윤영이네 집의 평면도입니다. 이 평면도를 보고, 윤영이네 집을 찾으시오.

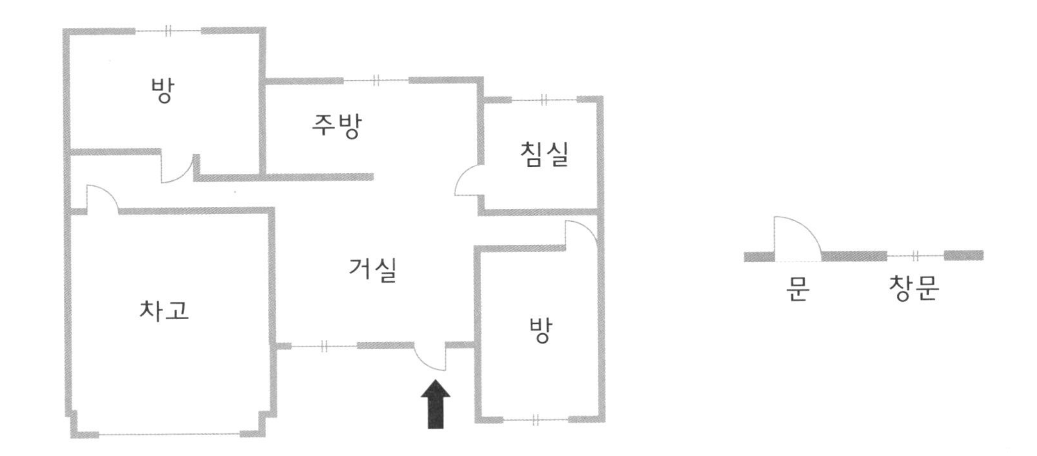

①

②

③
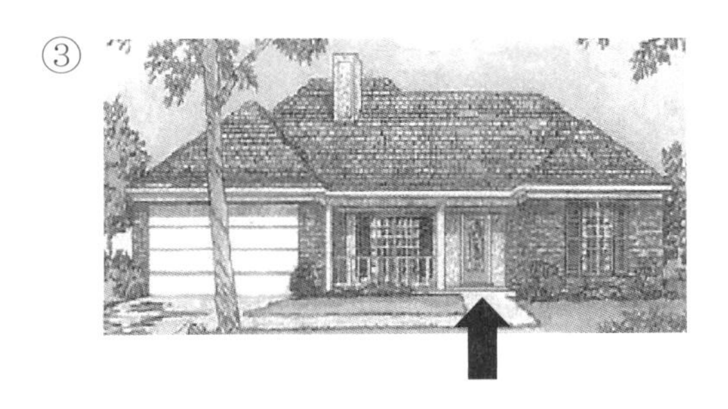

④

+02 Plus 다음 그림은 준영이네 아버지의 사무실을 출입문에서 봤을 때의 모습입니다. 다음 그림 중 사무실의 평면도는 어느 것입니까?

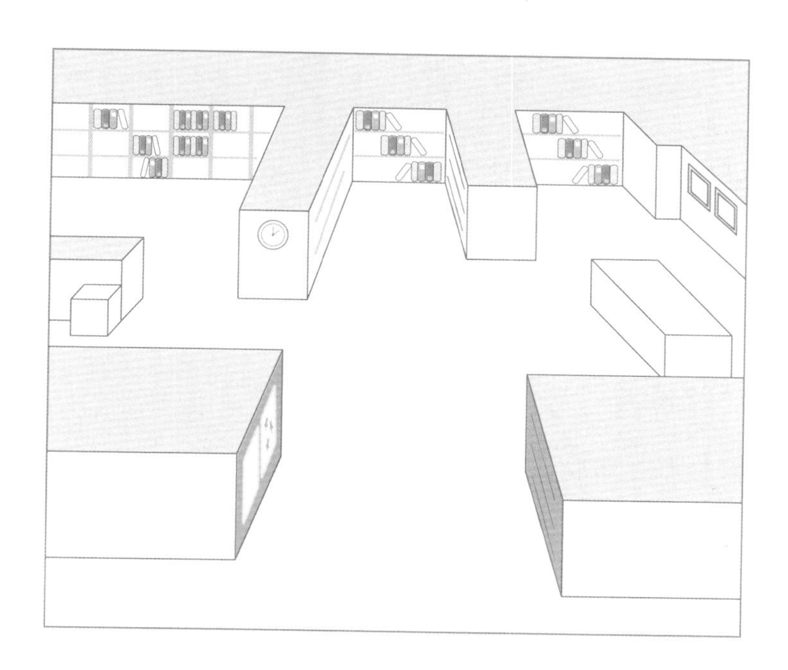

① 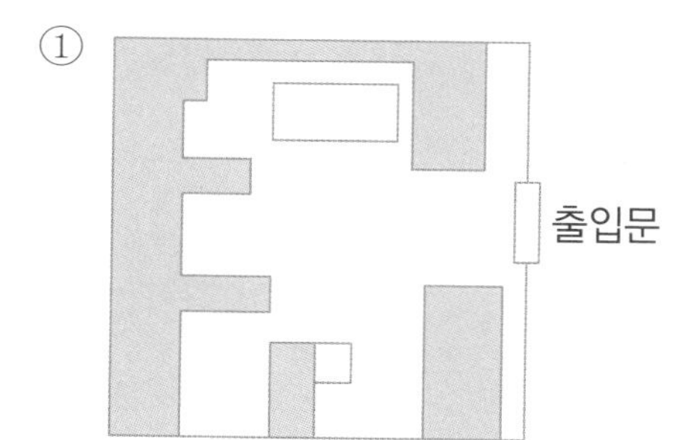

② 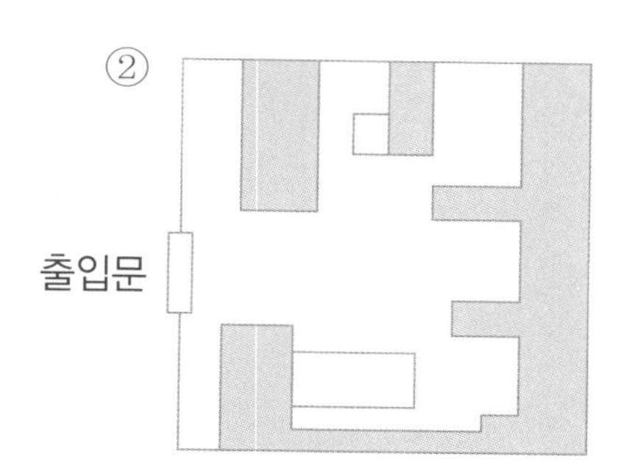

③ 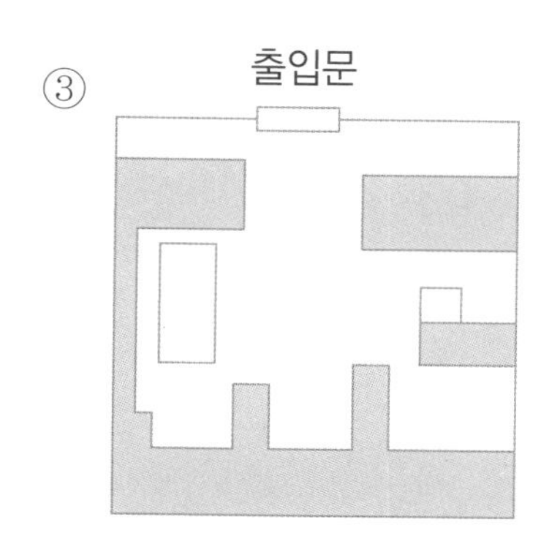

④ 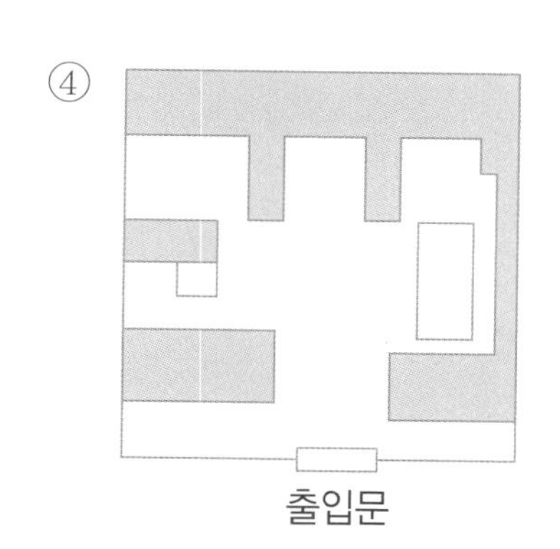

memo

Part 2

창의적 문제해결력 검사

네 개의 4와 +, −, ×, ÷ 또는 ( )를 사용하여 1에서 100까지의 수를 만드는 것을 **포포즈**라고 합니다. 숫자를 2개 이어 붙여서 두 자리 수로 계산하여도 된다고 할 때, 포포즈로 1에서 10까지의 수를 만들어 보시오.

4 4 4 4 = 1	4 4 4 4 = 2
4 4 4 4 = 3	4 4 4 4 = 4
4 4 4 4 = 5	4 4 4 4 = 6
4 4 4 4 = 7	4 4 4 4 = 8
4 4 4 4 = 9	4 4 4 4 = 10

같은 알파벳은 같은 숫자를, 다른 알파벳은 다른 숫자를 나타냅니다. 다음 식을 숫자로 나타냈을 때, 덧셈식을 만족하는 경우를 모두 쓰시오.

```
   S E E
+  Y O U
---------
 S O O N
```

```
   □ □ □
+  □ □ □
---------
 □ □ □ □
```

```
   □ □ □
+  □ □ □
---------
 □ □ □ □
```

```
   □ □ □
+  □ □ □
---------
 □ □ □ □
```

```
   □ □ □
+  □ □ □
---------
 □ □ □ □
```

```
   □ □ □
+  □ □ □
---------
 □ □ □ □
```

숫자 카드 [0], [2], [3], [4] 를 한 번씩만 써서 (세 자리 수)÷(한 자리 수)의 나눗셈식을 만들었습니다. 나누어떨어지는 나눗셈식을 모두 쓰시오.

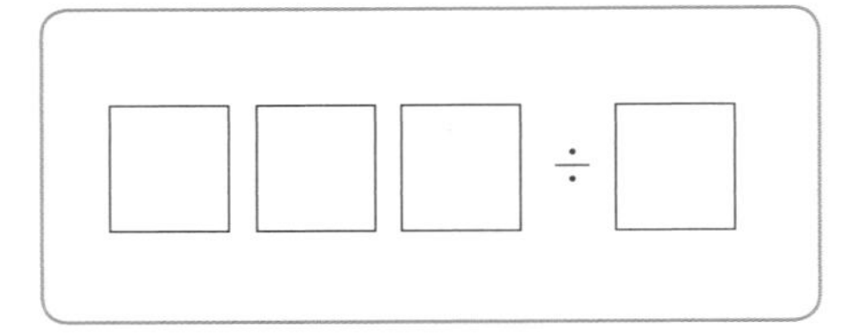

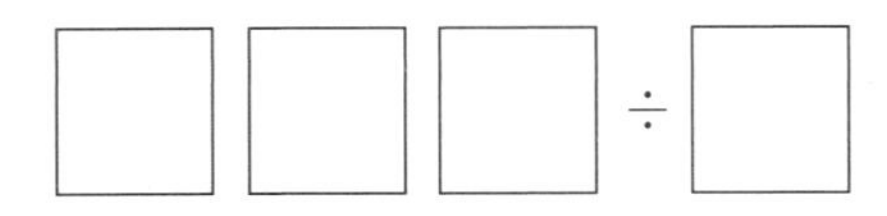

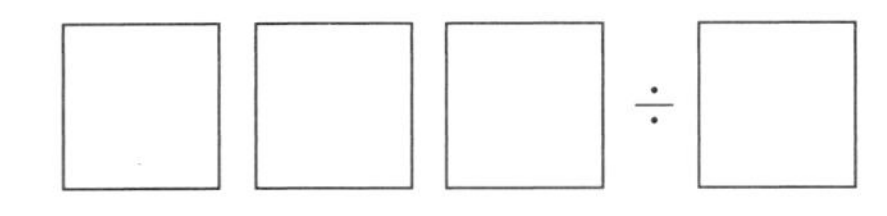

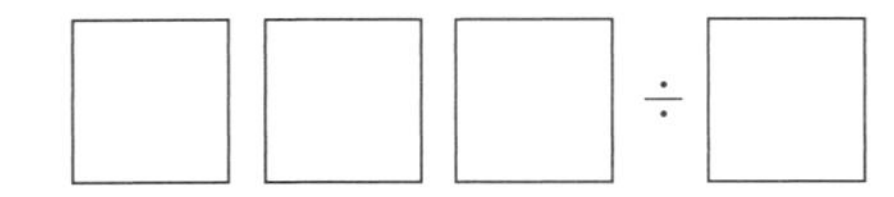

다음 보기 는 두 자리 수에서 각 자리 숫자를 서로 곱하고, 필요하면 이를 반복해서 한 자리 수 또는 0이 되는 과정을 나타낸 것입니다. 보기 와 같이 계산할 때, 마지막 값이 6이 되는 두 자리 수를 모두 쓰시오.

보기

38 ⟶ $3 \times 8 = 24$ ⟶ $2 \times 4 = 8$

69 ⟶ $6 \times 9 = 54$ ⟶ $5 \times 4 = 20$ ⟶ $2 \times 0 = 0$

1에서 9까지의 숫자가 다음과 같이 나열되어 있습니다. 숫자 사이에 사칙연산 기호 (+, −, ×, ÷)를 써넣어 계산 결과가 100이 되는 식을 5개 만들어 보시오.
(단, 숫자를 여러 개 이어 붙여서 두 자리 이상의 수를 만들어 계산해도 됩니다.)

1 2 3 + 4 5 − 6 7 + 8 − 9 = 100

1 2 3 4 5 6 7 8 9 = 100

1 2 3 4 5 6 7 8 9 = 100

1 2 3 4 5 6 7 8 9 = 100

1 2 3 4 5 6 7 8 9 = 100

1 2 3 4 5 6 7 8 9 = 100

다음 점을 이어서 그릴 수 있는 사각형을 모두 그리시오.(단, 옮기기, 돌리기, 뒤집기 하여 겹쳐지는 것은 같은 것으로 봅니다.)

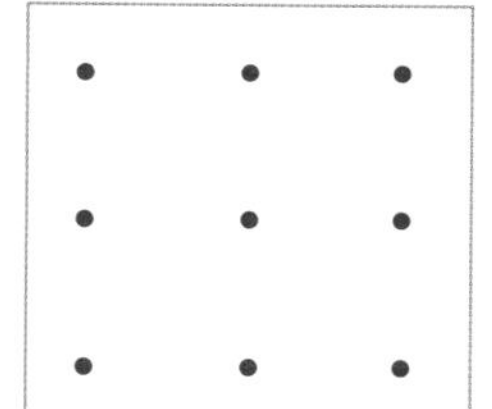
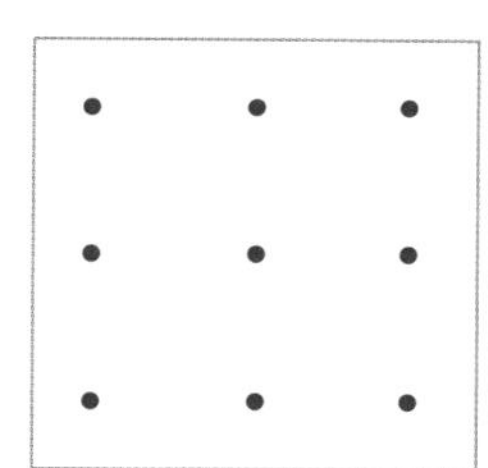
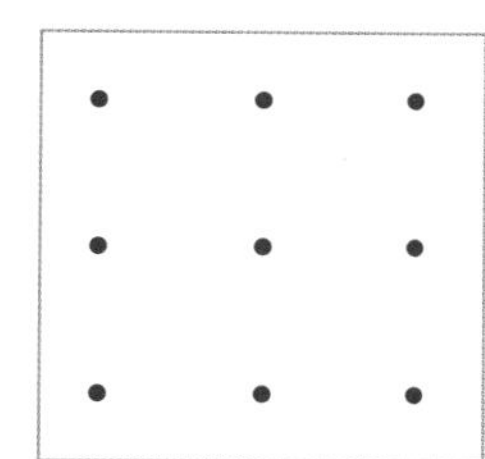
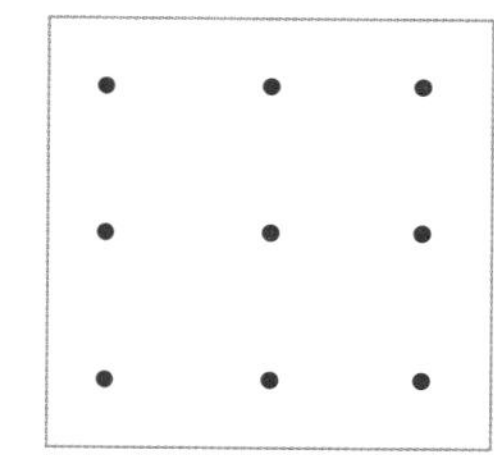
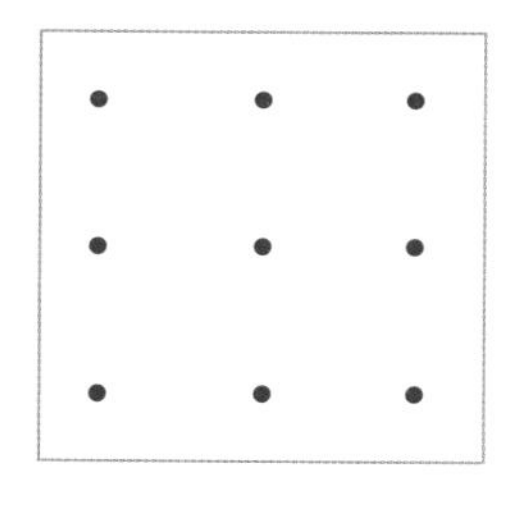
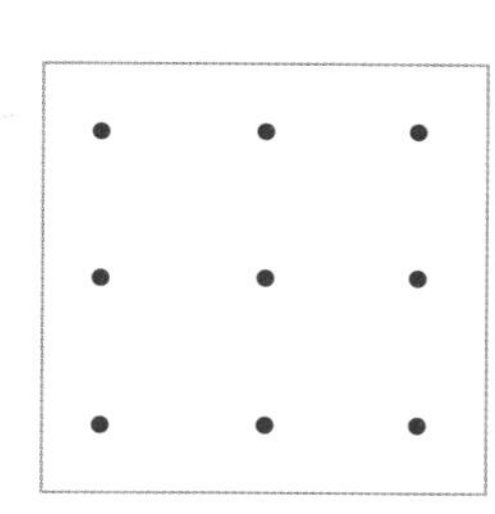
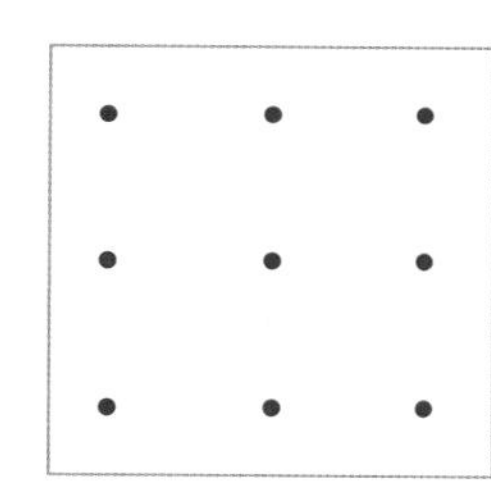
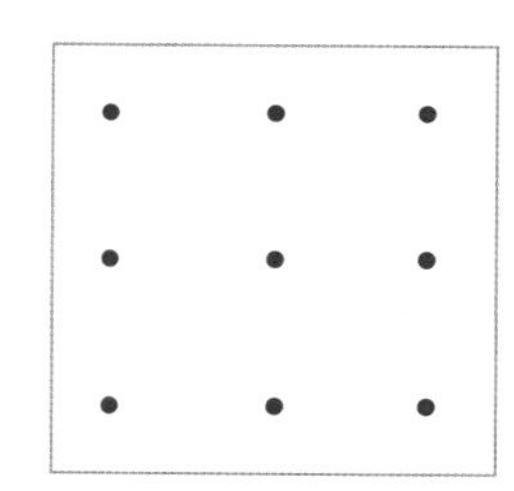
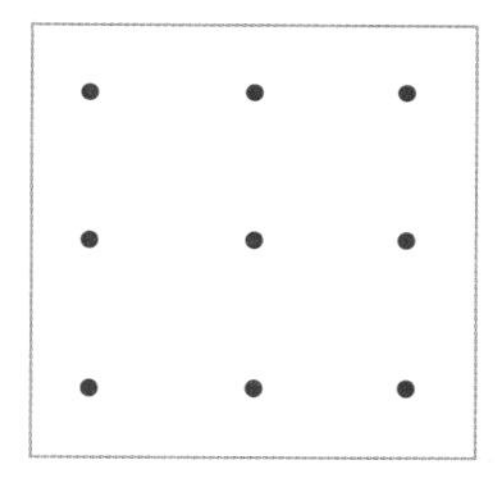
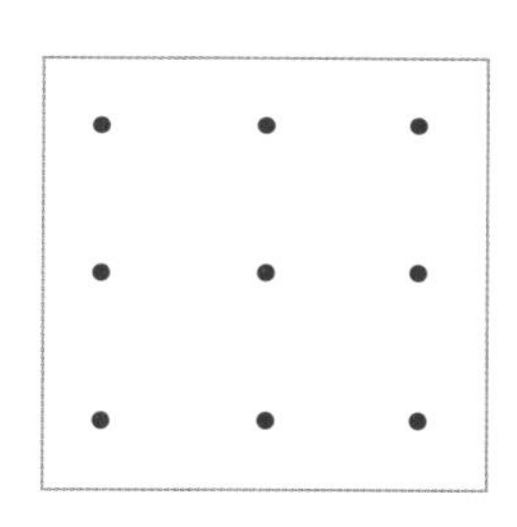
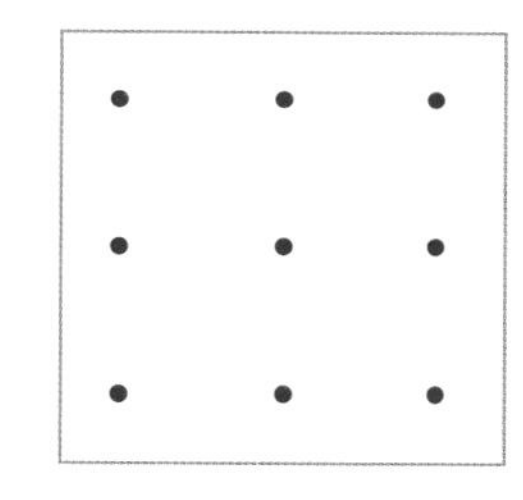
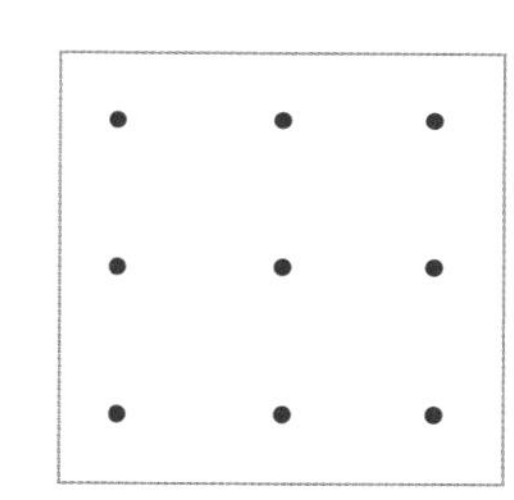
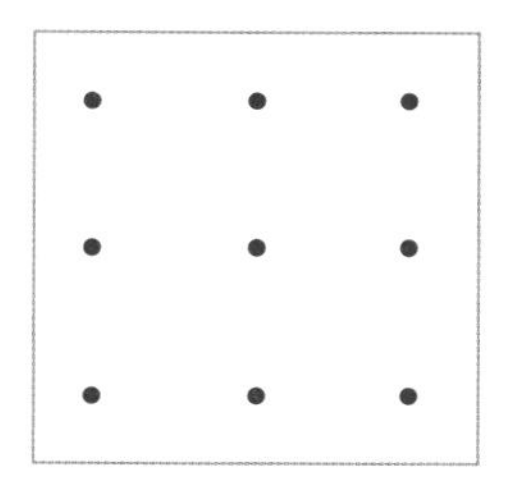
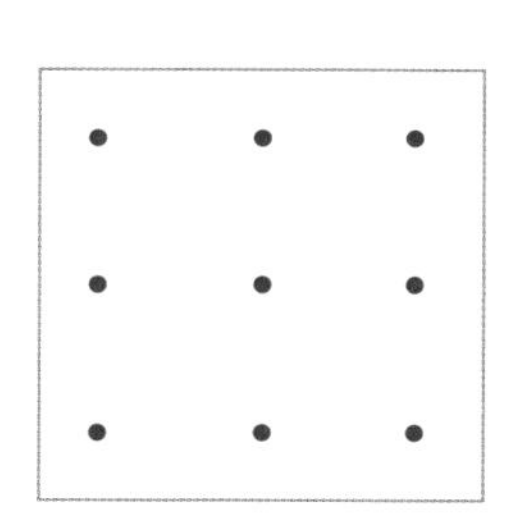
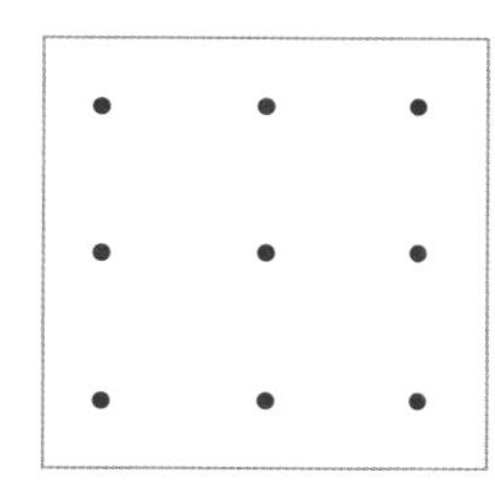

다음 조건에 맞게 24개의 모든 점을 한 번씩만 지나 출발점으로 되돌아오려고 합니다. 보기의 경우를 제외하고 서로 다른 모양을 여러 가지 그려 보시오.(단, 돌리거나 뒤집어서 겹쳐지는 것은 같은 것으로 봅니다.)

조건

- 점에서 점으로만 직선으로 이동할 수 있습니다.
- 출발점에서 출발하여 출발점으로 되돌아옵니다.
- 점에서만 상하좌우 방향을 바꿀 수 있습니다.
- 대각선 방향으로는 움직일 수 없습니다.

보기

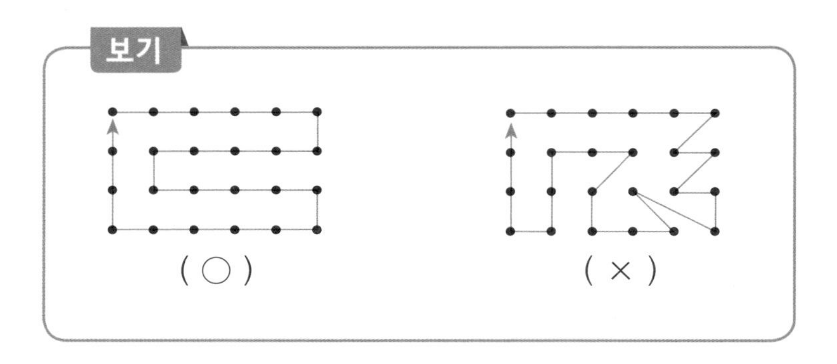

다음 정사각형 모양의 별판을 나누려고 합니다. 조건을 만족하는 경우를 6가지 그리시오.

조건

- 직사각형과 정사각형으로 나눕니다.
- 똑같은 직사각형은 2개까지 그릴 수 있습니다.
- 정사각형이 2개 있으면, 똑같은 직사각형을 2개 그릴 수 없습니다.
- 나눈 사각형 안에는 별이 2개 이상 들어 있어야 합니다.

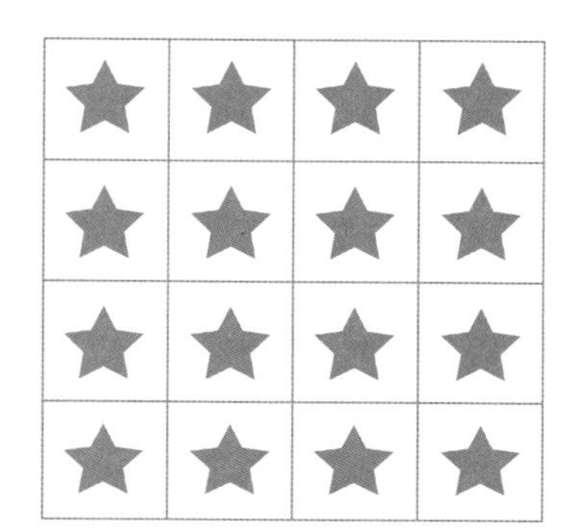

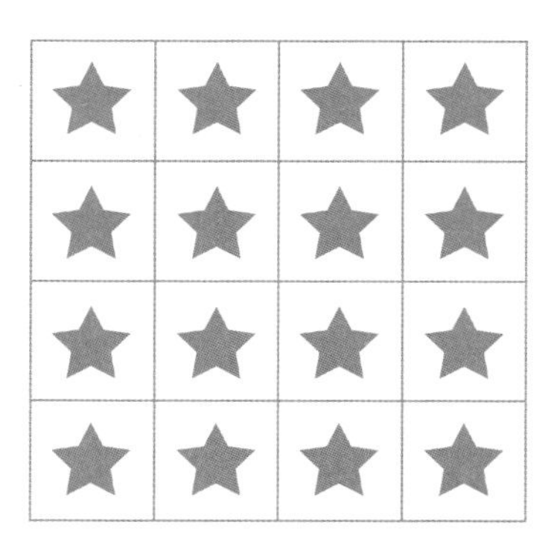

보기의 도형을 모두 사용하여 다음 도형을 만들어 보시오.

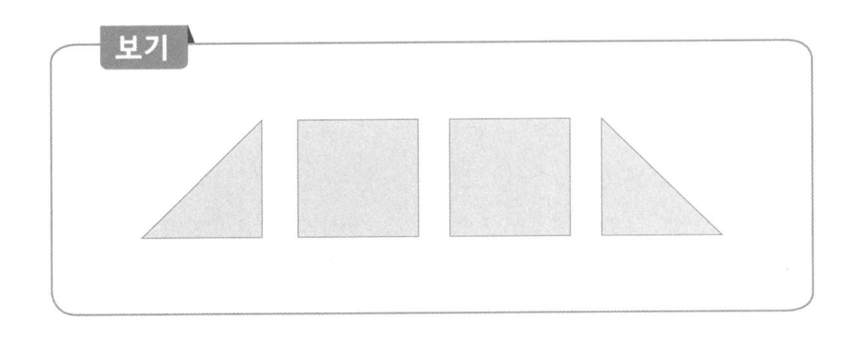

(1) 사각형 3가지

(2) 오각형 4가지

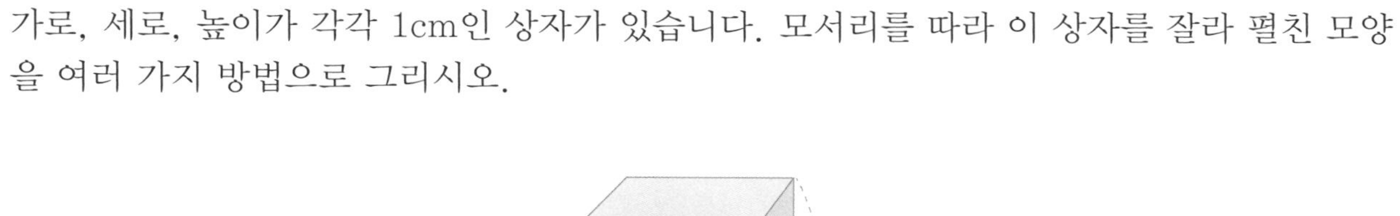

도 형 5 정육면체 전개도

가로, 세로, 높이가 각각 1cm인 상자가 있습니다. 모서리를 따라 이 상자를 잘라 펼친 모양을 여러 가지 방법으로 그리시오.

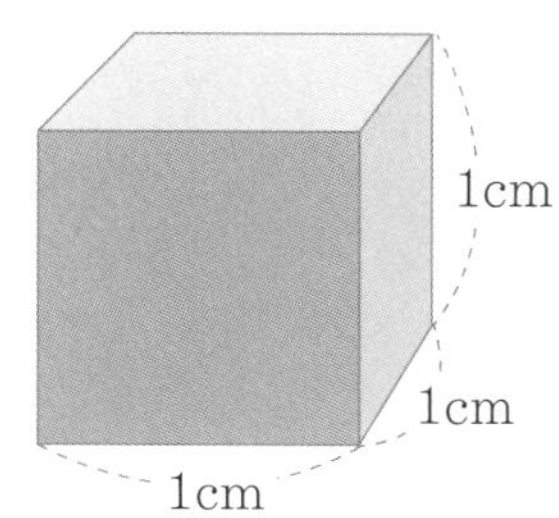

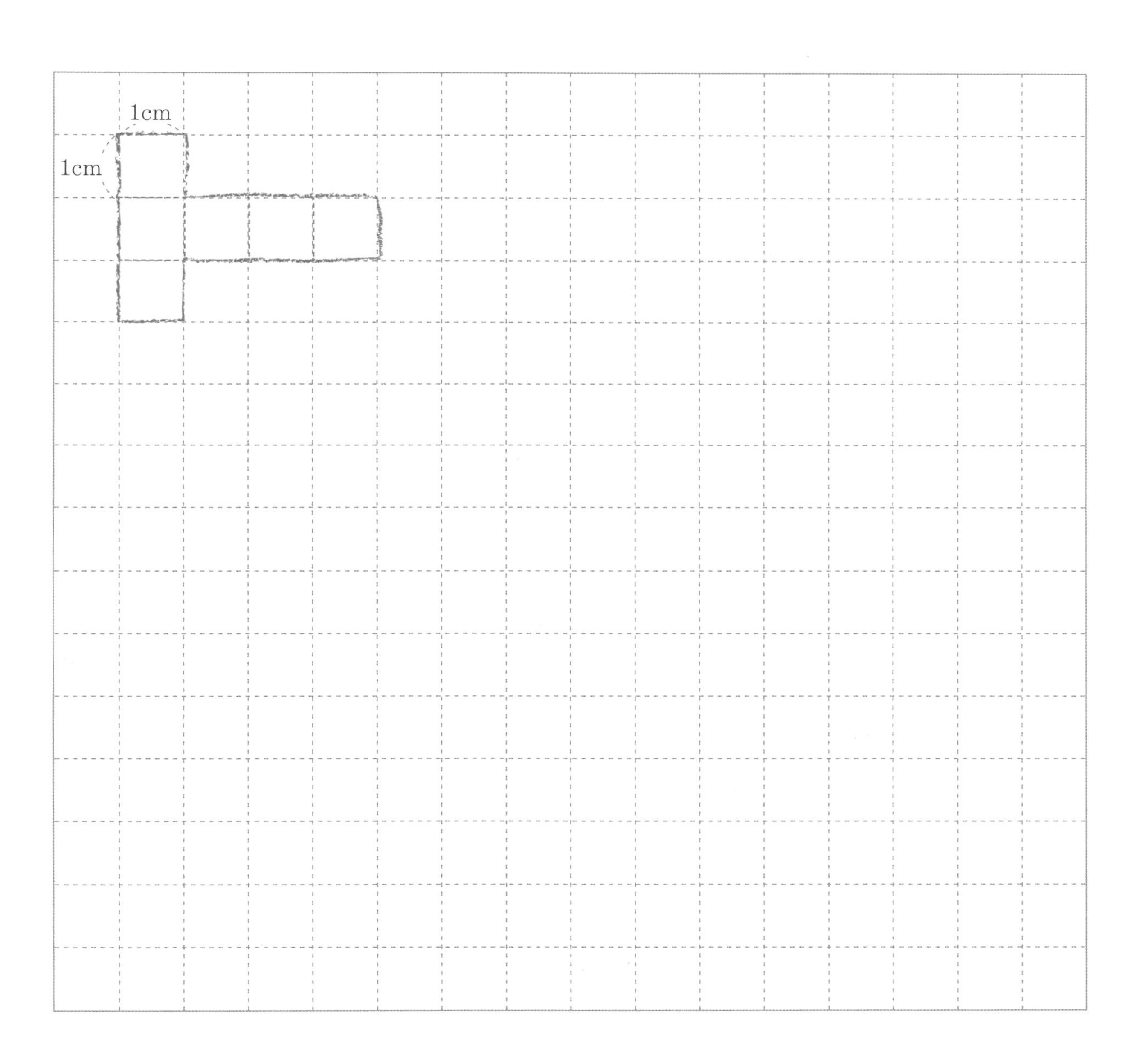

보기와 같이 수가 쓰여진 삼각형에서 숨겨진 규칙을 여러 가지 찾아보시오.

보기

1
1 1
1 2 1
1 3 3 1
1 4 6 4 1
1 5 10 10 5 1
1 6 15 20 15 6 1
1 7 21 35 35 21 7 1

1씩 커지는 규칙입니다.

(1)

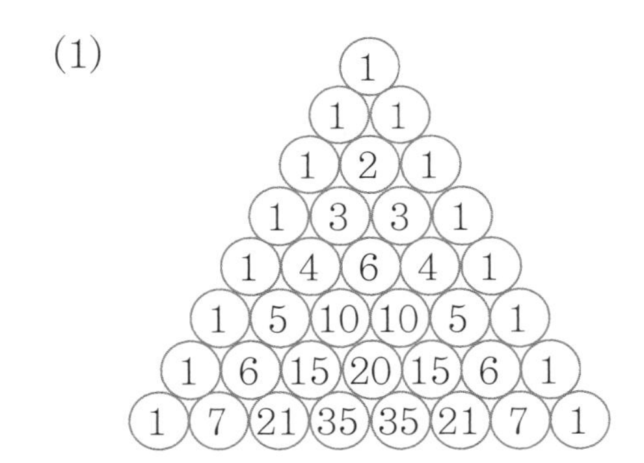

(2)

1
1 1
1 2 1
1 3 3 1
1 4 6 4 1
1 5 10 10 5 1
1 6 15 20 15 6 1
1 7 21 35 35 21 7 1

(3)

1
1 1
1 2 1
1 3 3 1
1 4 6 4 1
1 5 10 10 5 1
1 6 15 20 15 6 1
1 7 21 35 35 21 7 1

규칙과 측정 ② 눈금 없는 철사 자

그림과 같이 2cm, 3cm, 4cm, 5cm, 5cm 길이의 철사가 이어져 있습니다. 철사의 연결 부위는 자유롭게 움직일 수 있다고 합니다. 이것을 이용하여 여러 가지 길이를 잴 수 있는데 가장 짧게는 1cm, 가장 길게는 17cm까지 잴 수 있습니다. 1cm에서 17cm까지 1cm 간격의 모든 길이 중에서 잴 수 있는 길이를 식을 써서 모두 구하고, 식으로 나타내시오.

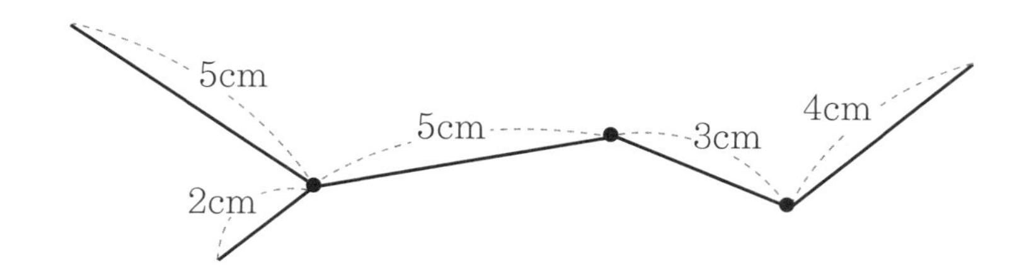

길이(cm)	재는 방법
1	4 - 3
2	2

길이(cm)	재는 방법

양팔저울과 2g, 5g인 추가 각각 한 개씩 있을 때, 잴 수 있는 무게는 다음과 같이 2g, 3g, 5g, 7g의 4가지입니다. (● 모양은 잴 수 있는 무게를 나타냅니다.)

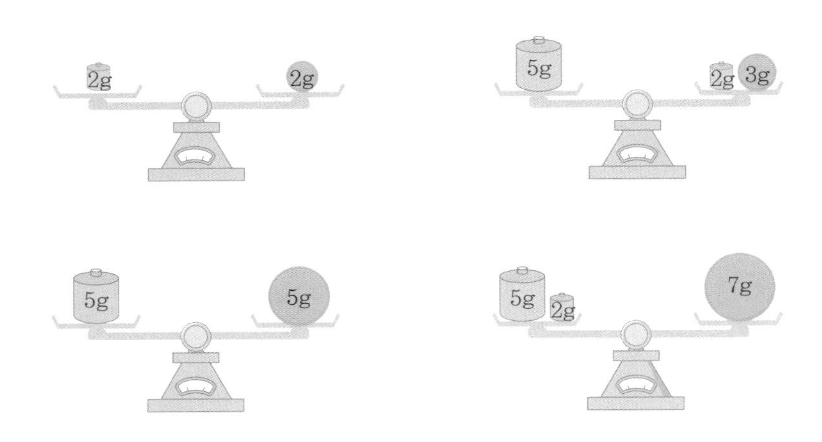

3g, 5g, 7g인 추가 각각 한 개씩 있을 때 위와 같은 방법으로 잴 수 있는 무게를 식을 써서 모두 구하시오.

무게(g)	재는 방법
1	3 + 5 − 7
2	
3	3

무게(g)	재는 방법

다음 모눈종이에 정사각형을 변끼리 꼭맞게 맞붙여 둘레의 길이가 10cm가 되는 서로 다른 모양을 모두 그려 보시오.(단, 뒤집거나 돌려서 겹쳐지는 것은 같은 것으로 봅니다.)

1cm

1cm

보기와 넓이가 같은 도형을 9가지 그리시오.(단, 돌리거나 뒤집어서 겹쳐지는 도형은 같은 것으로 봅니다.)

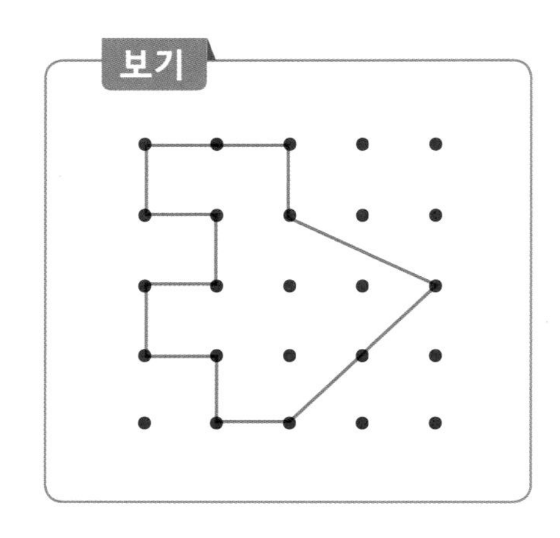

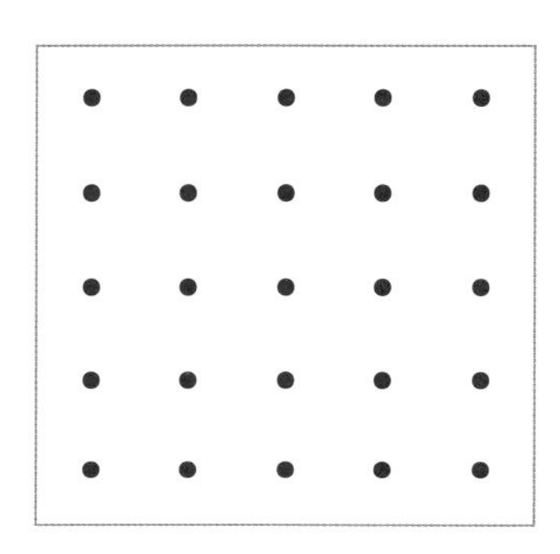
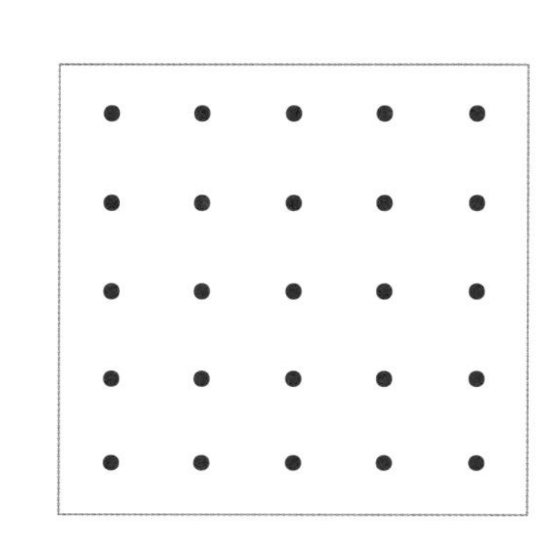
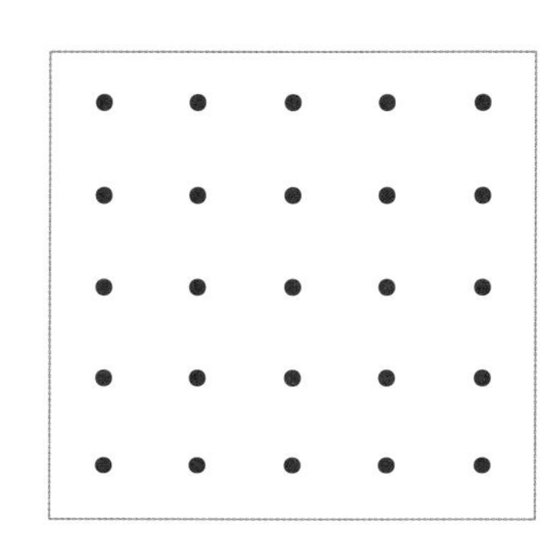
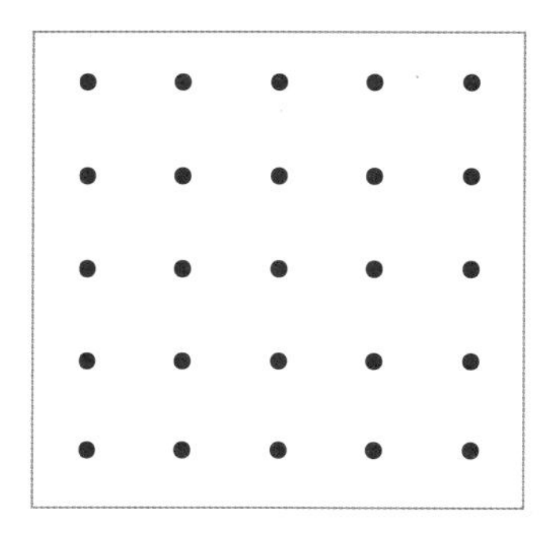
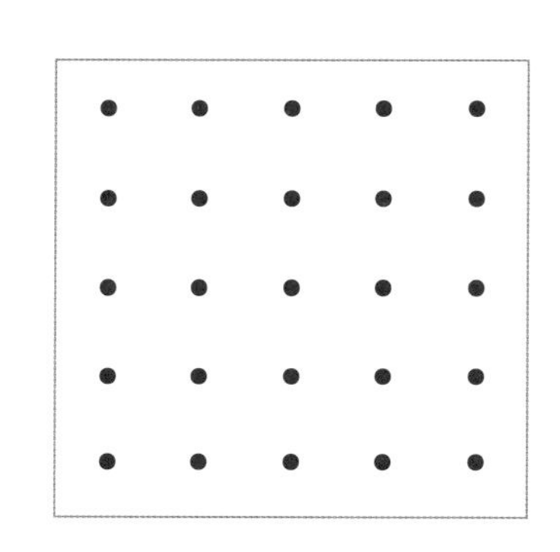
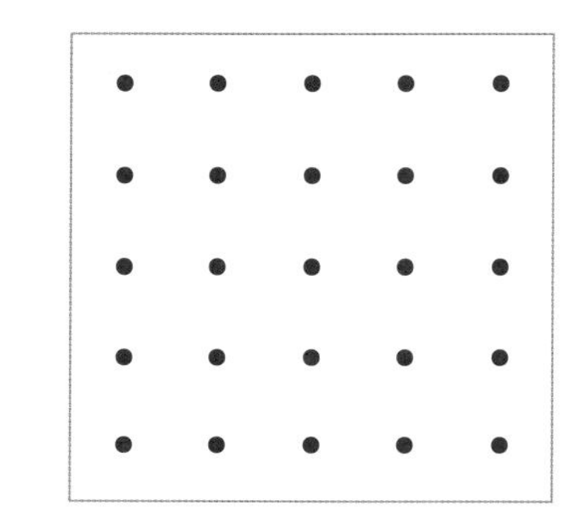
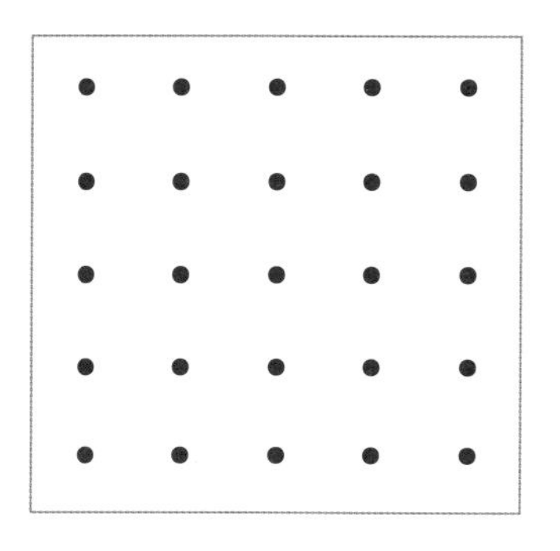
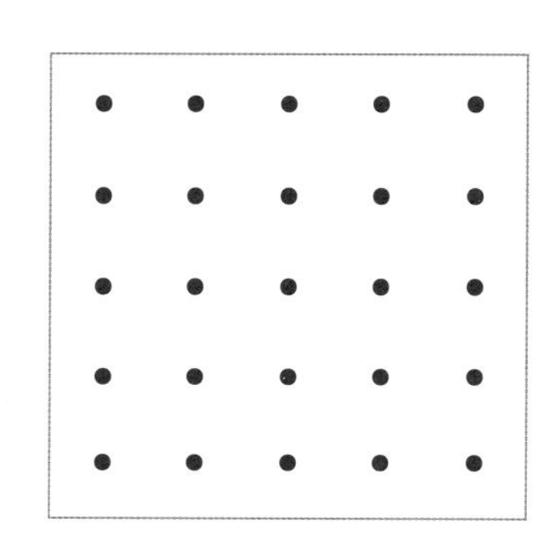
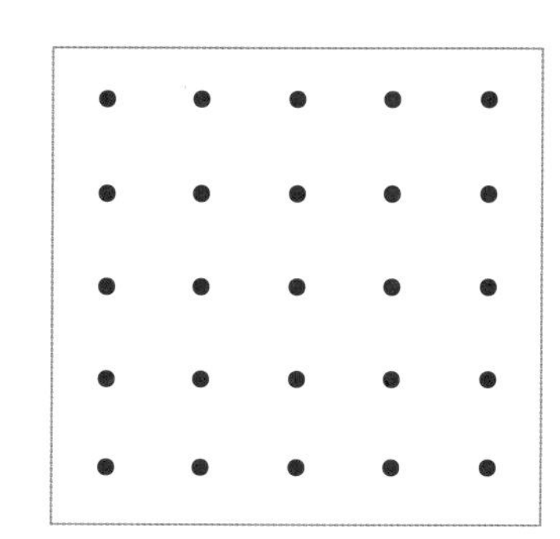

세 개의 둥근 모양의 길이 다음 그림과 같이 A, B, C, D, E, F에서 만납니다. 한 번 지나간 점은 다시 지나갈 수 없을 때, A에서 F까지 가는 서로 다른 방법을 쓰시오.

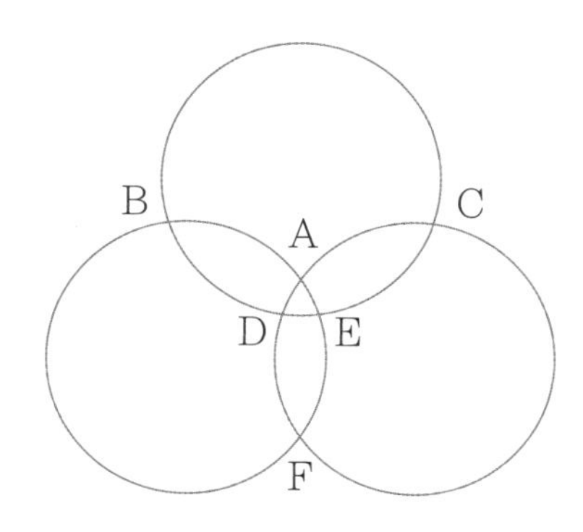

(1) A – □ – □ – □ – □ – F

(2) A – □ – □ – □ – □ – F

(3) A – □ – □ – □ – □ – F

(4) A – □ – □ – □ – □ – F

(5) A – □ – □ – □ – □ – F

(6) A – □ – □ – □ – □ – F

(7) A – □ – □ – □ – □ – F

(8) A – □ – □ – □ – □ – F

[가]~[차]에 0에서 9까지의 수를 조건에 맞게 한 번씩 써넣어, 두 원 위에 있는 여섯 개의 수들의 합이 26이 되도록 하는 4가지 방법을 찾아보시오.

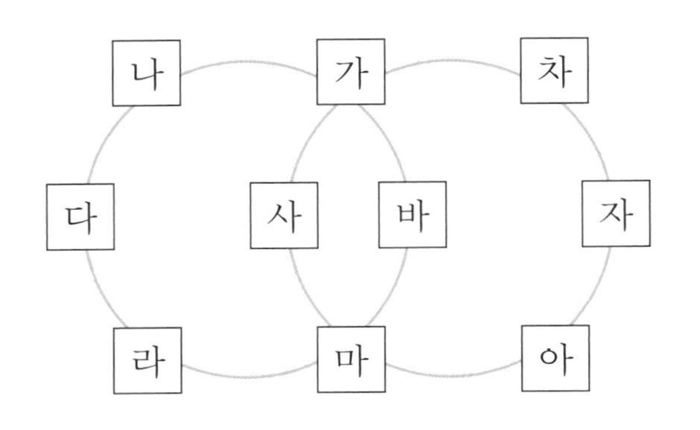

조건

- 나 < 다 < 라 < 바
- 나 < 사
- 사 < 아 < 자 < 차

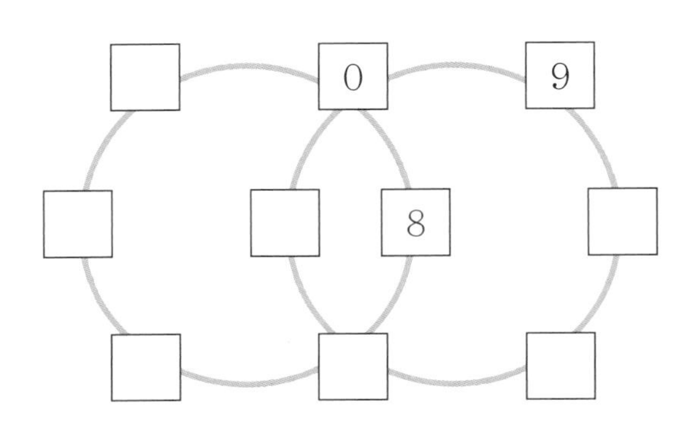

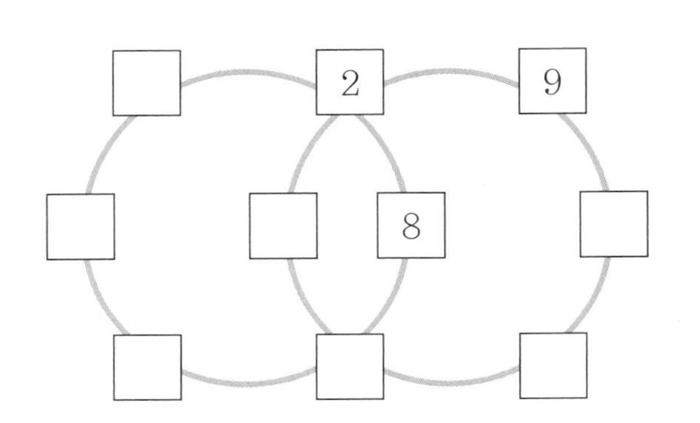

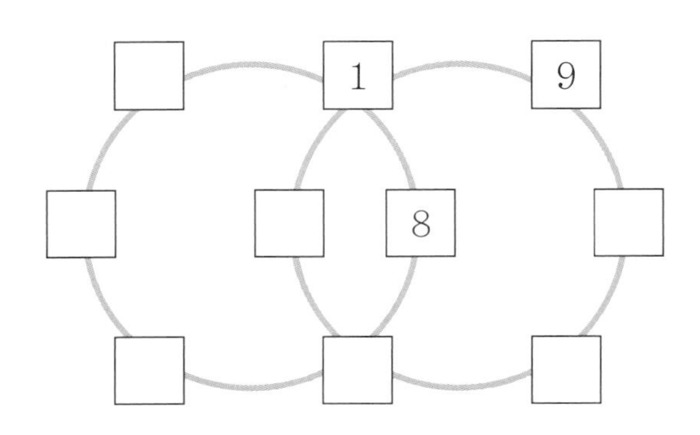

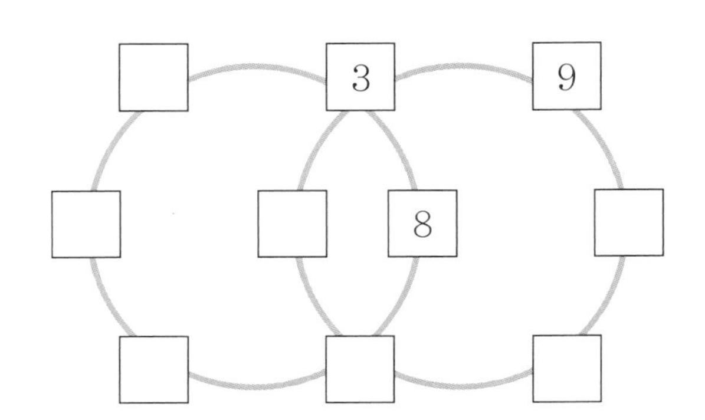

논리와 퍼즐 ③ 두 수의 차

보기와 같이 어떤 수와 그 수의 바로 아래에 있는 두 수의 차가 같도록 다음 그림의 10개의 칸 안에 1에서 11까지의 수 중 10개를 골라 하나씩 넣으려고 합니다. 서로 다른 방법으로 빈 곳을 채우시오.

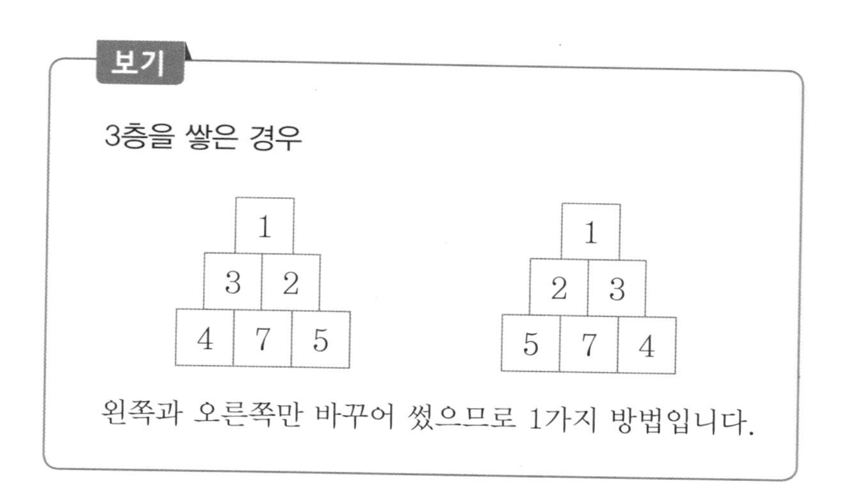

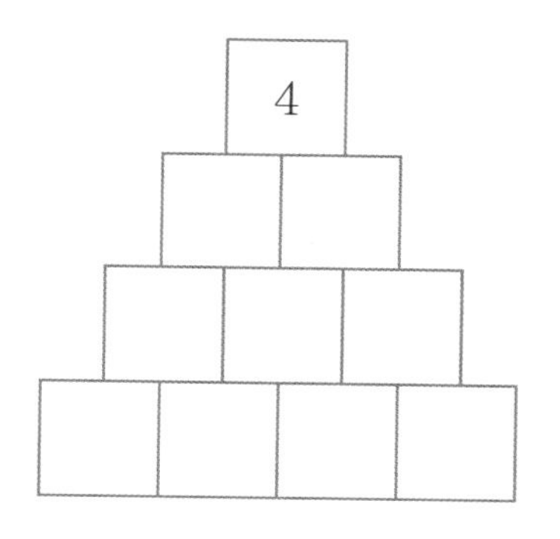

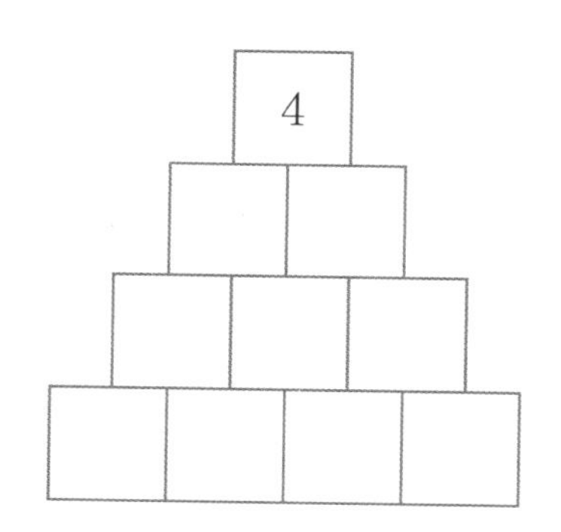

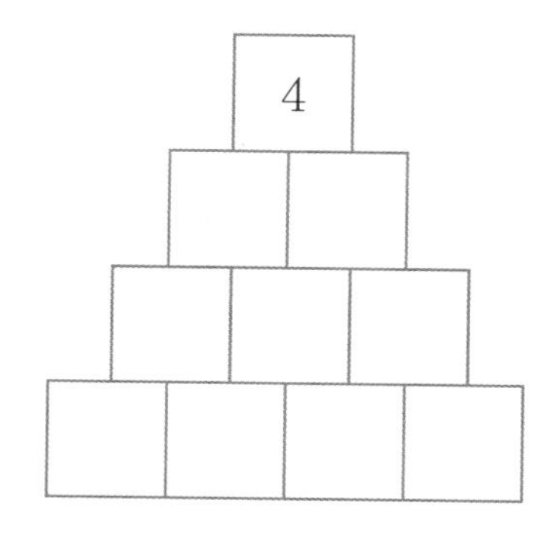

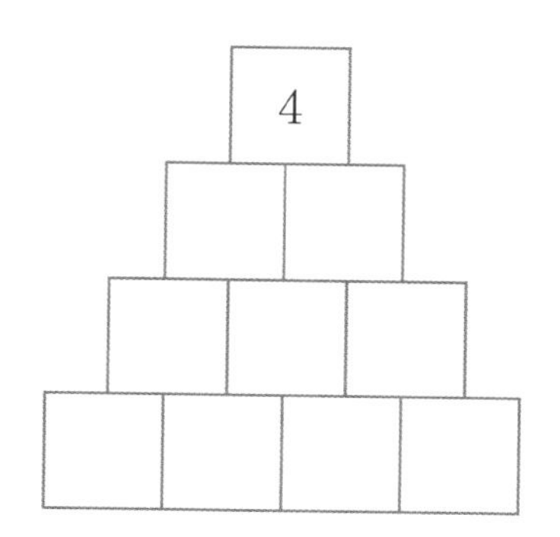

보기와 같이 주어진 수는 그 수를 둘러싼 4개의 점을 연결하고 있는 선분의 개수를 나타냅니다.

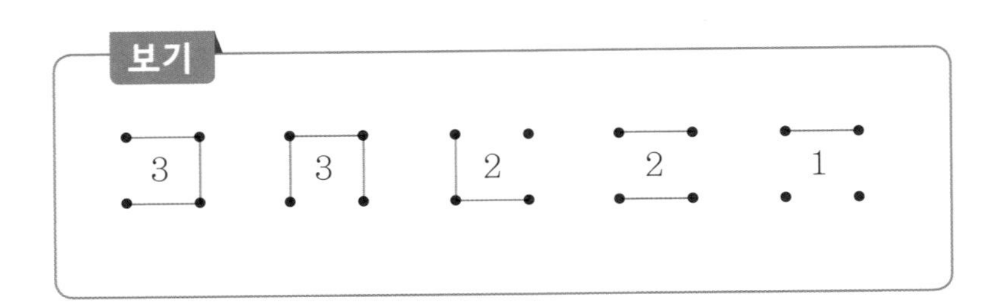

같은 방법으로 다음 그림의 점을 연결하여 보시오. (단, 선분은 끊어진 곳이 없도록 모두 연결되어 있어야 합니다.)

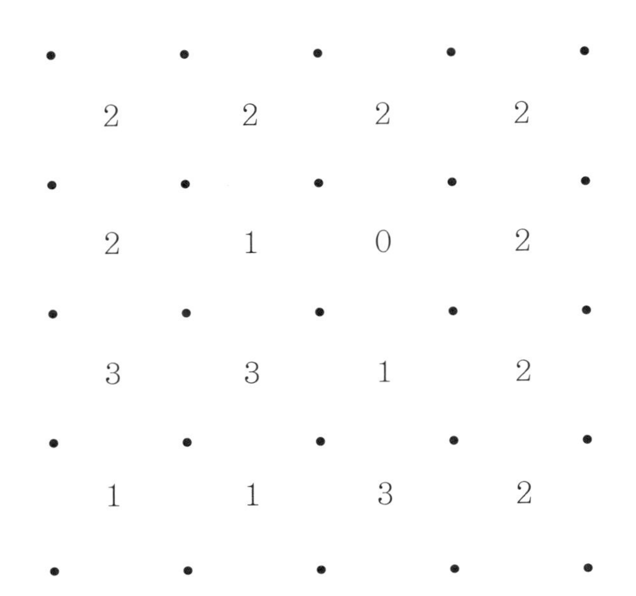

논리와 퍼즐 5 도형 나누기 퍼즐

다음 보기 는 16개의 칸을 여러 가지 모양으로 나눈 것입니다. 숫자는 나눈 모양에 포함된 칸의 개수이고, 같은 숫자끼리는 나눈 모양이 같습니다. 보기 와 같은 방법으로 다음 그림을 나누시오.

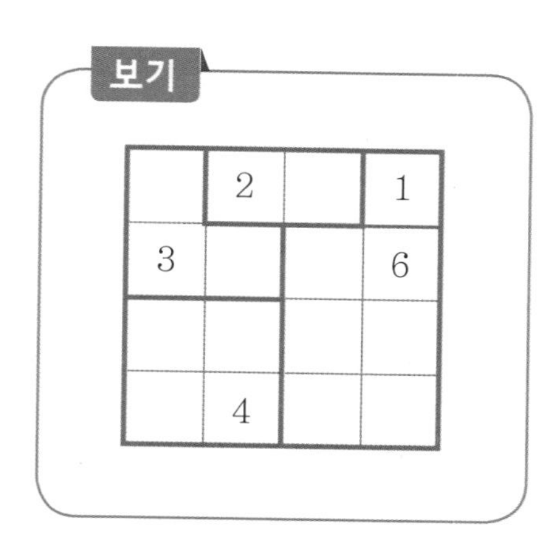

같은 방법으로 다음 그림의 점을 연결하여 보시오.

	2				
	2			4	
3			5		
	5				3
				5	
	6				1

3단계는 각 학교에서 추천된 학생들의 학습능력과 창의적 문제해결 능력을 평가합니다. 영재교육기관(영재학급, 영재교육원)은 창의적 문제해결 수행 관찰 평가를 통해 정원의 1.2배수를 선발합니다.

(1) 학교에서 이루어지는 정규 시험으로는 평가하기 힘든 창의성 및 사고력 등의 평가

(2) 전형적인 답변보다는 창의적인 아이디어를 바탕으로 문제를 해결하는지 평가

(3) 문제를 정확히 이해하고 주어진 도구를 활용하여 정확한 표현 방식으로 결과를 표현하는지 평가

시기	일정	내용	자료
12월 중순	포트폴리오 검토	• 단위학교 학교추천위원회로부터 제출 받은 포트폴리오 검토 (최종 영재교육대상자의 1.5배수 학생 선정)	
	단기 프로젝트 평가	• 창의적 문제해결력 수행 관찰을 통하여 정원의 1.2배수 학생 선정	

단계

3

창의적 문제해결력 수행 관찰

창의적 문제해결 1 고대의 수

현재 우리가 사용하는 인도 · 아라비아 수가 탄생하기 전까지 다양한 시대와 지역에서 지금과는 다른 여러 가지 형태의 수를 사용하였습니다.

01 고대 이집트에서는 다음과 같이 수를 나타내었습니다.

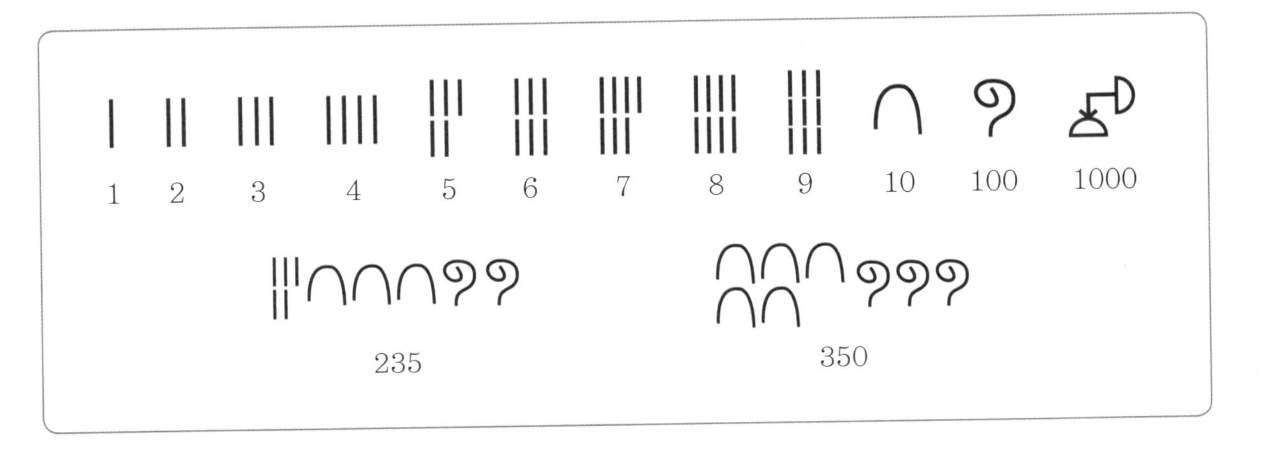

(1) 이집트 수는 인도·아라비아 수로, 인도·아라비아 수는 이집트 수로 나타내어 보시오.

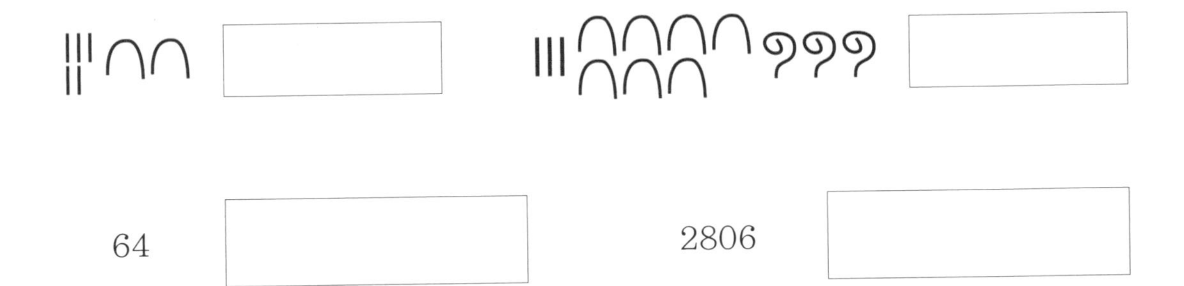

(2) 고대 이집트 수가 우리가 사용하는 인도·아라비아 수와 다른 점을 쓰시오.

02 고대 그리스에서는 다음과 같이 수를 나타내었습니다.

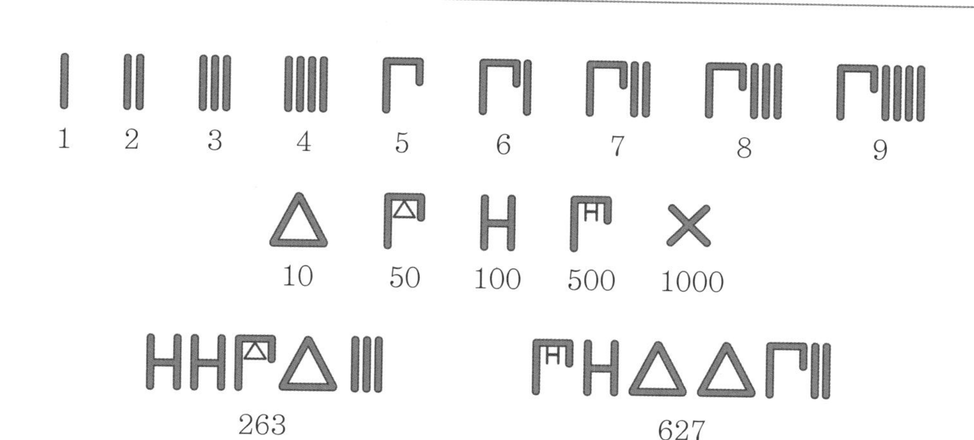

(1) 그리스 수는 인도·아라비아 수로, 인도·아라비아 수는 그리스 수로 나타내어 보시오.

(2) 고대 그리스 수가 고대 이집트 수와 다른 점을 쓰시오.

03 다음은 로마 수를 나타낸 것입니다.

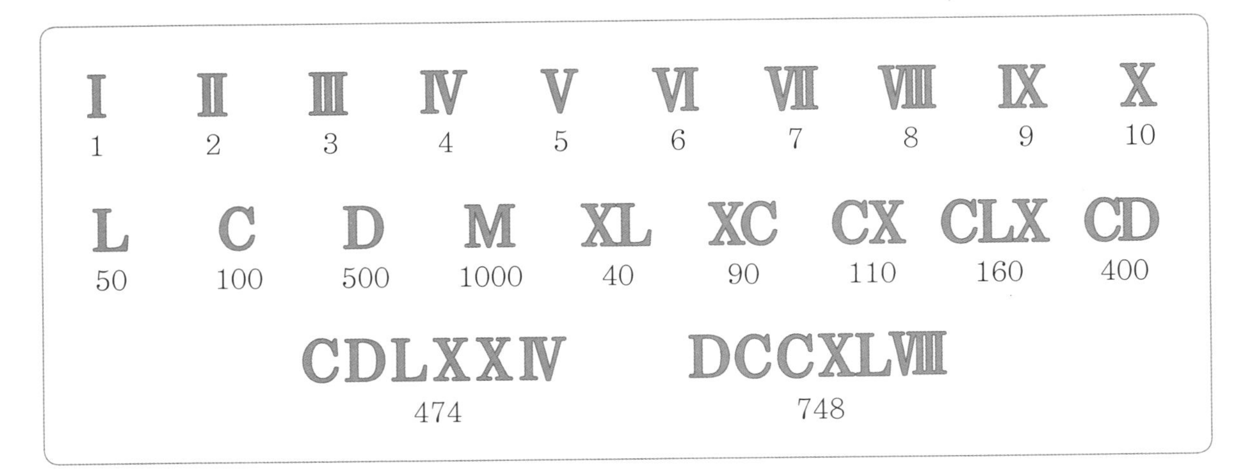

(1) 로마 수는 인도·아라비아 수로, 인도·아라비아 수는 로마 수로 나타내어 보시오.

XXXIX ☐ DCLVII ☐

64 ☐ 2846 ☐

(2) 로마 수의 불편한 점을 현재 사용하고 있는 인도·아라비아 수와 비교하여 설명하시오.

강의 Note

인도·아라비아 수의 유래

우리가 현재 사용하는 숫자(1, 2, 3, 4,…)는 원래 인도 사람들이 만든 것이었습니다. 그런데 인도에서 만든 수를 유럽에 널리 전한 사람들이 상업이 발달한 아라비아 지방의 상인들이어서 아라비아 수라고 잘 알려지게 되었습니다. 요즘은 인도·아라비아 수라고 부릅니다.

인도·아라비아 수의 특징

❶ 10개의 숫자를 사용합니다.

인도·아라비아 수는 0, 1, 2, 3, 4, 5, 6, 7, 8, 9의 10개의 숫자가 사용되는데 아무리 큰 수라도 10개의 숫자로 나타낼 수 있습니다.

❷ 위치가 다르면 다른 수를 나타냅니다.

이집트 수, 그리스 수, 로마 수는 같은 숫자인 경우 어느 위치에 있더라도 같은 크기의 수를 나타내지만, 아라비아 수는 같은 숫자라 하더라도 위치에 따라 다른 수를 나타냅니다.

9∩∩IIII ➡ 100　CXXIV ➡ 100　124 ➡ 100

IIII∩∩9 ➡ 100　VIXXC ➡ 100　421 ➡ 1

❸ 숫자 0을 사용합니다.

고대 중국에서는 산목(나뭇가지)을 이용하여 수를 나타내었습니다. 산목으로 수를 나타낼 때는 같은 숫자라 하더라도 위치에 따라 다른 수를 나타내었습니다. 그리고 0이 없었기 때문에 자리를 비워서 표시하였으나 이렇게 자리를 비운 경우, 빈 자리가 몇 개인지 구분하기가 어렵습니다. 아라비아 수는 0을 표시함으로써 수를 알기 쉽습니다.

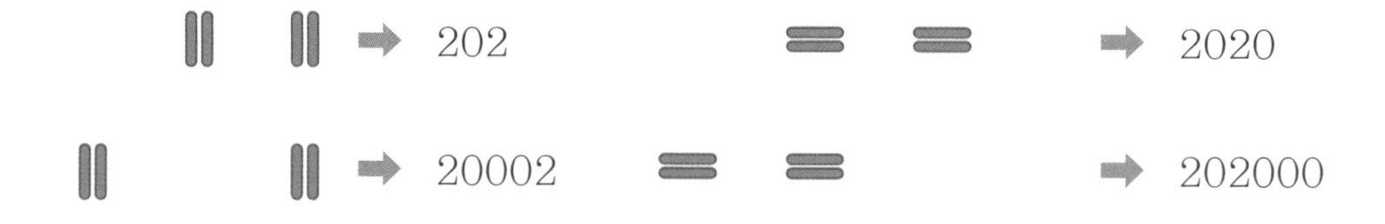

01 우리 생활 속에는 대칭으로 이루어진 것들이 많이 있습니다. 우리 주변에서 발견할 수 있는 선대칭(생물, 물건 등)을 10가지 찾아 쓰시오. (단, 나비와 잠자리, 축구공과 농구공과 같이 같은 종류의 물건은 한 가지로 봅니다.)

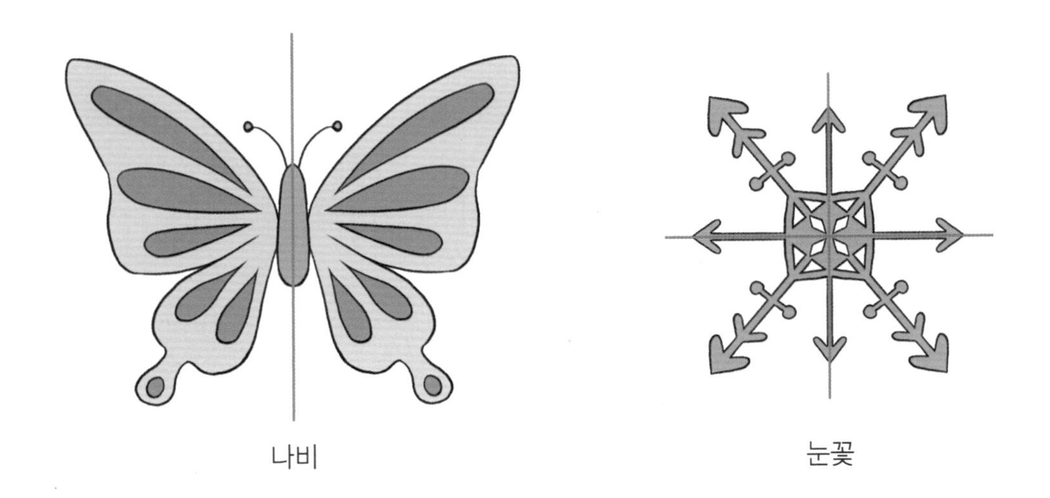

나비 눈꽃

02 거울은 선대칭을 관찰할 수 있는 좋은 도구입니다. 다음과 같이 2가지 방법으로 거울을 글자 옆에 대었을 때 거울에 비치는 모양을 거울 위에 그리시오.

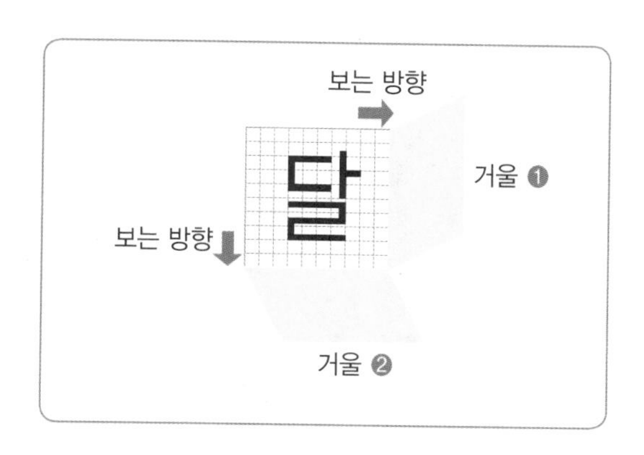

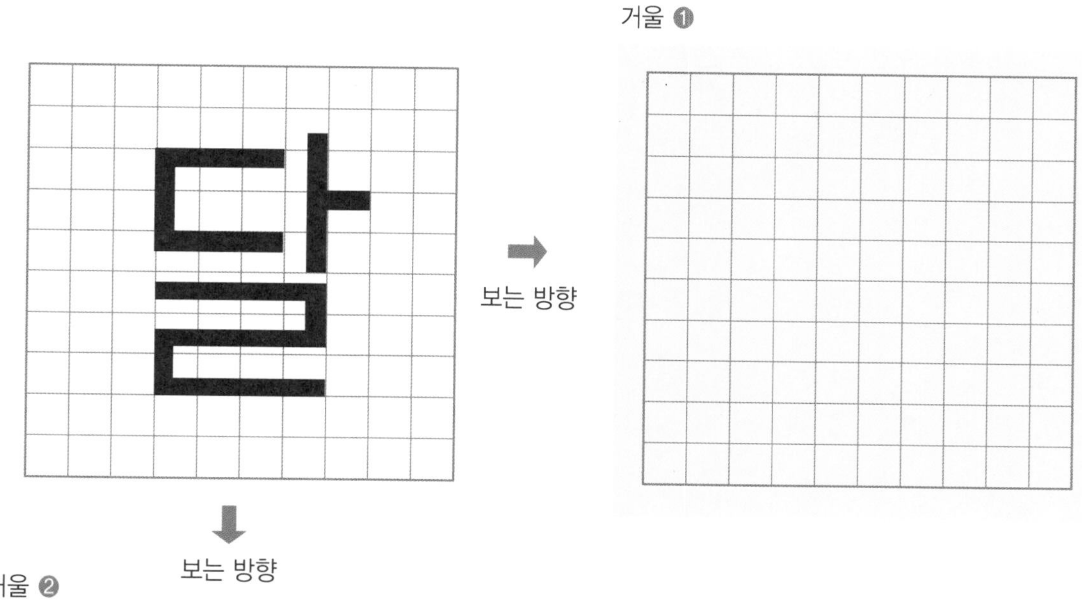

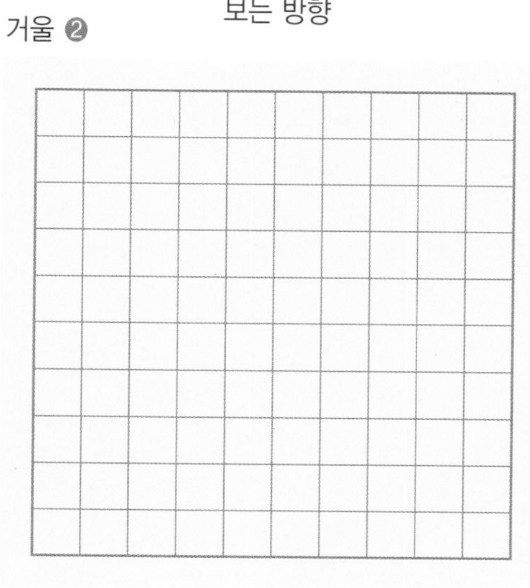

03 다음은 만원짜리 지폐에서 세종대왕을 보필하고 있는 그림 '일월오봉도'입니다. 그림에 사용되고 있는 대칭의 구성을 쓰시오.

일월오봉도

• 산에서 내려오는 폭포가 좌우대칭을 이루고 있습니다.

강의 Note

선대칭도형과 대칭축

오른쪽과 같이 어떤 직선을 기준으로 접었을 때 완전히 겹쳐지는 도형을 **선대칭도형**이라고 하고, 그 직선을 **대칭축**이라 합니다.

• 대칭축 그리기

도형의 모양에 따라 대칭축은 여러 개 있을 수 있습니다.

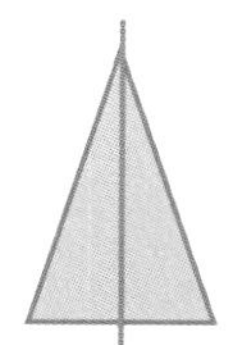

이등변삼각형 : 1개

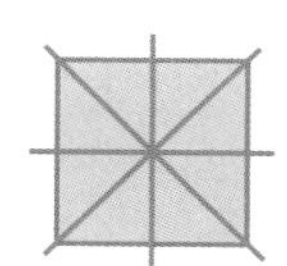

정사각형 : 4개

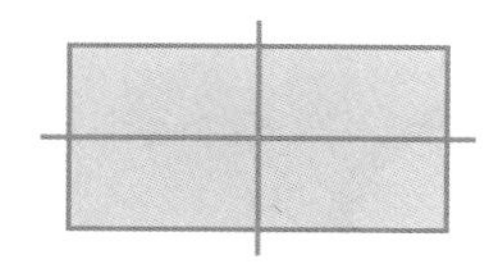

직사각형 : 2개

선대칭의 위치에 있는 도형

삼각형 ㄱㄴㄷ과 삼각형 ㄹㅁㅂ이 직선 ㅅㅇ을 중심으로 접어서 완전히 포개어질 때, 두 도형은 직선 ㅅㅇ에 대하여 **선대칭의 위치에 있는 도형**이라고 하고, 이때 직선 ㅅㅇ을 **대칭축**이라고 합니다.

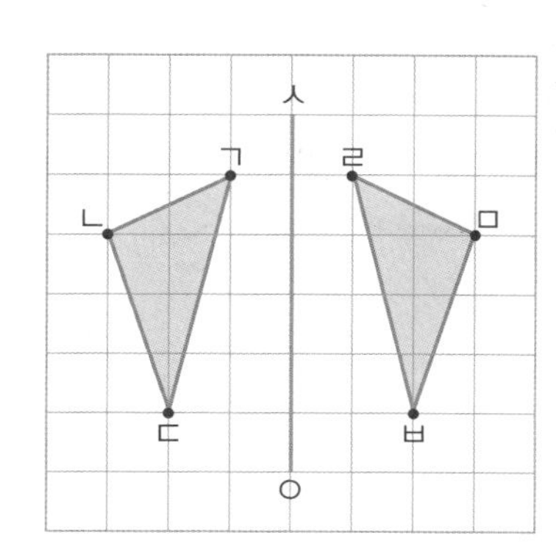

대응점

점 ㄱ ⟶ 점 ㄹ

점 ㄴ ⟶ 점 ㅁ

점 ㄷ ⟶ 점 ㅂ

창의적 문제해결 ③ 시차

01 다음 글을 읽고 세계 여러 도시의 시계를 그려 넣으시오.

> 세계 여러 도시들의 시각이 서로 다른 이유는 대부분의 도시의 시간은 태양이 그 도시에 남중하는 시각을 기준으로 하여 정해지기 때문입니다. 하지만 세계의 모든 나라가 각기 임의의 장소를 기준으로 시간을 정하여 쓴다면 생활에 큰 혼란이 생기기 때문에 기준점을 정해야 했습니다.
>
> 1675년 찰스 2세가 천문항해술을 연구하기 위해 런던 근교에 있는 그리니치에 천문대를 설립하였고, 1884년 워싱턴 국제회의에서 그리니치 천문대를 지나는 자오선을 경도의 원점으로 정하여 세계 시각의 기준으로 삼았습니다.

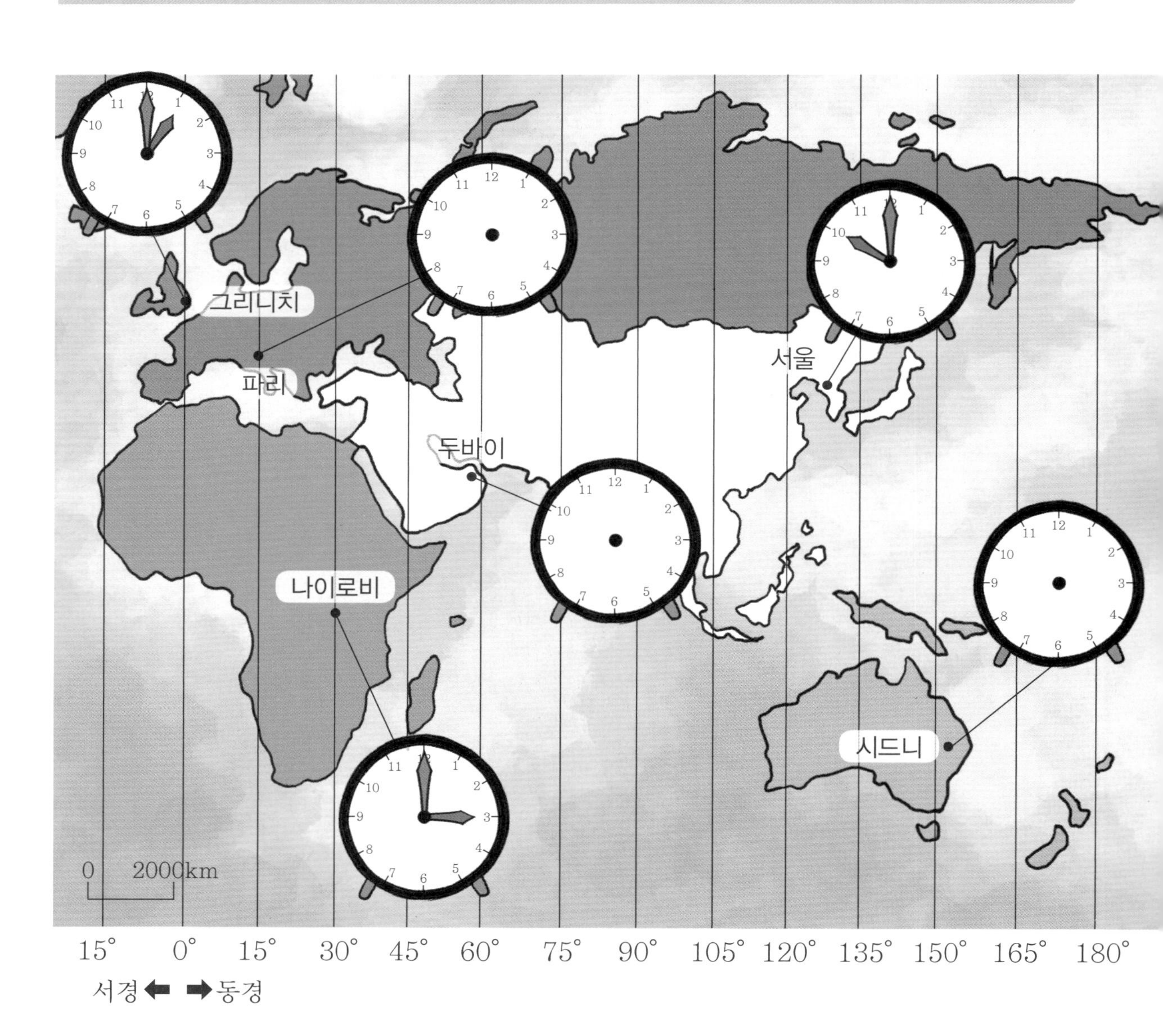

지구의 자전 주기는 24시간이므로 지구는 1시간에 15도씩 회전하는 셈입니다. 따라서 영국 그리니치 천문대로부터 경도가 15°씩 차이가 나는 도시는 그리니치의 시각과 1시간씩 차이가 나는 시각을 사용합니다. 그리니치 동쪽에 있는 도시들은 그 위치를 동경 몇 도로 나타내어 그리니치시보다 앞선 시각을 사용하고, 서쪽에 있는 도시들은 그 위치를 서경 몇 도로 나타내어 그리니치시보다 느린 시각을 사용합니다.
우리나라는 동경 125~131°이고 동경 135° 표준시를 따르기 때문에, 시각은 그리니치시보다 9시간 앞서 있습니다.

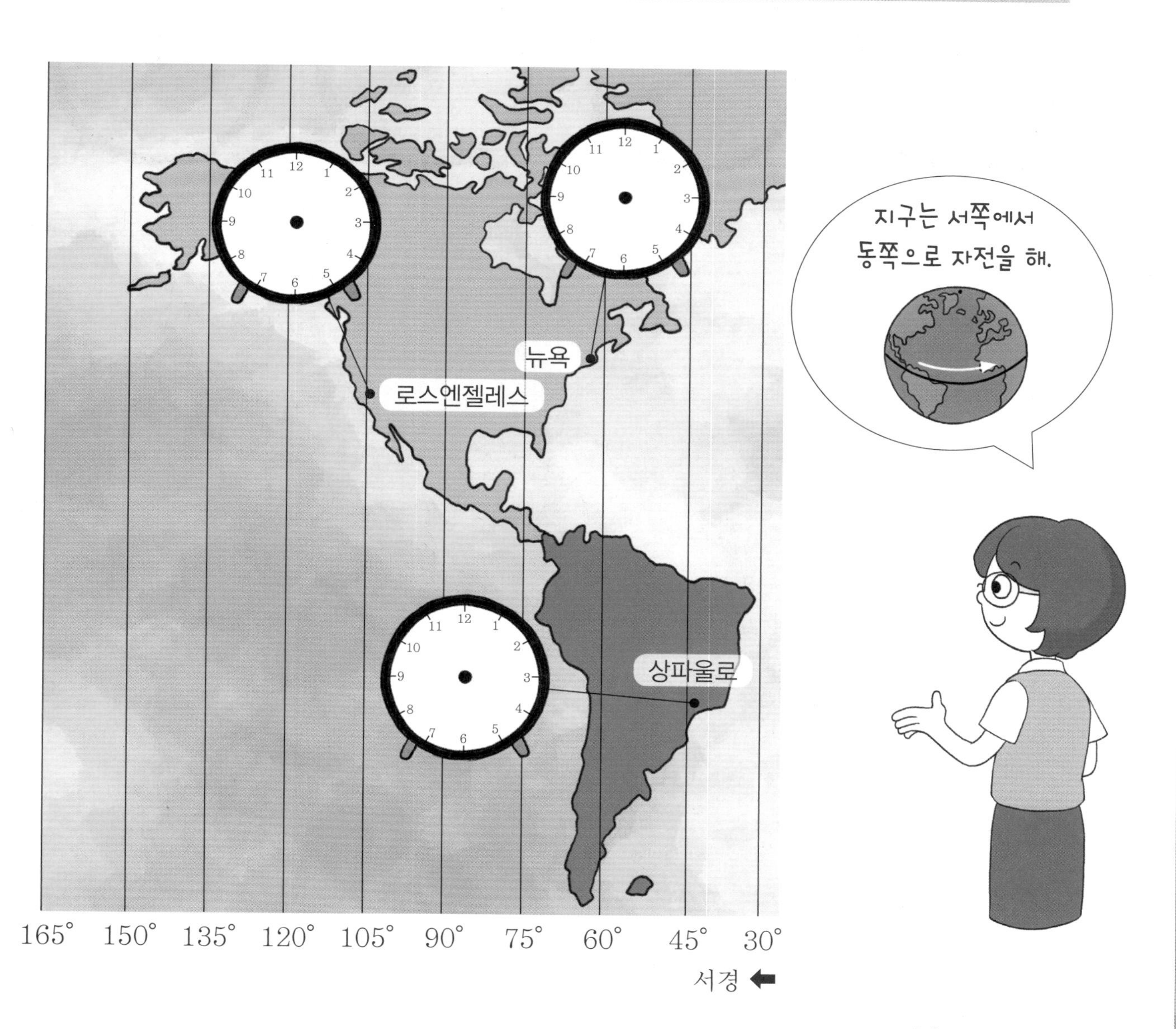

02 다음과 같이 인천 공항을 출발하여 세 도시를 경유하고 다시 인천 공항으로 되돌아오려고 합니다. 8월 1일 세계의 시각과 비행 시각을 현지 시각으로 나타낸 표를 보고, 물음에 답하시오.

대한민국 인천 → 태국 방콕 → 독일 프랑크푸르트 → 미국 뉴욕 → 대한민국 인천

8월 1일 세계의 시각

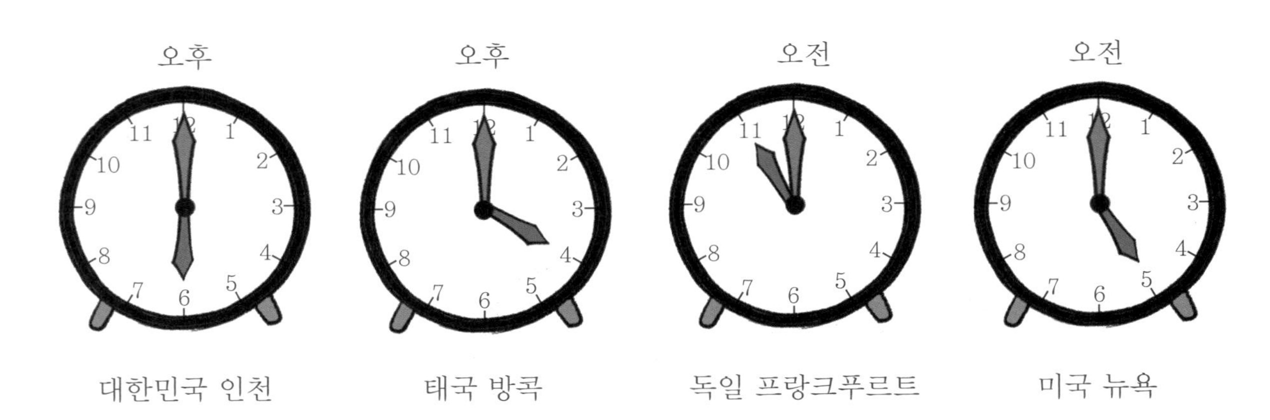

비행 시각

날짜	출발		도착	
	도시	시각	도시	시각
8월 15일	인천	오전 7시	방콕	오전 11시
8월 15일	방콕	오후 2시	프랑크푸르트	오후 9시
8월 18일	프랑크푸르트	오전 6시	뉴욕	오전 8시
8월 18일	뉴욕	오후 4시	인천	?

(1) 두 도시 중 시각이 빠른 도시에 ○표 하고, 두 도시의 시차를 구하시오.

도시		시차
인천	방콕	
방콕	프랑크푸르트	
프랑크푸르트	뉴욕	
뉴욕	인천	

(2) 인천에서 프랑크푸르트에 갈 때까지 중간에 쉬는 시간을 제외한 실제 비행기를 탄 시간을 구하시오.

(3) 프랑크푸르트에서 인천으로 돌아올 때 비행기를 탄 시간은 서울에서 프랑크푸르트까지 갈 때보다 5시간 30분이 더 걸렸다고 합니다. 인천에 도착한 시각을 구하시오.

01 일정한 속도로 물이 나오는 수도꼭지로 높이가 같은 3종류의 물통에 물을 채우려고 합니다. 다음 물음에 답하시오.

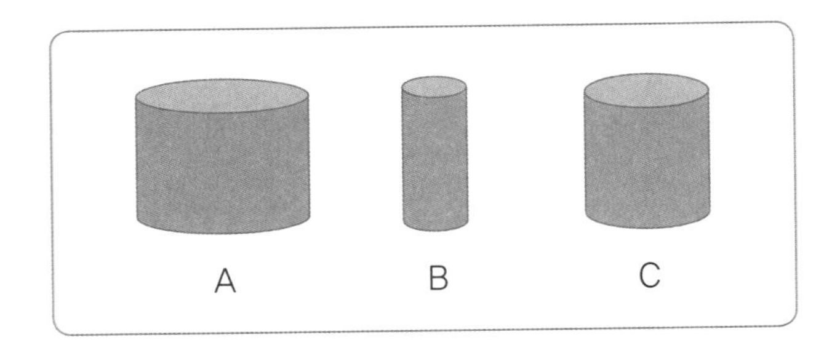

(1) 다음 그래프는 물통에 일정한 속도로 물을 채울 때, 시간과 물의 높이를 나타낸 것입니다. 알맞은 그래프를 찾아 기호를 쓰시오.

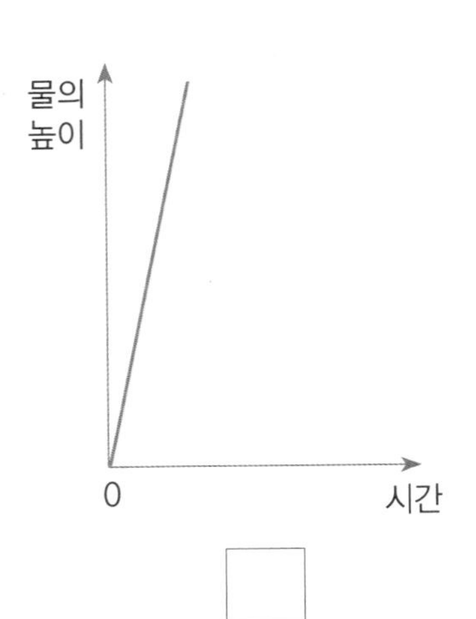

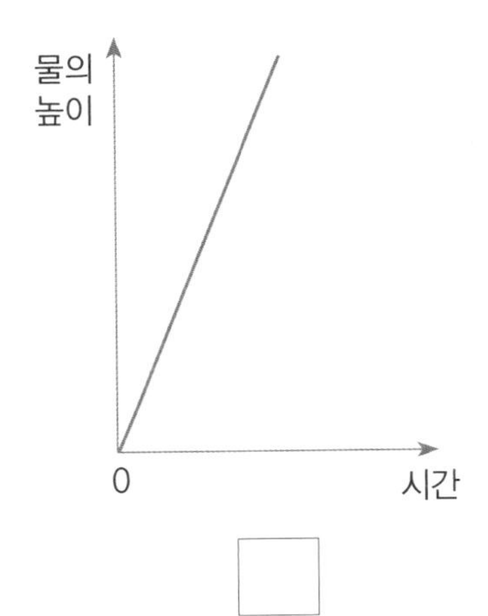

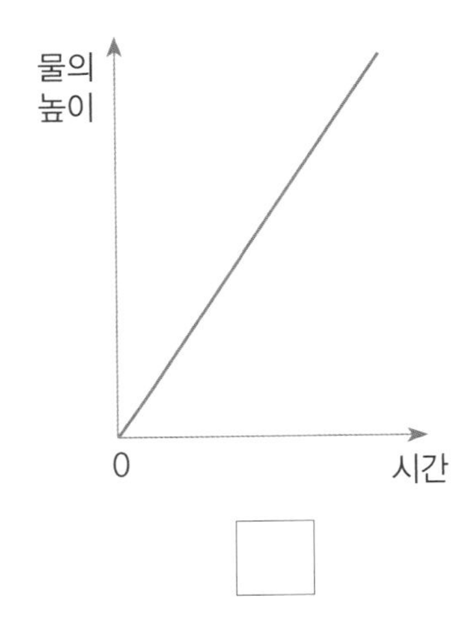

(2) (1)과 같이 그래프를 선택한 이유를 설명하시오.

02 세 종류의 원기둥 모양의 물통을 이용하여 물통 4개를 만들었습니다. 각각의 물통에 일정한 속도로 물을 채울 때, 시간과 물의 높이의 관계를 그래프로 그려 보시오.

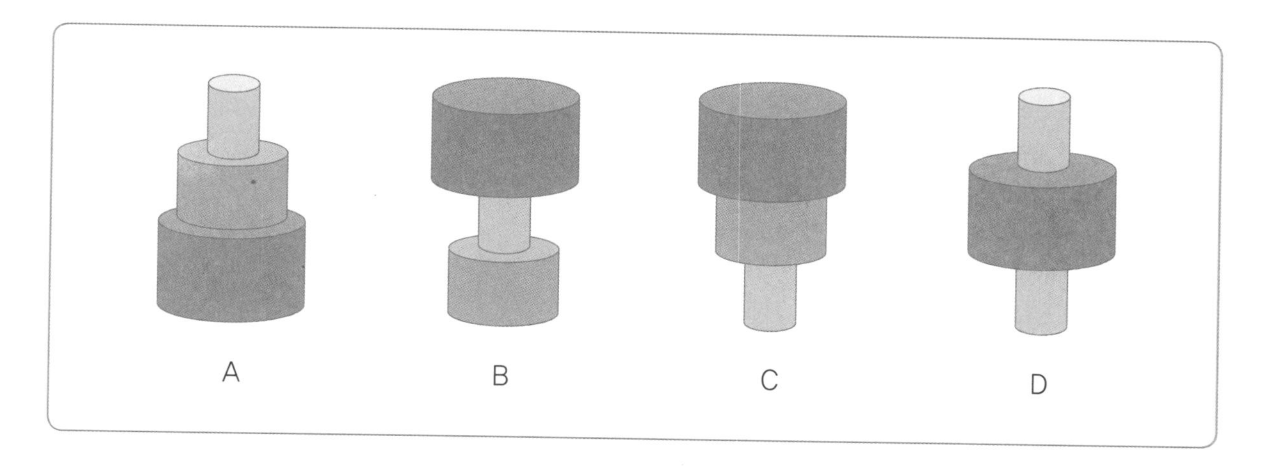

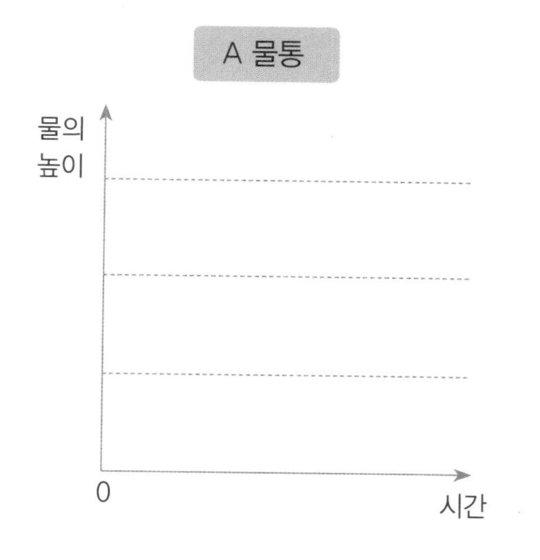

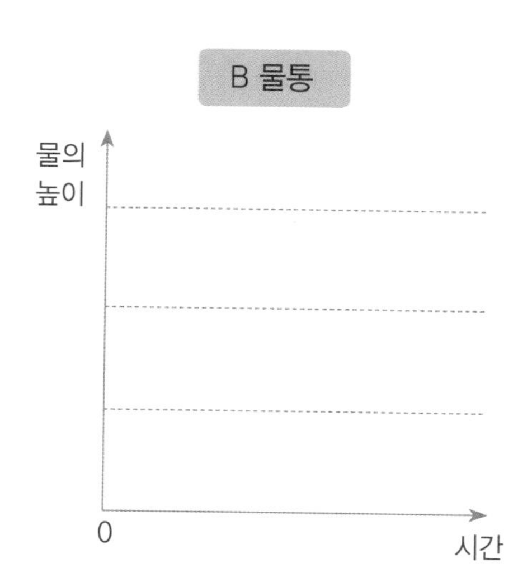

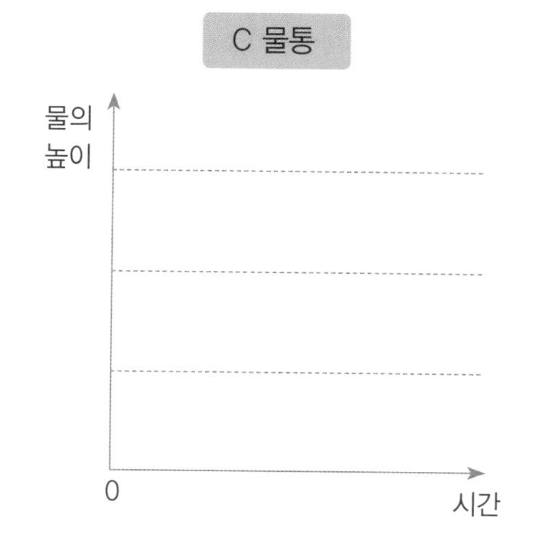

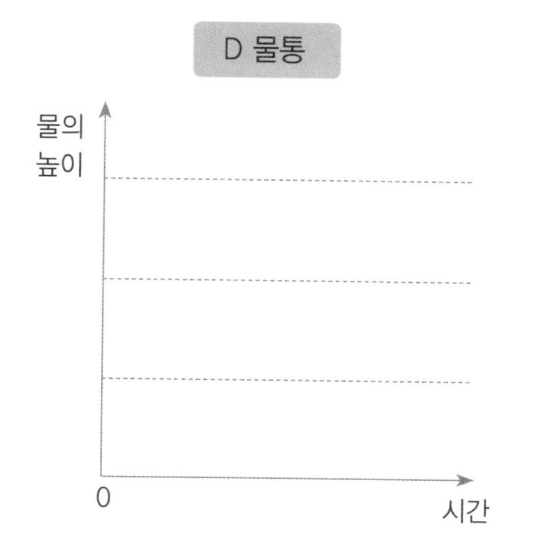

03 나만의 물통을 만들고, 일정한 속도로 물을 채울 때의 상황을 그래프로 그려 봅시다.

(1) 나만의 물통을 2개 그리시오.

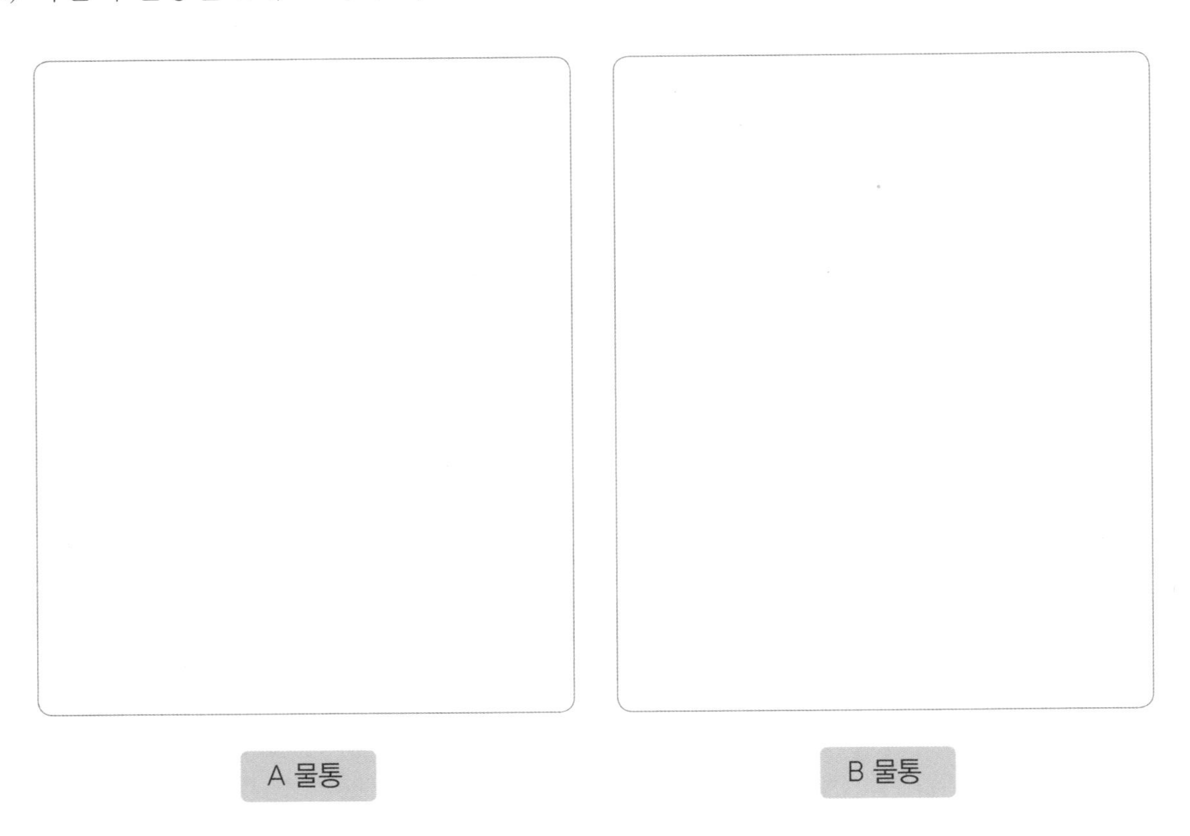

(2) (1)의 물통에 일정한 속도로 물을 채울 때 시간과 높이의 관계를 그래프로 그려 보시오.

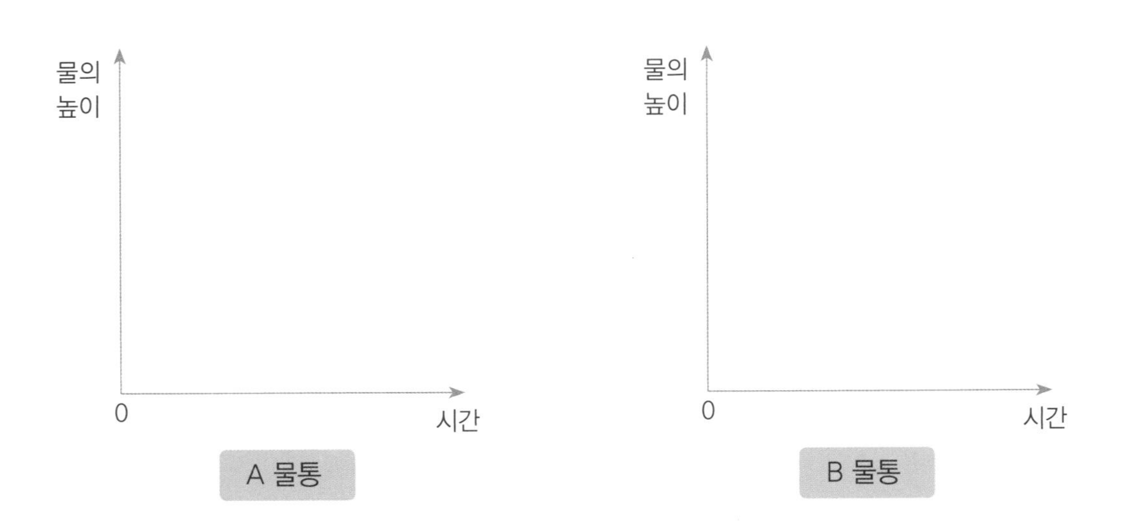

강의 Note

꺾은선 그래프란?

꺾은선 그래프는 조사한 내용을 가로 눈금과 세로 눈금에서 찾아 만나는 곳에 점을 찍고, 점을 선분으로 이은 그래프입니다.

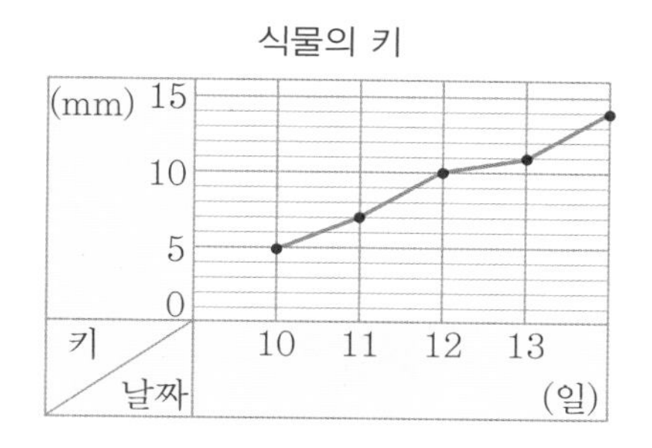

❶ 꺾은선 그래프 해석하기

- 꺾은선 그래프의 선분이 기울어진 방향을 보고 변화량이 증가하는지 감소하는지 알 수 있습니다.

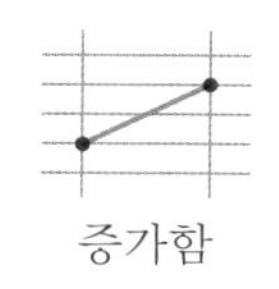
증가함

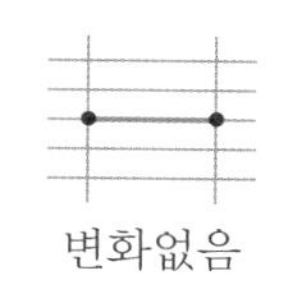
변화없음

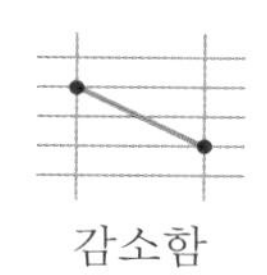
감소함

- 꺾은선 그래프의 선분이 기울어진 정도를 보고 변화의 정도를 알 수 있습니다.

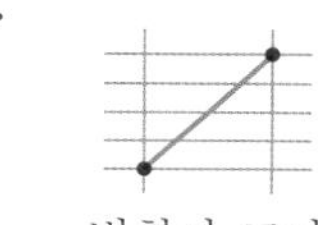
변화가 크다
(기울어짐이 크다)

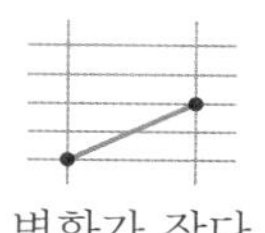
변화가 작다
(기울어짐이 작다)

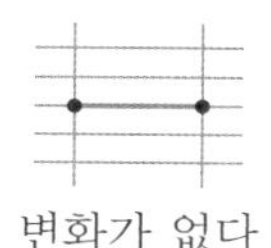
변화가 없다
(기울어짐이 없다)

❷ 꺾은선 그래프의 특징

- 변화하는 모양과 정도를 알아보기 쉽습니다.

  예 오른쪽 그래프에서 교실의 온도 변화가 가장 큰 때는 11시와 12시 사이입니다.

- 조사하지 않은 중간의 값을 예상할 수 있습니다.

  예 12시 30분쯤의 교실의 온도는 12시와 1시의 중간점이 가리키는 온도를 읽으면 되므로 약 11℃라고 할 수 있습니다.

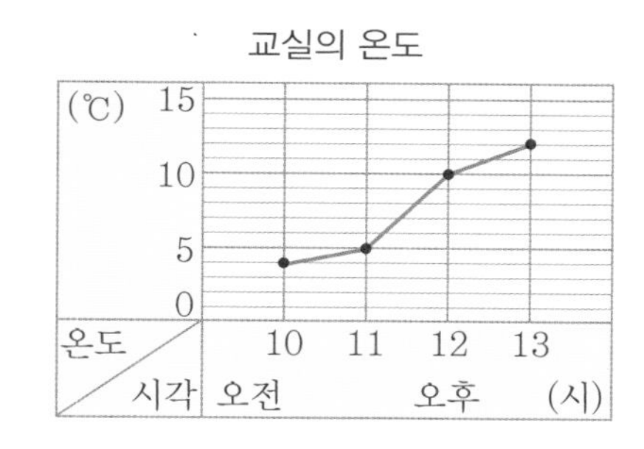

창의적 문제해결 5 님게임

옛날 서양의 선술집에서는 테이블 위에 성냥 상자를 놓아 두었습니다. 선술집에 오는 사람들은 성냥개비를 이용하여 여러 가지 게임을 만들어서 내기를 하며 놀았는데 그 중 하나가 님게임입니다.

01 다음과 같이 10개의 성냥개비가 있습니다. 두 사람이 주어진 **규칙**으로 게임을 한다고 할 때, 반드시 이길 수 있는 방법을 찾아 설명하시오.

규칙

- 두 사람이 번갈아 가며 성냥개비를 1번부터 차례로 가져갑니다.
- 한 번에 성냥개비를 1개 또는 2개씩 가져갈 수 있습니다.
- 마지막 10번 성냥개비를 가져가는 사람이 이깁니다.

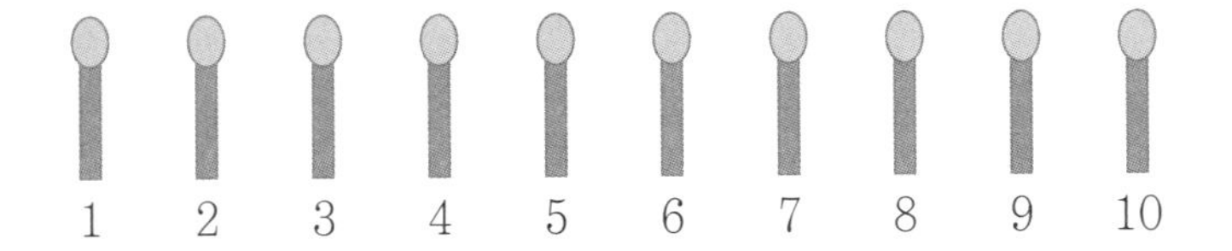

반드시 이기는 방법

02 다음과 같이 11개의 구슬이 있습니다. 두 사람이 주어진 **규칙** 으로 게임을 한다고 할 때, 반드시 이길 수 있는 방법을 찾아 설명하시오.

규칙

- 두 사람이 번갈아 가며 구슬을 1번부터 차례로 가져갑니다.
- 한 번에 구슬을 1개에서 3개까지 가져갈 수 있습니다.
- 마지막 11번 구슬을 가져가는 사람이 집니다.

반드시 이기는 방법

03 님게임의 규칙, 재료 등을 바꾸어 나만의 님게임을 만들어 보시오.

규칙

강의 Note

님게임(Nim Game)

❶ 님게임의 유래

Nim이라는 말은 '가져간다'라는 뜻을 가진 옛 영어의 nim(가져간다)에서 유래되었다고 하기도 하고, WIN을 거꾸로 돌린 모양에서 NIM이 유래되었다고 하기도 합니다.

님게임은 게임 자체보다는 규칙을 분석하여 전략을 알아내는 데 즐거움이 있기 때문에 오늘날 수학적 전략 게임의 한 장르로 연구되어지고 있는 분야입니다.

❷ 님게임의 승리 전략

님게임에서 이기기 위해서는 마지막 이기는 상태를 가정하여 거꾸로 이기는 상태를 찾아가면 됩니다.

구슬이 7개 있고, 1번 구슬부터 한 번에 구슬을 1개 또는 2개를 가져올 수 있고, 마지막 구슬을 가져가는 사람이 이기는 게임의 경우 다음과 같이 이기는 구슬을 찾을 수 있습니다.

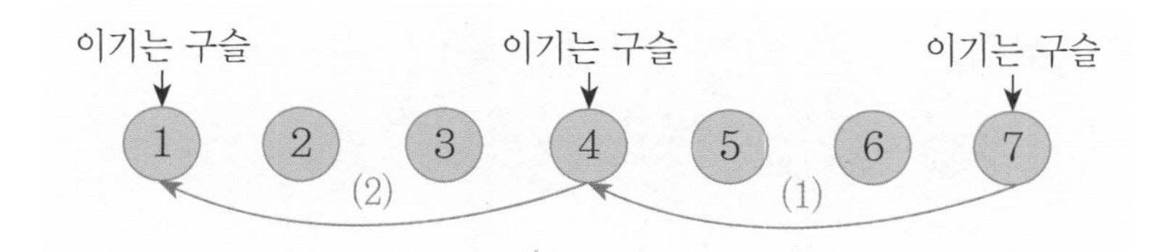

(1) 7번 구슬을 가져오기 위해서는 내 차례에 반드시 4번 구슬을 가져와야 합니다.
 → 이후 상대가 5번 구슬을 가져가면 나는 6, 7번 구슬을 가져옵니다.
 → 이후 상대가 5, 6번 구슬을 가져가면 나는 7번 구슬을 가져옵니다.

(2) 4번 구슬을 가져오기 위해서는 내 차례에 반드시 1번 구슬을 가져와야 합니다.
 → 이후 상대가 2번 구슬을 가져가면 나는 3, 4번 구슬을 가져옵니다.
 → 이후 상대가 2, 3번 구슬을 가져가면 나는 4번 구슬을 가져옵니다.

따라서 이 게임에서 반드시 이기기 위해서는 먼저 게임을 시작하여 1번 구슬 1개를 가져와야 합니다.

4단계는 면접관이 학생들과 직접 대면하여 평가하는 방법으로 학생들의 특성을 역동적이고 다면적으로 파악하여 평가합니다. 기존에 수집된 정보로 확인된 학생의 특성을 재검증하기 위한 수단이며 학생들의 특성을 심층적으로 파악합니다.

(1) 인성, 학문적성, 창의성, 과제집착력 등 4개 유형을 종합 평가
(2) 지원자의 해당 분야에 대한 관심과 열정을 가늠하고 대화를 통해 대인관계까지 파악
(3) 지원자의 논리적인 표현 방식과 말하는 태도 등 평가
(4) 평소 관심 있어 하는 분야나 포트폴리오(결과보고서 혹은 자기소개 등)에 대한 주도적이고 자신감 있는 태도 파악
(5) 2013학년도 선발 전형부터 점수 부여

시 기	일 정	내 용	자 료
12월 말	의사소통 평가	• 심층 면접 문항 개발 및 평가 실시	선발도구 4-1
	영재교육 대상자 선정	• 영재교육대상자 최종 선정 및 발표 • 최종 영재교육대상자에 대한 영재교육 실시	

단계

4

인성 및 심층 면접

1. 면접자료 선발도구 4-1

면접 자료

이름		소속학교		학년	
지원과정			지원분야		

이 자료는 면접 평가 참고 자료이며, 면접관이 질문할 내용을 포함하고 있습니다. 지원자는 아래의 질문에 대하여 구체적인 사례를 중심으로 자신의 생각이나 경험했던 사실을 바탕으로 답변을 적어두시기 바랍니다.

1. 30년 후에 나는 어떤 직업을 갖고 있을까요? 그 직업이 다른 사람에게 어떤 도움을 줄 수 있는지 3가지 이상 말해 보시오.

2. 사각형 운동장과 타원형 운동장이 있습니다. 두 운동장의 좋은 점과 나쁜 점을 비교하여 말해 보시오.

3. 무인도에 5가지 물건을 가지고 갈 수 있습니다. 이때 가지고 갈 물건 5가지는 무엇이며, 가지고 가려는 이유를 구체적으로 설명해 보시오.

4. 자신이 지원한 분야와 관련하여 흥미를 가지고 오랫동안 집중해서 한 일은 무엇입니까? 그때의 느낌은 어땠는지 말해 보시오.

영재교육 대상자 선발의 마지막 단계는 면접입니다. 면접을 통해 인성뿐만 아니라 사교육에 의한 선행학습 요인을 배제하고, 창의성과 과제집착력 등 보다 다양한 학생의 특성을 확인하게 됩니다.

01 면접 방법

영재교육 대상자 선발을 위한 면접은 개별 심층 면접으로 질문지 등을 활용한 방식으로 진행됩니다.

02 면접 과정

수험생은 면접 고사장에 들어가기 전 면접 준비실에서 주어진 시간동안 문항지를 보고 답안을 미리 생각한 후 면접에 참여합니다.

1. 면접 대기실

수험생은 감독 위원의 지시가 있을 때까지 대기실에서 기다립니다.

2. 면접 준비실

감독 위원의 지시에 따라 면접 준비실로 이동한 후 주어진 시간 동안 문항지를 보고 답안을 미리 생각합니다.

3. 면접 고사장

정해진 시간 동안 미리 생각한 답안을 면접 위원에게 설명합니다.

03 면접 문항 유형에 따른 예시 문제

| 인성 | 인성은 학생의 사고와 태도 및 행동 특성을 파악하기 위한 문항입니다.

Q1. 다음 글을 읽고 선생님, 정훈이와 우찬이 행동의 본받을 점을 한 가지씩 이야기해 보시오.

> 우찬이는 얼마 전 복도에서 넘어져 한쪽 팔을 다친 친구입니다. 심술궂은 아이들이 우찬이의 모습을 흉내 내며 계속 놀렸습니다. 그러던 어느 날, 화를 참지 못한 우찬이는 놀리는 아이들을 향해 필통을 던졌습니다. 필통은 마침 교실로 들어오시던 선생님의 몸에 맞았습니다. "아야! 누가 필통을 던졌어?"하는 선생님의 화난 물음에 갑자기 교실이 조용해졌습니다.
>
> 한동안 침묵이 흐른 후, 한 친구의 목소리가 들렸습니다. "제가 그랬습니다." 항상 친절하고 의젓하게 행동하던 정훈이가 일어서며 말했습니다. 아이들은 어리둥절해졌습니다. 그러자, 우찬이가 "아닙니다. 선생님, 제가 그랬습니다. 놀림을 받고 화를 참지 못했습니다."라고 솔직하게 일어서서 말했습니다. 선생님은 정훈이의 배려하는 마음을 칭찬하며 우찬이의 실수를 너그럽게 용서하셨습니다. 장난을 쳤던 아이들도 크게 부끄러워하며 우찬이에게 사과했습니다.

Q2. 자신이 존경하는 인물이 누구입니까? 그 사람에게 본받을 점을 설명해 보시오.

Q3. 실험 보고서를 같이 하는데 친구가 지쳐있으면 어떻게 위로하여 같이 하겠습니까?

Q4. 30년 후에 나는 어떤 직업을 갖고 있을까요? 그 직업이 다른 사람들에게 어떤 도움을 줄 수 있는지 3가지 이상 말해 보시오.

Q5. 생활 속에서 작은 실천을 통해 다른 이에게 이로움을 줄 수 있는 선행의 사례를 3가지만 제시하시오.

Q6. 자신의 장점을 설명하고, 영재교육원에 합격하게 된다면 어떻게 활동할 것인지 자신의 장점과 연관 지어 말해 보시오.

Q7. 자신의 꿈을 실현하기 위한 방법을 5가지만 말해 보시오.

Q8. 학급 일을 방해하는 친구가 있다면 어떻게 할 것인지 말해 보시오.

| 학문적성 | 창의적 문제해결 수행과 관련 있는 학문적 지식을 확인하는 문항입니다.

Q1. 생활 속에서 분수의 덧셈과 뺄셈이 이용되는 경우를 찾아 문제를 만들고, 풀이 과정을 설명하시오.

Q2. 다음 두 그림 A, B를 보고, 그림 B에는 없고 그림 A에만 있는 규칙을 아는 대로 모두 말해 보시오.

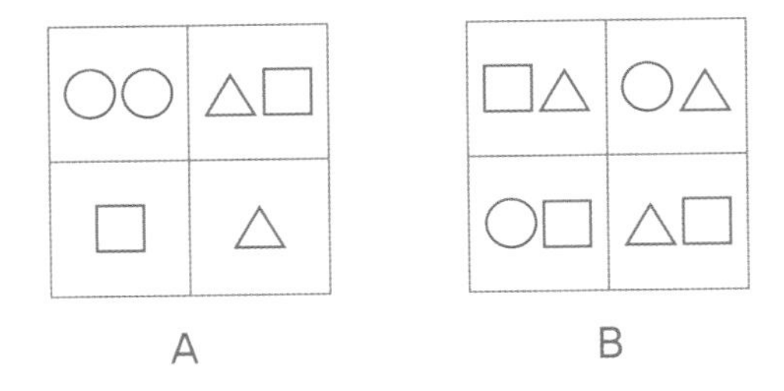

Q3. 숫자가 실생활에서 이용되는 예를 4가지 말해 보시오.

Q4. 수학책의 길이를 알고 있을 때, 학교의 높이를 어림할 수 있는 다양한 방법을 생각해 설명해 보시오.

Q5. 공 9개를 2개 또는 3개의 바구니에 나누어 담으려고 합니다. 이때 각각의 바구니에 담는 공의 수는 오른쪽으로 갈수록 많아져야 합니다. 공 9개를 나누어 담는 서로 다른 방법을 모두 말해 보시오.

> [공 3개를 2개의 바구니에 담는 방법]
> – 바른 예 : (1개, 2개)
> – 틀린 예 : (2개, 1개), (0개, 3개)

Q6. 사각형 운동장과 타원형 운동장이 있습니다. 두 운동장의 좋은 점과 나쁜 점을 비교하여 말해 보시오.

참고 「2단계 Part 2 창의적 문제해결력 검사」, 「3단계 창의적 문제해결력 수행 관찰」과 유사한 문항이 출제되고 있습니다.

| 창의성 | 영재의 중요한 특성 중의 하나인 창의성을 확인하는 문항이다.

Q1. 전기난로는 전류를 흘려 발생하는 열로 실내의 온도를 따뜻하게 해줍니다. 하지만 편리한 만큼 위험성도 안고 있기 때문에 사용과 관리에 있어 안전을 우선 고려해야 합니다. 아래 제시된 사진을 보고 전기난로에 적용할 수 있는 안전 장치들을 5가지 이상 제시하시오.

Q2. 목욕탕의 물을 이용하여 내 몸무게를 측정하는 방법을 3가지 말해 보시오.

Q3. 주변 물건 중 1개를 선택하고 그 물건이 가질 수 있는 용도를 최대한 많이 말해 보시오.

Q4. 무인도에 5가지 물건을 가지고 갈 수 있습니다. 이때 가지고 갈 물건 5가지는 무엇이며, 가지고 가려는 이유를 구체적으로 설명해 보시오.

참고 「2단계 Part 1 영재성 검사」와 유사한 문항이 출제되고 있습니다.

4 단계

| 과제집착력 | 창의적 수행 과정과 관련된 문항으로 과제집착력을 확인하는 문항이다.

Q1. 자신이 지원한 분야와 관련하여 흥미를 가지고 오랫동안 집중해서 한 일은 무엇입니까? 그때의 느낌은 어땠는지 말해 보시오.

Q2. 친구와 함께 내일까지 자유 탐구 보고서를 제출해야 합니다. 친구가 미룬다면 나는 어떻게 할 것인지 말해 보시오.

Q3. 친구와 몇 시간동안 실험을 했는데 10번을 실패하였습니다. 그때 친구가 도저히 안되겠다며 그만하자고 합니다. 어떻게 하겠습니까?

memo

memo

memo

2017 개정판

영재학급 · 영재교육원 대비서

팩토 영재성 검사 창의적 문제 해결력 수학

— 최신 출제 경향 완벽 분석 —

— 정답과 풀이 —

매스티안

영재학급·영재교육원 대비서

팩토 영재성 검사 창의적 문제 해결력 수학

— 정답과 풀이 —

매스티안

창의성 1 발명하기

P. 052

연습하기

P. 055

01 | 문제 개요 | 망원경과 자전거의 부품들을 결합하여 새로운 물건을 만들어 내는 연습을 하는 문제입니다.

| 답안 예시 | (1)

망원경		
부품	모양	재료
렌즈		유리
몸통		플라스틱
허리		플라스틱

자전거		
부품	모양	재료
바퀴		쇠, 고무
페달		플라스틱, 쇠
안장		고무, 스펀지
핸들		쇠, 고무

(2)

- 커다란 망원경과 조정기 – 망원경이 커서 방향을 돌리기 어려울 때, 페달을 밟으면서 핸들을 돌려 망원경을 보고 싶은 방향으로 돌림.
- 접히는 자전거 – 망원경의 허리 부분을 자전거 중간에 끼워 넣어 접히게 만듦.
- 구겨지는 망원경 – 망원경의 몸통의 플라스틱을 고무로 바꾸어 구겨서 부피를 작게 해 들고 다니기 편하게 함.

| Point |

❶ 용도 발명은 주어진 물건을 사용하여 남들이 쉽게 생각하지 못하는 용도를 찾아내는 것입니다.

❷ 따라서 각 물건을 분해했을 때 각 부품들의 재료와 기능을 알아내고, 여러 가지 방법으로 기능들을 결합해 새로운 용도의 물건을 만들도록 해야 합니다.

02 |문제 개요| 발명품의 특징이 잘 드러날 수 있도록 발명품의 이름을 붙이는 연습을 하는 문제입니다.

|답안 예시|

발명품 특징	발명품 이름
크레파스, 물감, 매직 등을 동시에 사용할 수 있는 필기구	Magic 펜
발의 크기에 맞게 자동으로 크기가 조절되는 운동화	맞춤 운동화
운반할 때 컵, 그릇 등이 움직이지 않는 쟁반	꼼짝마 쟁반
흔들면 밧데리가 자동으로 충전되는 핸드폰	흔들어 폰
타지 않을 때에는 접어서 들고 다닐 수 있는 오토바이	휴대용 오토바이
다 읽은 후에 맛있게 먹을 수 있는 책	몸과 마음의 양식
더러워진 겉면을 벗겨서 새 신발을 만들 수 있는 운동화	New 운동화

|Point| 상품의 이름은 그 상품의 특징을 가장 잘 나타낼 수 있도록 지어야 합니다.
발명품도 역시 이름 속에 발명의 중요한 기능 · 특징이 나타날 수 있도록 이름을 짓는 것이 가장 좋습니다.

❶ 결합한 물건의 이름을 나열하거나, 너무 자세히 설명하지 말아야 합니다.

❷ 발명품의 이름이 그 물건의 기능이나 용도를 상징적으로 표현하고 있는 것이 좋습니다.

03 |문제 개요| 무인도에 갇힌 상황과 주어진 2개의 물건을 가지고, 무인도에서 생활하면서 구조되는데 필요한 물건을 만드는 연습을 하는 문제입니다.

|답안 예시|

- 나뭇가지로 집의 형태를 만들고, 비옷으로 집의 지붕을 만든다.
- 비옷으로 물 담을 컵이나 그릇을 만든다.
- 태양 에너지를 카메라 렌즈로 모아서 불을 지핀다.
- 거울처럼 렌즈로 태양을 반사시켜 구조 요청을 한다.
- 무인도를 사진으로 찍어, 지도를 만들어 지리를 익힌다.
- 어두운 밤에 걸어갈 때, 카메라의 후레쉬를 터트려 밝게 한다.
- 카메라 렌즈를 비옷에 붙여서 물안경을 만들고, 수영을 한다.
- 카메라의 몸체를 부수어서 날카로운 바늘을 만들고 그 바늘로 비옷을 꿰매서 튜브를 만들어 탈출한다.

|Point|

❶ 주어진 상황을 효과적으로 해결하거나 개선시키기 위해서 주어진 물건의 용도를 발견하여야 합니다. 만약 주어진 상황과 관계없는 용도로 물건을 사용하는 경우에는 아이디어로 인정 받을 수 없습니다.
예 무인도에서 오락용으로 용도를 발견하는 경우

❷ 둘 이상의 물건이 주어진 경우에는 각각의 물건을 따로 사용하는 것보다 두 물건을 효과적으로 결합하여 새로운 물건 또는 용도를 만드는 것이 좀 더 기발한 해결 방법입니다.

실전문제

P. 058

01 |문제 개요| 물건의 불편한 점을 찾아, 독창적으로 개선 사항을 제시하는 문제입니다. (5점)

|답안 예시| • 선택한 물건 : 거울

	바꾸고 싶은 부분	어떤 점이 불편한가?	어떻게 바꿀까?
	크기	거울이 작아 전신이 보이지 않는다.	버튼을 누르면 거울이 세로 방향으로 늘어난다.
V	모양, 색깔	항상 1가지 모양, 색깔이어서 지겹다.	시간마다 거울이 명화, 사진 또는 디지털 어항으로 변하고, 거울의 틀도 그에 맞게 변한다.
V	기능	뒷모습이 잘 보이지 않는다.	뒷모습을 비추면 녹화되는 기능을 추가한다.
V	기능	어두운 곳에서는 잘 보이지 않는다.	거울 주변에 전구를 단다.
V	모양	깨지기 쉽고, 깨진 유리는 위험하다.	거울을 잘 깨어지지 않는 투명한 플라스틱 또는 금속으로 바꾼다.

아이디어(4개) : 4점

|Point|

❶ 첫째 번 아이디어처럼 단순히 크기나 모양을 변화 시키는 개선 사항은 아이디어로 인정받지 못합니다. 즉, 기능적인 면에서 독창적인 아이디어를 제시하여야 합니다.
예 버튼을 누르면 거울을 보는 사람의 키만큼 자동으로 늘어난다.

❷ 개선 사항은 현실적으로 실현 가능하여야 하고, 원래의 물건의 속성을 크게 벗어나지 않아야 합니다.

❸ 아이디어의 개수에 따라 채점합니다.

아이디어의 개수	점수
1개당	1점

02 |문제 개요| 여러 가지 도형을 결합하여 화성에서 필요한 물건을 발명하는 문제입니다. (10점)

|답안 예시|

그림	이름	설명
V 1.	doctor 박스	화성에서 살다가 갑자기 숨쉬기 힘들 때나 아플 때 버튼을 누르면 의사처럼 박스가 로봇이 되어 치료해 준다.
V 2.	띨띨 로봇	우리들이 먹을 식량이 부족할 때, '~를 달라'고 하면 원하는 것을 만들어 준다.
V 3.	watch 박스	화성에서 TV가 없을 때 이 상자가 갑자기 큰 건물만한 TV로 변신해 많은 사람에게 TV를 보여준다.
V 4.	speed 신발	지구온난화 때문에 기차가 없을 때 이 신발만 신으면 멀리 떨어진 곳까지 1초만에 갈 수 있다.
V 5.	water 머신	사람들이 물을 먹으려고 할 때 박스의 별모양 표시를 누르면 작은 상자에서 물이 나온다.

아이디어(5개) : 5점

|Point|

❶ 문제의 상황과 밀접한 관련이 있는 발명품을 만들어야 합니다. 즉, 화성에 이주하여 생활하는데 필요한 발명품을 만들어야 합니다.

❷ 아이디어의 개수에 따라 채점합니다.

아이디어의 개수	점수
1개 당	1점

연습하기

P. 063

01 |문제 개요| 친구의 완성된 그림을 보고, 그림의 장 · 단점을 찾아 어떻게 해야 더 독창적인 그림이 될지 생각해 보는 연습 문제입니다.

|답안 예시|

제목 : 죠스의 침략

다른 사람과 다르게 표현한 부분

① 상어의 이빨과 몸통을 재미있게 그렸습니다.

② 'Help, me, 까악~'등의 말풍선을 그렸습니다.

③ 바람을 재미있게 그렸습니다.

|Point|

❶ 그림 완성하기는 최소 기본 요소 이외에도 부수적으로 세부 묘사를 하여야 유창성의 점수를 받을 수 있습니다.

❷ 친구의 그림에 세부 묘사로 갈매기, 대포, 문어, 물고기 등을 더 추가 하였는데, 전체 그림의 긴박한 느낌과는 조금 느낌이 달라 아쉽습니다.

❸ 다른 친구들의 그림을 보면서, 그 친구의 그림에서 잘 표현한 부분과 아쉬운 부분을 찾아 서로 이야기하며 독창적인 표현들을 익히도록 합니다.

02 |문제 개요| 그리다 만 그림을 완성하고 제목을 붙이는 연습을 하는 문제입니다.

|답안 예시|

제목 : 무럭무럭 쑥쑥

제목 : 1초 뒤에 무슨 일이?

|Point|

❶ 주어진 도형 위에 그림을 그려 완성하는 경우에는 주어진 도형만으로 그림을 완성하기 보다는 그 도형 이외에도 추가적으로 세부 묘사를 하여야 합니다.

❷ 위의 예시 답안에서 추가적인 세부 묘사는 구름의 표정, 태양의 빛, 벌의 안경, 벌의 날개, 해바라기 잎의 움직임, 개구리의 혀 움직임, 침 튀김, 벌의 표정, 물고기의 표정 등이 있습니다.

❸ 그림의 제목은 상징적으로 그림을 표현할 수 있는 것이어야 합니다.

03 |문제 개요| 주어진 도형을 이용하여 자유롭게 그림을 그리고, 제목을 짓는 연습을 하는 문제입니다.

|답안 예시|

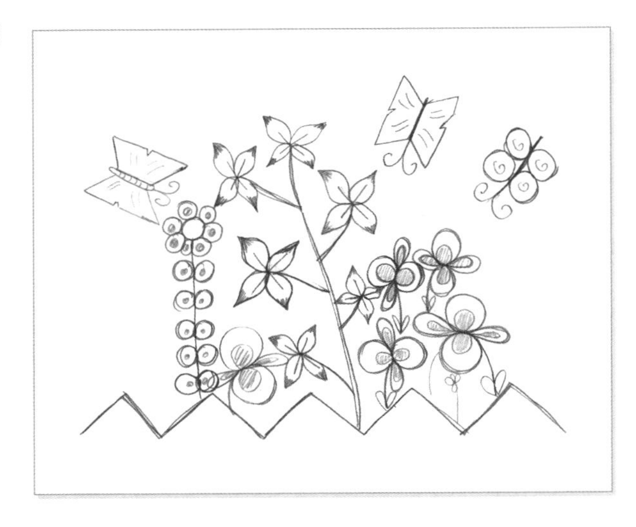

제목 : 봄 소식

|Point|

❶ 주어진 도형을 이용하여 그림을 그리는 경우에는 주어진 도형만으로 그림을 완성하기 보다는 그 도형 이외에도 추가적으로 세부 묘사를 하여야 합니다.

❷ 위의 예시 답안에서 추가적인 세부 묘사는 나비 날개의 다양한 모습, 꽃잎의 다양한 모습과 섬세한 표현 등이 있습니다.

❸ 그림의 제목은 상징적으로 그림을 표현할 수 있는 것이어야 합니다.

실전문제

P. 066

01 | 문제 개요 | 주어진 도형을 이용하여 자유롭게 그림을 그리고, 제목을 짓는 문제입니다. (10점)

| 답안 예시 |

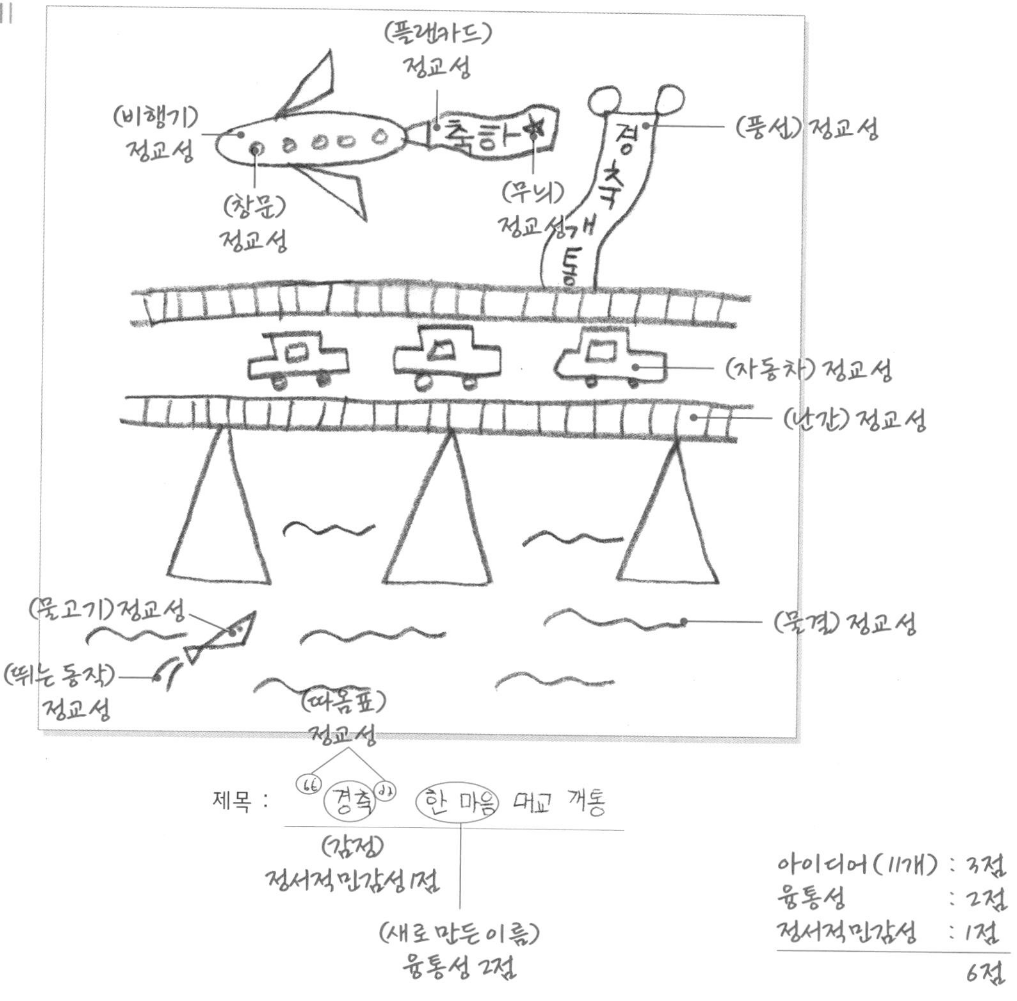

| Point |

❶ 그림에 사용하여야 하는 도형이나 무늬, 숫자, 글자 등이 주어졌을 경우에는 가능한 모두 사용하여야 합니다.

❷ 주어진 숫자만으로 그림을 완성하기 보다는 그 도형 이외에도 추가적으로 세부 묘사를 하여야 합니다.

❸ 위의 예시 답안에서 추가적인 세부 묘사는 물결의 표시, 물고기의 역동적인 모습 등이 있습니다.

❹ 그림의 제목은 상징적으로 그림을 표현할 수 있는 것이어야 합니다.

❺ 아이디어의 개수에 따라 채점합니다.

아이디어의 개수	점수
1 ~ 5개	1점
6 ~ 10개	2점
11 ~ 15개	3점
16 ~ 20개	4점
21개 이상	5점

02 |문제 개요| 9개의 숫자를 사용하여 자유롭게 그림을 그리고, 제목을 짓는 문제입니다. (10점)

|답안 예시|

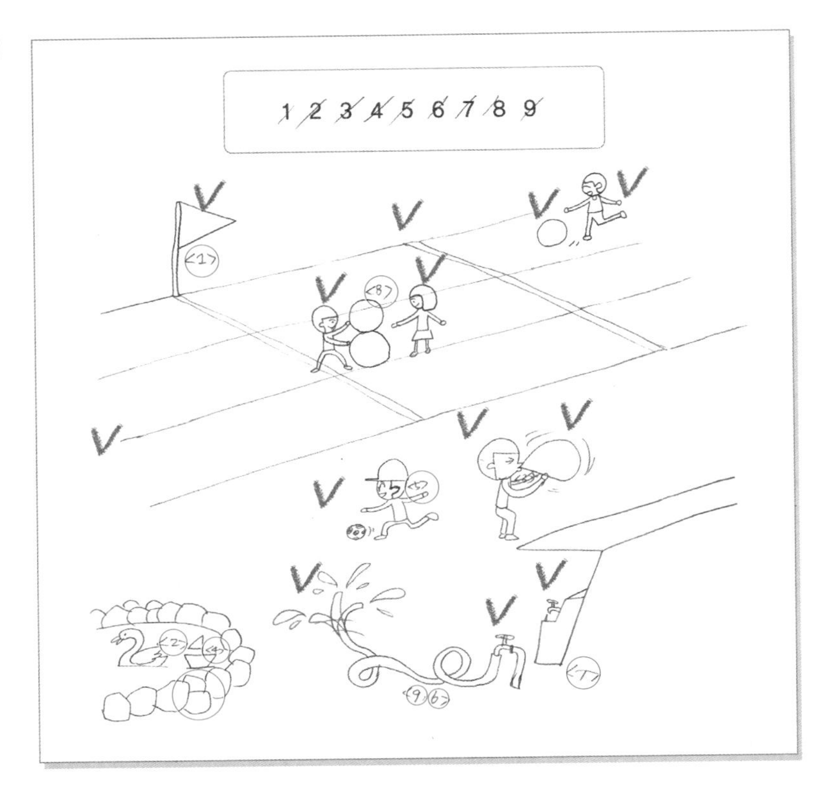

제목 : 운동장 속의 동심

사용한 숫자(9개) : 5점
아이디어(13개) : 3점
8점

|Point|

❶ 그림에 사용하여야 하는 도형이나 무늬, 숫자, 글자 등이 주어졌을 경우에는 가능한 모두 사용하여야 합니다.

❷ 주어진 숫자만으로 그림을 완성하기 보다는 그 숫자 이외에도 추가적으로 세부 묘사를 하여야 합니다.

❸ 위의 예시 답안에서 추가적인 세부 묘사는 물이 튀는 모습, 풍선이 커지는 모습 등이 있습니다.

❹ 그림의 제목은 상징적으로 그림을 표현할 수 있는 것이어야 합니다.

❺ 다음 기준에 따라 채점합니다.

사용한 숫자의 개수	점수
1 ~2개	1점
3 ~ 4개	2점
5 ~ 6개	3점
7 ~ 8개	4점
9개	5점

아이디어의 개수	점수
1 ~ 5개	1점
6 ~ 10개	2점
11 ~ 15개	3점
16 ~ 20개	4점
21개 이상	5점

연습하기

P. 071

01 |문제 개요| 상황에 따라 대비되는 두 성질을 가진 사물이나 감정을 찾는 연습을 하는 문제입니다.

|답안 예시|

빠르고도 느린 것

- 사람의 말(言)
- 사람의 마음
- 얼큰한 국물
- 냉온풍기
- 물
- 스포츠 경기 결과

길고도 짧은 것

- 1분
- 인생
- 시험 시간
- 방학
- 빼빼로
- 엘리베이터 기다리는 시간
- 겨울밤
- 화장실을 기다리는 줄
- 컵라면에 물을 붓고 기다리는 시간

|Point|

❶ 때에 따라 다른 것 찾기는 개인의 심리적 상태에 따라 느껴지는 것입니다. 따라서 대부분의 사람들이 인정할 수 있는 대답이어야 하며, 너무 추상적인 경우에는 아이디어로 평가 받지 못합니다.

❷ 컵라면에 물을 붓고 기다리는 시간, 화장실에서 기다리는 줄, 시험 시간 등은 모두 끝나기를 기다리는 시간으로 같은 아이디어로 봅니다.

❸ 상황을 설명 필요가 있는 경우에는 부연 설명을 쓰도록 합니다.

02 |문제 개요| 상황에 따라 대비되는 두 성질을 가진 사물이나 감정을 찾는 연습을 하는 문제입니다.

|답안 예시|

무게가 없는 무거운 것

- 사람의 마음
- 가난
- 책임
- 사우나실에 들어갔을 때의 공기
- 학교에서 잘못하고 집으로 돌아갈 때의 발걸음

부드러우면서도 강한 것

- 어머니
- 믿음
- 펜으로 쓴 글자
- 조용하게 꾸짖는 목소리
- 언제나 나를 지켜 주는 애완 동물

|Point|

❶ 답안 1개를 아이디어 1개로 평가하지만, 지나치게 추상적인 것은 아이디어로 인정하지 않습니다.

❷ 비슷한 형태의 아이디어는 그 아이디어를 모두 1개의 아이디어로 평가합니다.

03 |문제 개요| 우리 주변에서 볼 수 있는 혼합물을 찾아, 이유를 적어보는 문제입니다.

|답안 예시|

① [교실]는(은) 혼합물이다.
왜냐하면 [선생님, 책상, 의자, 분필 등이 있기] 때문이다.

② [쓰레기장]는(은) 혼합물이다.
왜냐하면 [재활용 가능한 캔, 종이, 그렇지 않은 음식물 쓰레기 등이 있기] 때문이다.

③ [필통]는(은) 혼합물이다.
왜냐하면 [연필, 지우개, 자 등이 있기] 때문이다.

④ [하늘]는(은) 혼합물이다.
왜냐하면 [해, 달, 별, 구름 등이 있기] 때문이다.

⑤ [지구]는(은) 혼합물이다.
왜냐하면 [흑인, 백인, 황색인 등이 살고 있기] 때문이다.

⑥ [서점]는(은) 혼합물이다.
왜냐하면 [참고서, 동화책, 만화책 등이 있기] 때문이다.

⑦ 우주 는(은) 혼합물이다.

왜냐하면 지구, 화성, 목성, 토성 등이 있기 때문이다.

⑧ 나 는(은) 혼합물이다.

왜냐하면 머리카락, 심장, 피부, 뼈 등으로 구성되어 있기 때문이다.

⑨ 이 시험지 는(은) 혼합물이다.

왜냐하면 내가 풀 수 있는 문제와 풀 수 없는 문제가 있기 때문이다.

| Point | 혼합물의 의미를 정확히 파악하고, 화학 물질이 아닌 일상생활 속에서 혼합물의 의미를 적용한 것만 아이디어로 인정합니다.
(혼합물 : 두 종류 이상의 물질이 화학적 반응을 일으키지 않고, 물리적으로 단순히 섞여 있는 물질.)

실전문제

P. 074

01 |문제 개요| 1+1=1이 되는 경우를 가능한 많이 찾는 문제입니다. (5점)

|답안 예시| V① 털실 2뭉치로 목도리 하나를 뜰 때

V② 엄마와 나는 한 가족

③ 젓가락 각각 1개를 합쳐서 젓가락 1쌍이라고 할 때

④ 볼트랑 너트랑 결합 될 때

⑤ 2개의 끈을 매듭으로 묶었을 때

⑥ 레고 블록을 조립할 때

⑦ 찰흙 두 덩어리를 서로 뭉칠 때

(①~⑦: 물리적 결합)

V⑧ 컴퓨터에서 2개의 파일을 1개의 폴더에 넣을 때

V⑨ 물에 설탕을 섞었을 때

아이디어(4개) : 2점

|Point|

❶ 물리적으로 2개인 것을 하나로 묶거나 합치는 것은 1개의 아이디어로 생각합니다. 따라서 같은 분류에 속하지 않는 다양한 상황이나 경험 등을 활용하여 독창적인 아이디어를 찾습니다.

❷ 아이디어 개수에 따라 채점합니다.

아이디어의 개수	점수
1 ~ 2개	1점
3 ~ 4개	2점
5 ~ 6개	3점
7 ~ 8개	4점
9개 이상	5점

02 |문제 개요| 미래에 사라질 직업과 생겨날 직업을 찾는 문제입니다. (5점)

|답안 예시|

	사라질 직업	이유
V	군인	세계 평화가 이루어질 것이다.
V	연탄 장수	연탄을 만드는 자원이 떨어질 것이다.
	지하철 운전기사	지하철은 교통체증이 없으므로, 로보트가 대신할 수 있을 것이다.
V	묘지 봐 주는 풍수지리사	사람이 죽으면 더 이상 묻힐 땅이 없기 때문이다.
	의사	생명공학이 발달하여 아픈 곳을 바로 교체할 수 있을 것 같다.

	생겨날 직업	이유
V	우주 통역사	우주의 다른 생명체를 발견하여 통역이 필요할 것이다.
	비행기 택시기사	비행기가 지금의 자동차처럼 보편화 되어 비행기 택시도 생길 것이다.
V	날씨 설계사	소풍 갈 때, 운동회 할 때 등과 같이 필요한 날씨를 주문해서 만들 수 있을 것이다.
V	마음 치료사	아픈 마음에 바르는 약이 개발되어 슬프거나, 우울할 때 약을 바르면 낫는다.
	로보트 판매사	여러 용도의 로보트가 개발될 것이기 때문이다.

아이디어(6개) : 3점

|Point|

❶ '미래에 과학 기술이 눈부시게 발전할거야'라는 평범한 전제에서 출발한 아이디어는 다른 사람도 생각할 수 있는 것입니다.

❷ 따라서 단순히 미래에 대한 예상보다는 자신이 희망하는 긍정적인 미래에 대한 소망을 담은 독창적인 아이디어를 쓰도록 노력하여야 합니다.

❸ 아이디어의 개수에 따라 채점합니다.

아이디어의 개수	점수
1 ~ 2개	1점
3 ~ 4개	2점
5 ~ 6개	3점
7 ~ 8개	4점
9개 이상	5점

연습하기

P. 079

01 |문제 개요| 상황에 따라 대비되는 두 성질을 가진 사물이나 감정을 찾는 연습을 하는 문제입니다.

|답안 예시|

(1)

아빠, 엄마, 동생

(2)

바가지, 호수, 주전자, 냄비 등

(3)

- 마신다.
- 설거지를 빨리 한다.
- 변기의 물을 내린다.
- 화초에 물을 준다.
- 샤워를 한다.

(4)

- 소방차를 불러 물을 판다.
- 호스를 연결해서 이웃에게 물을 나누어 준다.
- 동네 아이들을 위해 물통에 물을 담아 간이 수영장을 만든다.
- 동네를 물청소 한다.

|Point| 자유롭게 상황에 주어진 조건을 상상하고, 필요한 사람이나 물건을 최대한 활용합니다.

02 |문제 개요| 천원만이라는 이름을 부를 수 있는 다른 방법을 찾아내는 연습을 하는 문제입니다.

|답안 예시|

- 누구나 집에 꼭 필요한 물건을 만들고, 그 물건의 이름을 '천원만'이라고 짓는다.
- 굉장히 비싸게 보이는 물건을 천원에 팔아 사람들에게 "천원만 있으면 그것을 살 수 있다."는 소문이 나게 한다.
- 왕에게 보물을 선물로 줘서 사람들이 다시 자신의 이름을 부를 수 있게 해 달라며 부탁한다.
- 바닷가에 땅을 사서 그 곳의 이름을 '천원만'이라고 지어서 관광명소로 개발하여 사람들이 계속 찾아오게 한다.
- 사람들에게 오백원씩 주면서 이름 한 번만 불러달라고 거지 모습으로 불쌍하게 구걸한다.
- 상점의 직원으로 취직하여 계산대 근처에서 일하면서 '천원만'이라는 단어를 듣는다.

|Point| 천원만이라는 말이 직접 들어가는 문장을 말하게 하는 방법도 있지만, 천원만과 발음이 같은 말을 하게 만드는 것도 좋은 아이디어입니다.

03 |문제 개요| 쥐들이 고양이의 목에 방울을 달 수 있는 방법을 생각해 보는 연습을 하는 문제입니다.

|답안 예시|

① 고양이가 잘 때, 몰래 단다.
② 고양이가 좋아하는 음식에 수면제를 발라 재운 뒤에 단다.
③ 매우 예쁜 고양이 방울을 준비시켜 주인으로 하여금 달게 만든다.
④ 방울에 고양이가 좋아하는 생선살을 묻혀 삼키게 만들어, 걸어 다닐 때마다 방울이 울리게 한다.
⑤ 쥐구멍에 머리를 넣으면 그 때 잽싸게 단다.
⑥ 이웃집 불독에게 방울을 달아 달라고 부탁한다.
⑦ 한밤중에 그림자를 이용한다. 엄청 큰 그림자가 나타날 수 있도록 어떤 쥐가 빛을 비춰서 고양이가 겁먹게 한 후 다른 쥐들이 그 사이 방울을 달게 한다.

|Point|

❶ '고양이를 재운다', '고양이를 기절시킨다'와 같은 답안은 누구나 머릿 속에 처음 떠올려 봄직한 답안입니다. 이러한 답안은 좋은 점수를 받기 어렵습니다.

❷ 문제의 상황을 의도적으로 회피하거나 무시하는 답안은 아예 점수를 얻기 힘듭니다.
예 방울을 달기보다는 발소리를 더 열심히 들으면 된다. 쥐가 여러 마리 모여 고양이를 때려 눕힌다. 등

실전문제

P. 082

01 | 문제 개요 | 주어진 그림에서 상황을 판단하여 독창적인 해결책을 제시하는 문제입니다. (5점)

| 답안 예시 |

강아지가 나무 위에 올라갔는데, 너무 높이 올라가서 무서워 내려가지 못하는 것을 오누이가 발견하였다.

- 오빠가 동생을 목마 태워 강아지를 내려 준다. ← 도구사용(중복)
- 사다리를 가지고 와서 나무 위로 올라가서 강아지를 구해준다.
- 어른을 불러와 강아지를 도와 달라고 한다.
- 나무 밑에 맛있는 음식을 놓아 두어서 강아지가 스스로 내려오게 한다.
- 새들에게 강아지를 내려 달라고 한다. ← 실현불가능
- 오빠의 숨겨진 왼손에 있는 톱으로 나무를 잘라 내려오게 한다. ← 독창성

아이디어(4개) : 2점

| Point |

❶ 문제에서 주어진 그림을 단순히 '강아지가 우연히 나무에 올라갔는데 무서워서 못 내려오고 있다'라는 식으로 평범하게 해석하는 것은 첫 단추부터 잘못 꿰는 것입니다. 강아지가 어떻게 나무에 올라가게 되었는지 자세하게 설명하는 것도 좋은 방법이고, 상황 자체를 반전시켜 생각해 보는 것도 좋습니다.

❷ 유사한 아이디어는 하나로 보고, 너무 평범한 아이디어는 아이디어로 보지 않습니다.
(예 사다리를 가지고 온다.)
또, 문제를 회피하거나 무시하는 경우 역시 아이디어로 보지 않습니다.

❸ 그림을 독창적으로 해석한 경우 1점의 보너스 점수, 해결 방안이 독창적인 경우 1점의 보너스 점수를 받을 수 있습니다.

❹ 아이디어의 개수에 따라 채점합니다.

아이디어의 개수	점수
1 ~ 3개	1점
4 ~ 6개	2점
7개 이상	3점

02 |문제 개요| 악어를 냉장고에 넣는 방법을 생각하는 문제입니다. (5점)

|답안 예시|

① 대형 냉장고에 넣는다.
② 냉장고 안에 악어가 좋아하는 먹이들을 넣어 둔다.
③ 냉장고밖을 매우 뜨겁게 만들어서 악어가 냉장고로 도망갈 수 있도록 한다.
④ 얼음과 차가운 물로 악어의 체온을 낮춘다.
⑤ 악어의 천적을 이용해 악어를 냉장고 방향으로 쫓는다.
⑥ 악어에게 가족이 있는 집에 가라고 한다. 악어가 사는 집의 이름이 냉장고이다.
⑦ 악어 주위에 냉장고를 여러 대 둘러 싼다. 그럼 악어가 냉장고 안에 있는 것이다. ← 독창성

아이디어(4개) : 2점

|Point|

❶ 문제의 의도가 무엇인지 명확하게 파악하는 것이 중요합니다. 이 문제는 악어의 병을 낫게 하는 방법을 설명하라는 것이 아니라, 악어를 냉장고에 집어넣는 방법을 설명하라는 것입니다.

❷ '어떻게 하면 실제로 악어를 냉장고에 넣을 수 있을까?'라는 고민만으로는 평범한 답밖에 나올 수 없습니다. '사실 악어를 냉장고에 넣지 않으면서도 냉장고에 넣었다고 말할 수 있는 다른 재치 있는 방법은 없을까?'라는 질문이 문제의 출발점이 되어야 합니다.

❸ 유사한 아이디어는 하나로 보고, 너무 평범한 아이디어는 아이디어로 보지 않습니다.
예 커다란 냉장고를 준비한다. 악어를 작게 만든다. 등

❹ 독창적인 아이디어의 경우 2점까지 보너스 점수를 받을 수 있습니다.

❺ 아이디어의 개수에 따라 채점합니다.

아이디어의 개수	점수
1 ~ 3개	1점
4 ~ 6개	2점
7개 이상	3점

연습하기

P. 087

01 |문제 개요| 문장에 쓰인 단어 관계의 규칙을 파악하고, 그 규칙에 맞는 문장을 만드는 연습을 하는 문제입니다.

|답안 예시|
① 손에는 장갑, 발에는 양말
② 사자는 동물원에 있고, 장미꽃은 식물원에 있다.
③ 밥은 숟가락으로 먹고, 김치는 젓가락으로 먹는다.
④ 도둑은 경찰이 잡고, 불은 소방대원이 끈다.
⑤ 분필은 칠판에 쓰고, 연필은 공책에 쓴다.

|Point| 단어의 유비관계를 파악하여, 유사한 형태의 문장을 만들어 봅니다.

02 |문제 개요| 빈칸에 알맞은 글자를 써넣어, 앞뒤로 모두 말이 되는 낱말을 만드는 연습을 하는 문제입니다.

|답안 예시|
(1) 제비 [집] 수리 [공] 복
(2) 장미 [꽃] 가루 [비누] 방울 [토마토] 씨앗
(3) 자동 [차] 길 [목] 등 [나무] 그늘
(4) 충치 [치료] 주사 [약] 국 [물] 맛
(5) 고속 [버스] 시간 [차] 사기 [그릇] 세트

|Point| 앞쪽부터 알맞은 글자를 찾아 나가는 것이 좋습니다.

03 |문제 개요| 주어진 낱말과 공통점을 가진 낱말을 찾고, 그 낱말들을 이용하여 이야기를 만드는 연습을 하는 문제입니다.

|답안 예시|

공통점을 가진 낱말

인절미, 육체미, 시치미, 동치미, 아가미
(공통점) '미'로 끝나는 세 글자 단어

내가 만든 이야기

두루미가 주말을 이용해 다리미로 옷을 다리고 있는데, 올빼미가 가자미를 데리고 놀러 왔습니다. 두루미는 잠시하던 일을 멈추고 친구들을 맞이했습니다. 워낙 연락도 없이 갑자기 와서 집에 대접할 게 없던 두루미는 간단히 인절미를 내어놓고, 요새 육체미 대회를 준비 중이어서 몸이 좋아진 올빼미에게 다이어트에 대해 이것저것 물어 보며 이야기를 나누었습니다.
그러던 중, 인절미가 목에 매여 동치미를 꺼내러 가는 사이 정전이 되었습니다. 금방 다시 불이 들어왔지만 그 사이 인절미가 사라졌습니다. 다들 어두운 데서도 잘 볼 수 있는 올빼미를 의심했지만 알고 보니 시치미를 떼고 있던 가자미가 아가미에 인절미를 숨긴 것이었습니다. 집이 가난해서 그런 행동을 한 가자미에게 두루미는 동치미도 주었습니다.

|Point| 주어진 낱말의 공통점을 올바르게 찾아내도록 합니다.

실전문제

P. 090

01 |문제 개요| 낱말의 규칙을 찾아 빈칸에 알맞은 낱말을 써넣는 문제입니다. (5점)

|답안 예시|

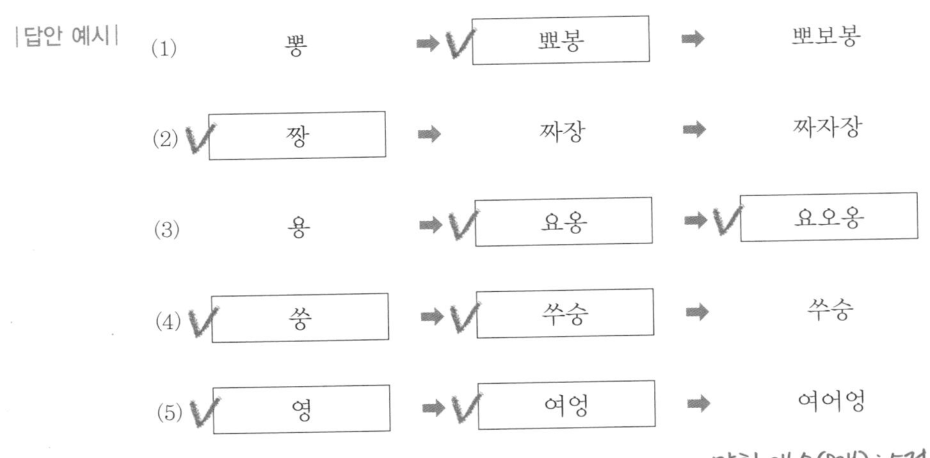

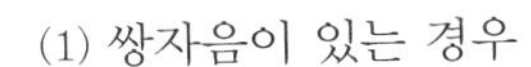

|Point|

❶ 낱말의 규칙은 다음과 같습니다.

(1) 쌍자음이 있는 경우

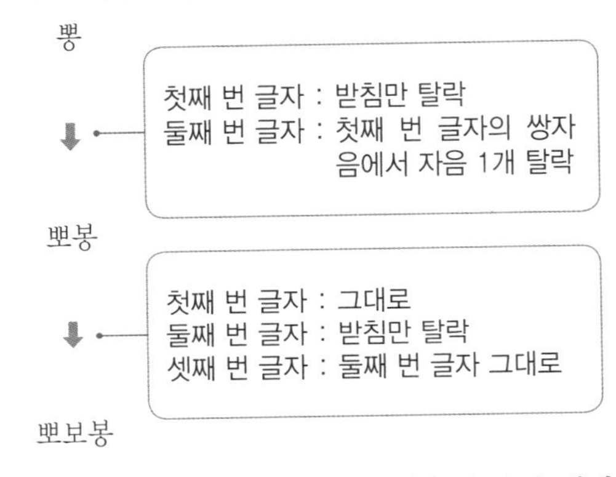

(2) 이중모음이 있는 경우

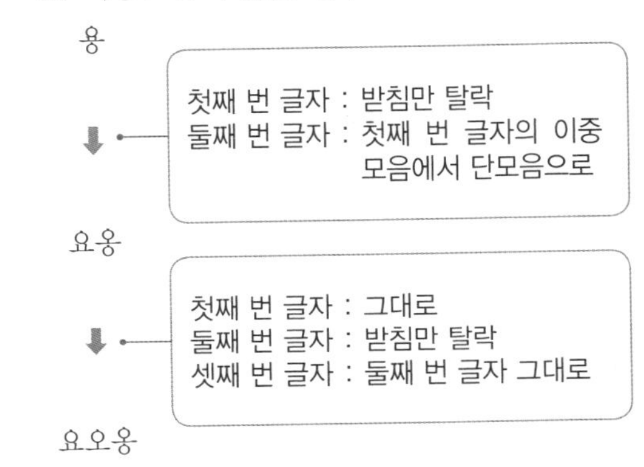

❷ 규칙을 찾아 알맞은 답을 쓴 개수에 따라 채점합니다.

아이디어의 개수	점수
1개	1점
2 ~ 3개	2점
4 ~ 5개	3점
6 ~ 7개	4점
8개 이상	5점

02 |문제 개요| 주어진 낱말과 같은 성격의 낱말을 찾아내는 문제입니다. (5점)

|답안 예시|

V① 엉금엉금	V⑨ 우물쭈물
V② 아둥바둥	V⑩ 우왕좌왕
V③ 알록달록	V⑪ 울긋불긋
V④ 안절부절	V⑫ 울퉁불퉁
V⑤ 엎치락뒤치락	V⑬ 티격태격
V⑥ 오목조목	V⑭ 허겁지겁
V⑦ 오순도순	V⑮ 싱글벙글
V⑧ 옹기종기	V⑯ 다짜고짜

아이디어(16개) : 5점

|Point|

❶ 다음과 같은 점에 유의하여 단어를 찾아내어야 합니다.
- 의성어인지 의태어인지 파악합니다.
- 똑같은 두 낱말이 연결되었는지, 다른 두 낱말이 연결되었는지 파악합니다.

❷ 운율을 맞추기 위해 비슷한 형태의 말을 앞뒤로 이어 붙여야 합니다.

❸ 아이디어의 개수에 따라 채점합니다.

아이디어의 개수	점수
1개	1점
2 ~ 4개	2점
5 ~ 7개	3점
8 ~ 9개	4점
10개 이상	5점

연습하기

P. 095

01 | 문제 개요 | 주어진 글자를 배열하여 이야기의 흐름에 맞는 문장을 찾아내는 연습을 하는 문제입니다.

| 답안 예시 | 오늘 그 고기 만두 파티는 연다.

| Point | 이야기를 잘 읽어보고 이야기의 흐름에 알맞은 문장을 만들어 봅니다.

02 | 문제 개요 | 주어진 낱말을 연결하여 재미있는 문장을 만들어 보는 연습을 하는 문제입니다.

| 답안 예시 |

장난감, 수박, 야단맞다

장난감 칼로 수박을 자르려고 하다가 잘리지 않자 진짜 칼로 수박을 자르려고 했다가 부모님께 야단맞았다.

고구마, 할머니, 뛰어가다

두더지가 고구마 밭에서 고구마를 파먹자, 이를 발견한 할머니가 두더지를 쫓아 뛰어가셨다.

컵, 자동차, 복사기, 가위, 냉장고, 연필, 풀, 책, 지우개

나는 종이컵을 사러 자동차에 타고 거리로 나갔다. 그런데 상점에서 종이컵을 하나밖에 팔지 않아서 어쩔 수 없이 옆에 있는 복사기에 종이컵을 넣고 버튼을 누르니, 복사기에서 종이컵이 여러 개 붙어서 쏟아져 나오는 것이었다. 나는 기뻐하며 옆에 있던 가위로 붙어있는 종이컵을 하나하나 잘라내기 시작했다. 집으로 돌아온 나는 종이컵에 주스를 가득 담아 냉장고에 차곡차곡 넣었다. 혹시나 가족들이 냉장고를 열고는 주스를 먹어버릴까봐 연필로 '손 대지 마시오!'라고 쓴 종이를 풀로 종이컵에 붙여놓았다. 갑자기 딩동~ 소리가 나고 나는 잠에서 깨어났다. 이것이 다 꿈이었던 것이다. 책을 펼쳐놓은 채 엎드려 자서 얼굴에 볼펜 자국이 나 있었다. 세수하기는 귀찮아서 그냥 옆에 있던 지우개로 얼굴을 슥슥 문질렀다.

| Point | 주어진 단어를 사용하여 문장을 만들 때, 단어를 ', ' 또는 '와(과)' 등을 사용하여 연속하게 쓰는 것은 좋지 않은 방법입니다. 단어들을 잘 활용하여 재미있는 문장을 만들어야 합니다.

03 |문제 개요| 주어진 단어로 3행시 또는 4행시를 지어보는 문제입니다.

|답안 예시|

백두산	백	백짓장도 맞들면 낫다는데
	두	두레박 좀 같이 들어주면
	산	산신령이 와서 잡아먹는다니?
무궁화	무	무리하지 마세요.
	궁	궁핍해도 괜찮아요, 엄마 아빠!
	화	파이팅!
시나브로	시	시냇물이 흐르는 산속으로 소풍을 가서
	나	나비도 보고 꽃도 보고, 마지막으로 사진을 찍으려고
	브	브이를 하는 순간
	로	로보트 시계가 말했다. "일어나세요! 학교 갈 시간입니다!"

|Point| 3행시, 4행시를 쓸 때에도 단순히 앞 글자만을 써서 의미 없고 건조한 이야기를 만드는 경우에는 좋은 점수를 받지 못합니다.

실전문제

P. 098

01 |문제 개요| 주어진 동요의 가사를 재미있게 바꾸어보는 문제입니다. (5점)

|답안 예시|

내동생 깔깔 우리언니 킥킥
우리아빠 하하하하 우리엄마 호호호호
항상 웃는 우리가족 언제든지 행복 5점

참새는 짹짹 오리들은 꽥꽥
병아리는 삐약삐약 뻐꾸기는 뻐꾹뻐꾹
우리아긴 쌔근쌔근 모두모두 조용 2점

아침해 번쩍 침대에서 벌떡
눈비비고 세수하고 아침 먹고 옷입으면
오늘 하루 시작되네 활기차게 으싸! 3점

|Point|

❶ 동요의 가사는 기본적으로 정형시와 가깝습니다. 같은 음절의 단어가 반복되고, 비슷한 의태어나 의성어가 대구를 이룹니다.

❷ 다음 기준에 따라 채점합니다.

아이디어의 개수	점수
교훈적 요소, 재미 요소가 충분히 가미된 경우	5점
가사에 시적 운율이 들어가 있는 경우	3점
노래와 가사의 음절이 잘 일치하는 경우	1점

02 |문제 개요| 주어진 세 단어 중 한 단어로 나머지 두 단어를 설명하는 문제입니다. (6점)

|답안 예시|

연설, 지원, 기회

- 연설은 투표 전에 후보자가 사람들이 자기를 뽑아야만 하는 이유를 설명할 기회를 주는 것이다.
- 지원은 무언가가 부족해서 하고 싶은 것을 할 수 없는 사람에게 도전할 수 있는 기회를 주기 위해 도와주는 것이다.

재료, 물건, 반영

- 재료는 물건의 각 부분을 이루고 있는 소재를 말한다.
- 물건이 어떤 사람의 의견에 따라 변화되었을 때, 그 물건에 그 사람의 의견이 반영되었다고 한다.

|Point|

❶ 딱딱한 설명보다는 자신만의 재미있는 설명 방법을 요구하는 문제입니다.

❷ 다음 기준에 따라 문항별로 각각 채점합니다.

아이디어의 개수	점수
자신만의 독창적인 방법으로 단어를 설명하고 있는 경우	3점
문제의 조건에 맞게 단어끼리 설명하고 있는 경우	2점

연습하기

P. 103

01 |문제 개요| 주어진 이야기에 독특한 제목을 붙이는 연습을 하는 문제입니다.

|답안 예시|

① 바다 위의 욕심쟁이 ② 소금의 유래

③ 과유불급 ④ 끝없는 욕심의 최후

|Point|

❶ 가장 좋지 않은 제목은 이야기 속의 소재를 그냥 제목으로 쓰는 경우입니다. 또, 이야기의 상황을 단순히 설명하는 제목도 상상력이 부족한 제목입니다.

❷ 글의 제목은 상징적으로 내용을 나타낼 수 있도록 짓는 것이 가장 좋습니다.

02 |문제 개요| 양치기 소년 이야기 그림을 보고 전혀 다른 이야기를 만들어 보는 연습을 하는 문제입니다.

|답안 예시|

		음	치		양	치	기		소	년			
	양	치	기		소	년	이		있	었	습	니	다
.		혼	자	서		너	무		심	심	해	서	
무	엇	을		할	까		고	민	하	던		중	에
	너	무		못	하	지	만		노	래	를		부
르	기	로		결	심	했	습	니	다	.			
	동	네	가		떠	나	가	라		큰	소	리	로
	노	래	를		불	렀	고	,		언	덕		아
래	의		어	른	들	이		듣	고		깜	짝	
놀	라	서		이	게		무	슨		소	리	인	가
	싶	을		정	도	였	습	니	다	.		어	른
들	은		너	무		시	끄	러	우	니	까		양

• **제목**
① 맨 위에서 둘째 번 줄의 가운데에 써야 합니다. 이때 제목이 짧으면 글자를 한 두 칸씩 띄어서 보기 좋게 만들면 됩니다.
② 제목에는 온점을 찍지 않습니다.
③ 물음표, 느낌표, 줄임표 그리고 따옴표도 가능하면 쓰지 않습니다.

• **글의 첫 문장**
글의 첫 문장은 제목 아래로 한 줄을 비우고 써야 합니다. 이때 첫 칸은 비우고 시작합니다.

치	기		소	년	에	게		노	래	를		그	만
	부	르	라	고		했	지	만	,		양	치	기
	소	년	은		도	망	다	니	면	서		노	래
를		불	렀	습	니	다	.		그	런	데		갑
자	기		늑	대	가		나	타	나	서		양	들
을		잡	아	가	는		것	이	었	습	니	다	.
	소	년	은		놀	라		어	른	들	을		부
르	려	고		했	는	데		어	른	들	은		노
래	가		듣	기		싫	어		저		멀	리	에
서		일	을		하	였	고	,		설	상	가	상
으	로		목	도		쉬	어		어	른	들	을	
부	를		수		없	었	습	니	다	.		결	국
	늑	대	에	게		양	을		다		빼	앗	긴
	소	년	은		펑	펑		울	었	습	니	다	.

- **문장 부호**

① 온점(.), 반 점(,) : 칸의 왼쪽 아래쪽에 씁니다. 온점과 따옴표가 같이 올 때는 한 칸에 씁니다.

② 물음표(?), 느낌표(!) : 글자처럼 한 칸을 차지합니다. 물음표, 느낌표를 쓰면 다음 한 칸을 띄어서 씁니다.

③ 줄임표(…) : 한 칸에 세 점씩, 두 칸에 이어서 씁니다.

④ 따옴표(" ", ' ') : 왼쪽과 오른쪽 위쪽에 씁니다.

- **들여 쓰기**

① 글의 첫 문장을 쓸 때

② 문단이 바뀔 때

③ 따옴표 문장을 쓸 때 줄이 바뀌어도 전체를 한 칸 들여 써야 합니다.

| Point | 원래 있는 동화를 다른 이야기로 바꿀 때에는 될 수 있는 한, 원래 동화를 많이 변형시켜야 합니다. 줄거리 자체의 변화도 중요하지만, 이야기 속에 반전과 재치가 들어갈 수 있도록 합니다.

실전문제

P. 106

01 | 문제 개요 | 주어진 그림으로 이야기를 완성하고 적절한 제목을 붙이는 문제입니다. (5점)

| 답안 예시 |

제목 : 하늘이 무너져도 솟아날 구멍은 있다. ← 2점

어느 날 개구리가 뱀에게 쫓기고 있었습니다. 필사적으로 도망치던 개구리는 마침내 궁지에 몰리게 되었습니다. 자신을 향해 입을 벌리고 다가오는 뱀을 보자 개구리는 순간 번뜩이는 아이디어가 떠올랐습니다. 개구리는 다음과 같이 말했습니다.

"후후… 여기까지 따라오느라고 수고가 많았다. 뱀아. 사실 난 독개구리야. 평소엔 독이 없지만 이렇게 땀을 흘리고 나면 온 몸에 독이 퍼지지. 지금 날 먹으면 아마 너에게도 독이 퍼져서 너도 곧 죽게될 걸? 자 어서 날 먹어봐!" (반전 : 3점)

이 말을 들은 뱀은 하는 수 없이 돌아서서 다른 개구리를 잡으러 떠났습니다.

| Point |

❶ 제목은 이야기를 상징적으로 나타내고 있는 표현을 사용하는 것이 좋습니다. 기존에 있는 제목이나 유명한 격언, 속담 등을 패러디 하는 것도 재미있는 방법이 될 수 있습니다.

❷ 다음 기준에 따라 채점합니다.

제목의 채점 기준	점수
제목이 이야기를 상징적으로 나타낸 경우	2점
제목의 이야기의 상황만 단순히 묘사한 경우	1점
제목의 이야기의 소재만을 사용한 경우	0점

스토리텔링 채점 기준	점수
이야기가 반전, 역전 등과 같은 재미 요소를 충분히 갖춘 경우	3점
이야기가 적절한 교훈성을 가지고 있는 경우	2점
이야기가 도입부와 자연스럽게 연결되어 통일성을 갖는 경우	1점

02 |문제 개요| 주어진 이야기와 이어지는 이야기를 만들고, 적절한 제목을 붙이는 문제입니다. (5점)

|답안 예시|

흥부는 제비가 자신의 은혜를 다시 기억할 수 있도록 하겠다며 무작정 강남으로 이사를 했습니다. 그리고 강남의 모든 제비 집을 뒤져서 그 제비를 찾았습니다.
흥부가 일도 안 하고 제비 집 뒤지는 일에만 열중하니 흥부네 형편은 더욱 어려워졌고, 엎친 데 덮친 격으로 흥부에게 집을 습격 맞은 강남의 모든 제비들이 화가나서 흥부네 집을 쑥대밭으로 만들어 버렸습니다.
결국 그 제비를 찾지 못하고 고향으로 돌아온 흥부 가족은 놀부에게 도움을 요청하려고 찾아갔습니다. 그런데 뜻밖에도 거기서 흥부가 찾던 그 제비를 발견하였습니다. 어떻게 된 일인고 하니, 강남으로 날아가던 도중에 놀부네 집 창고에 있던 곡물들이 너무 맛있어 보여 그 곡물들을 먹다가 놀부의 눈에 들어 놀부의 애완용 동물로 자라고 있던 것이었습니다. 사실 평소 같았으면 자신의 곡식을 훔쳐 먹는 제비의 다리를 부러 뜨릴 놀부였으나 왠지 그 해엔 풍년이 와서 마음도 여유로워졌던 터라 놀부가 기분이 좋았던 것이었습니다.
그 후, 놀부의 사랑을 독차지 하는 애완동물이 된 제비는 흥부를 보고 반갑게 인사를 하며 주위를 빙글빙글 날아다녔습니다. 놀부는 자신이 아끼는 애완동물을 흥부가 도와준 적이 있다는 사실을 알고, 흥부에게 고마움의 표시로 땅의 일부를 주었습니다.

반전: 3점

제목 : 우애를 되찾아 준 제비 ← 2점

|Point|

❶ 원래 있는 동화를 다른 이야기로 바꿀 때에는 될 수 있는 한, 원래 동화를 많이 변형시켜야 합니다. 줄거리 자체의 변화도 중요하지만, 이야기 속에 반전과 재치가 들어갈 수 있도록 합니다.

❷ 다음 기준에 따라 채점합니다.

제목의 채점 기준	점수
제목이 이야기를 상징적으로 나타낸 경우	2점
제목의 이야기의 상황만 단순히 묘사한 경우	1점
제목의 이야기의 소재만을 사용한 경우	0점

스토리텔링 채점 기준	점수
이야기가 반전, 역전 등과 같은 재미 요소를 충분히 갖춘 경우	3점
이야기가 적절한 교훈성을 가지고 있는 경우	2점
이야기가 도입부와 자연스럽게 연결되어 통일성을 갖는 경우	1점

대표 유형 탐구

P. 108

|풀이|

- 기진이는 '김'아니면 '이'성을 가지고 있습니다.(거짓)
  ➡ 기진이는 '김', '이'성이 아닙니다.(참)
- '김'성을 가지고 있는 사람은 나미 아니면 다래입니다.(거짓)
  ➡ 나미와 다래의 성은 '김'이 아닙니다.(참)
- 나미는 '이', '조', '민' 성 중의 하나를 가지고 있습니다. (거짓)
  ➡ 나미는 '이', '조', '민' 성이 아닙니다.(참)
- '조' 성을 가진 사람은 기진 아니면 민수입니다.(거짓)
  ➡ 기진과 민수의 성은 '조'가 아닙니다.(참)
- '이' 성을 가진 사람은 다래 아니면 민수입니다. (거짓)
  ➡ 다래와 민수의 성은 '이'가 아닙니다.(참)

성 / 이름	김	이	박	조	민
기진	×	×	×	×	○
나미	×	×	○	×	×
다래	×	×	×	○	×
리나	×	○	×	×	×
민수	○	×	×	×	×

따라서 민기진, 박나미, 조다래, 이리나, 김민수입니다.

|답| 기진 : 민, 나미 : 박, 다래 : 조, 리나 : 이, 민수 : 김

Drill

P. 109

01 |풀이|

- 영호는 이씨 또는 국씨입니다.(거짓) ➡ 영호는 이씨, 국씨가 아닙니다.(참)
- 윤호는 김씨 또는 정씨입니다.(거짓) ➡ 윤호는 김씨, 정씨가 아닙니다.(참)
- 수연이는 정씨 또는 박씨입니다.(거짓) ➡ 수연이는 정씨, 박씨가 아닙니다.(참)
- 미숙이는 이씨 또는 김씨입니다.(거짓) ➡ 미숙이는 이씨, 김씨가 아닙니다.(참)
- 박씨는 미숙 또는 영호입니다.(거짓) ➡ 미숙, 영호 둘 다 박씨가 아닙니다.(참)
- 김씨는 수연 또는 영호입니다.(거짓) ➡ 수연, 영호 둘 다 김씨가 아닙니다.(참)

성 / 이름	김	이	박	정	국
인호	○	×	×	×	×
윤호	×	×	○	×	×
미숙	×	×	×	×	○
영호	×	×	×	○	×
수연	×	○	×	×	×

|답| 김인호, 이수연, 박윤호, 정영호, 국미숙

02 |풀이| • 지훈이와 의사는 같은 동네에 사는 친구입니다. ➡ 지훈이는 의사가 아닙니다.
• 화가는 도연이와 친구가 아닙니다. ➡ 도연이는 화가가 아닙니다.
• 화가, 의사는 서로 만난 적이 없습니다. ➡ 지훈이는 화가가 아닙니다.
• 수진이는 승무원입니다.

직업 / 이름	의사	가수	화가	승무원
지훈	×	○	×	×
정우	×	×	○	×
도연	○	×	×	×
수진	×	×	×	○

|답| 지훈 : 가수, 정우 : 화가, 도연 : 의사, 수진 : 승무원

유형 탐구

P. 110

01 |풀이| 주어진 단서와 남녀가 번갈아 가며 앉아 있다는 사실로 학생들의 자리를 알 수 있습니다.

|답|

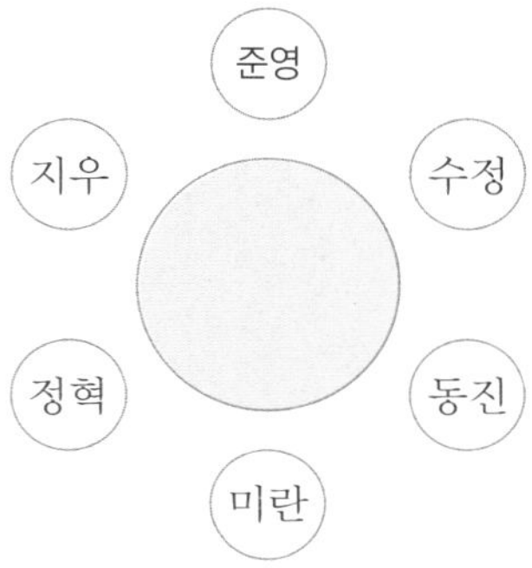

준영
지우 수정
정혁 동진
미란

02 |풀이| 곰의 우리의 서쪽에 호랑이가 있고, 남쪽으로 사슴의 우리가 붙어 있는 것을 이용하면 곰의 자리를 가장 먼저 알 수 있습니다.

|답|

호랑이	곰
사자	사슴
기린	원숭이

03 |풀이| ㉮와 ㉯ 중 하나는 여자입니다. ㉮가 여자라면 모두 옳습니다. 그러므로 여자는 ㉮, ㉰입니다.

|답| ㉮, ㉰

04 |풀이| 정민 → 비행기(공항에서 전화했으므로)
→ 부산(바다낚시를 했으므로)
전주를 다녀온 사람은 버스를 이용하지 않았으므로 수민이가 기차를 타고 전주를 갔습니다.
수민 → 기차
→ 전주
따라서 희재 → 버스
→ 대전

|답| 정민 – 비행기 – 부산, 수민 – 기차 – 전주, 희재 – 버스 – 대전

Plus 유형

P. 112

01 |풀이| A가 깼다면, C의 말이 모두 참이 되므로 조건을 만족하지 않습니다.
B가 깼다면, A의 말이 모두 참이 되므로 조건을 만족하지 않습니다.
C가 깼다면 모두 맞습니다.

|답| C

02 |풀이| 당첨된 사람을 가정하여, 참말을 한 사람을 알아봅시다. 이때 참말은 ○표, 거짓말은 × 표를 하여, 표를 그려 알아봅니다.
따라서 희연이가 당첨되었고, 민지가 진실을 말한 사람입니다.

당첨자(가정) \ 말	세준	희연	효민	정은	민지
세준	×	○	○	×	○
희연	×	×	×	×	○
효민	×	○	×	×	○
정은	○	○	×	×	○
민지	×	○	×	○	×

|참고| 민지의 말 : "정은이는 내가 당첨되었다고 말하지만, 그것은 거짓말입니다."
="정은이의 말은 거짓말이다."
="나는 당첨되지 않았다."

|답| 희연

03 |풀이| "나는 어제 참말을 했어"라는 청년의 말이 거짓말이라고 가정하면, 어제는 화요일, 목요일, 토요일 중 어느 날입니다. 또 오늘도 거짓말을 했으므로 오늘도 화요일, 목요일, 토요일 중 어느 날이어야 하므로 청년의 말은 거짓말일 수 없습니다.
청년의 말이 참말이라고 가정하면 어제는 월요일, 수요일, 금요일, 일요일 중 어느 날입니다. 또 오늘도 참말을 했으므로 오늘도 월요일, 수요일, 금요일, 일요일 중 어느 날입니다. 따라서 어제는 일요일이었고 오늘은 월요일입니다.

|답| 월요일

04 | 풀이 | 참말은 ○표, 거짓말은 ×표를 하여 알아봅니다.

① 동일이가 E의 순위를 맞혔다고 가정하면 다음과 같습니다.

동일 : E 3위(○), A 4위(×)
두혁 : D 1위(○), C 3위(×)
지연 : E 2위(×), B 4위(○)
준원 : B 1위(×), A 3위(○)
A와 E가 3위이므로 모순입니다.

② 동일이가 A의 순위를 맞혔다고 가정하면 다음과 같습니다.

동일 : E 3위(×), A 4위(○)
준원 : B 1위(○), A 3위(×)
지연 : E 2위(○), B 4위(×)
두혁 : D 1위(×), C 3위(○)
따라서 A 4위, B 1위, C 3위, D 5위, E 2위입니다.

| 답 | A : 4위, B : 1위, C : 3위, D : 5위, E : 2위

대표 유형 탐구

P. 114

|풀이| 셋째 번 계단을 오르는 방법은 첫째 번 계단에서 2칸 오르거나 둘째 번 계단에서 1칸 오르면 됩니다. 이와 같은 방법으로 8째 번 계단까지 오르는 방법은 6째 번 계단에서 2칸 오르거나 7째 번 계단에서 1칸 오르면 되므로 이를 차례로 나열해 보면 1, 2, 3, 5, 8, 13, 21, 34입니다. 따라서 8째 번 계단을 끝까지 올라가는 방법은 모두 34가지입니다.

|답| 34가지

Drill

P. 115

|풀이| 앞의 두 수를 더하여 그 다음 수가 되는 규칙입니다.

|답| (1) 8, 14 (2) 3, 7, 18 (3) 3, 7, 10

유형 탐구

P. 116

01 |풀이|

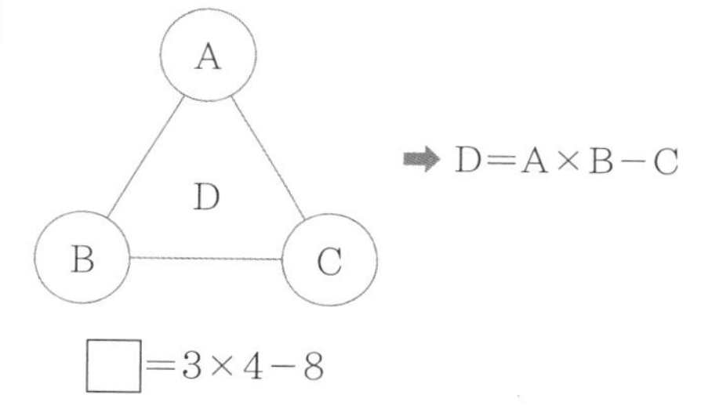

➡ D=A×B−C

□=3×4−8

|답| 4

02 |풀이| 규칙 : YY(A, B, C)=A×C+B

XX(D, E, F)=D×F−E

XX(1, 3, 5)=1×5−3=2

YY(1, 3, 5)=1×5+3=8

|답| (1) 2 (2) 8

03 |풀이| 각각의 직사각형을 ⓐ, ⓑ, ⓒ, ⓓ, ⓔ라고 하면

ⓐ+ⓑ+ⓒ=7, ⓐ+ⓓ=4, ⓑ+ⓔ=7, ⓑ+ⓒ=A입니다.

① ⓐ, ⓑ, ⓒ ➡ 1, 2, 4

② ⓐ, ⓓ ➡ 1, 3

③ ⓑ, ⓔ ➡ 3, 4 또는 2, 5가 됩니다.

①, ②에서 ⓐ=1, ⓓ=3이므로 ⓑ, ⓒ ➡ 2, 4입니다.

③에서 ⓑ=4이면 ⓔ=3이므로 성립되지 않습니다.

왜냐하면 ⓓ=3이기 때문입니다. ⓑ=2이면 ⓔ=5이고, ⓒ=4가 됩니다.

따라서 A=ⓑ+ⓒ=2+4=6, B=ⓑ=2입니다.

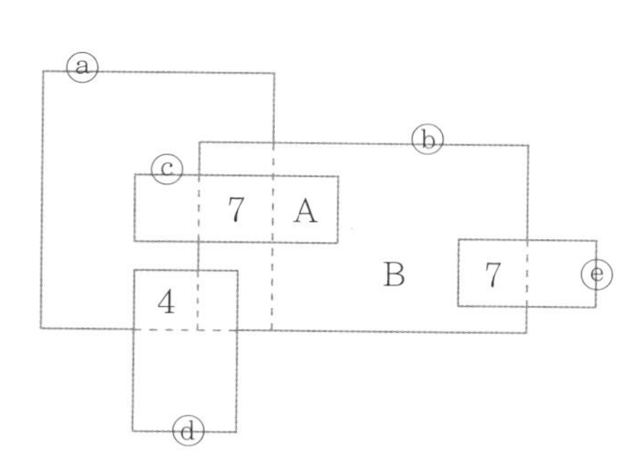

|답| A=6, B=2

01 |풀이| 첫째 줄의 합 ➡ 12
둘째 줄의 합 ➡ 24
셋째 줄의 합 ➡ □
넷째 줄의 합 ➡ 48
따라서 $8+4+\square+3+10=36$이므로 $\square=11$입니다.

|답| 11

02 |답| 장독대

03 |풀이| 규칙 : 따뜻한 물 – 도형 가장자리의 모양이 시계 방향으로 한 칸씩 회전
찬물 – 색깔 반전

|답|

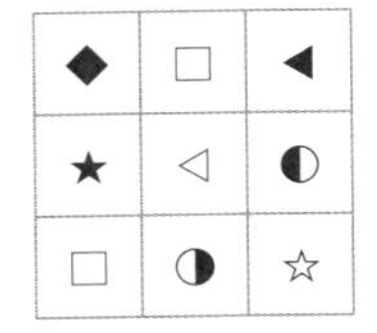

04 |풀이| 암호는 「세로–가로–모양 및 개수」 입니다.
세로 : A=첫째 칸, B=둘째 칸, C=셋째 칸
가로 : A=첫째 칸, B=둘째 칸, C=셋째 칸
모양 : A=●, B=▲, C=◆

|답|

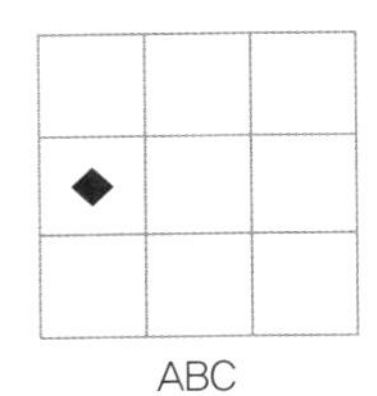

대표 유형 탐구

P. 120

|풀이| ㉠ A=2×B 또는 2×C ㉡ D=3×A 또는 3×C ㉢ C는 2등

D	C	A	B	
6×B	C	2×B	B	㉢조건 만족
3×C	C	2×B	B	
6×C	C	2×C	B	㉢조건에 맞지 않음
3×C	C	2×C	B	

|답| D, C, A, B

유형 탐구

P. 121

01 |풀이| ㉢ 2×(B−7)=A+7 ➡ A는 홀수
㉠ A+B=4×C ➡ ㉢에 의해 B는 홀수
㉡ B+D=2×A ➡ ㉠에 의해 D는 홀수
㉣ E=68+A ➡ ㉢에 의해 E는 홀수
따라서 C만 짝수가 될 수 있습니다.

|답| C 상자

02 |풀이| 주어진 조건을 그림이나 식으로 간단히 표현합니다.

월	화	수	목	금	토
	A	9	8	2A	

월+화+수+목+금+토=31

① 화=금×$\frac{1}{2}$ ② 1일 최대 9대 ③ 목+금+토=15

④ 수=9, 목=수−1=8 ⑤ 월+토 > 10대

월+화+수+목+금+토=31에서 ③에 의하여 월+화+수=31−15=16(대)입니다.
월+화=7, 금+토=7이고, ①에 의하여 A로 가능한 수는 1, 2, 3뿐입니다.
그런데 월+화=월+A=7이므로

A=1일 때,

월	화	수	목	금	토
6	1	9	8	2	5

➡ 월+토=11>10

A=2일 때,

월	화	수	목	금	토
5	2	9	8	4	3

➡ 월+토=8<10(조건에 맞지 않음)

A=3일 때,

월	화	수	목	금	토
4	3	9	8	6	1

➡ 월+토=5<10(조건에 맞지 않음)

따라서 A=1입니다.

|답|

요일	월	화	수	목	금	토
자동차 수(대)	6	1	9	8	2	5

03 |풀이| 4개의 수를 곱해서 50보다 작은 경우를 모두 구합니다.
$1\times2\times3\times4=24$, $1\times2\times3\times5=30$, $1\times2\times3\times6=36$, $1\times2\times3\times7=42$,
$1\times2\times3\times8=48$, $1\times2\times4\times5=40$, $1\times2\times4\times6=48$
➡ 7가지
위의 경우 중 곱이 같은 경우 : $1\times2\times3\times8=48$, $1\times2\times4\times6=48$

|답| 현정 : 1, 2, 3, 8, 정화 : 1, 2, 4, 6 또는 현정 : 1, 2, 4, 6, 정화 : 1, 2, 3, 8

04 |풀이| 숫자 1을 7개 쓸 경우 : 1가지
숫자 1을 5개, 숫자 2를 1개 쓸 경우 : 6가지
숫자 1을 3개, 숫자 2를 2개 쓸 경우 : 10가지
숫자 1을 1개, 숫자 2를 3개 쓸 경우 : 4가지
따라서 계산 결과가 7인 식은 모두 $1+6+10+4=21$(가지)입니다.

|답| 21가지

|별해| 한 번에 한 계단 또는 두 계단씩 올라 7째 번 계단을 올라가는 방법의 가짓수를 구하는 문제와 같습니다. 계산 결과가 1에서 7인 식의 가짓수를 차례로 나열해 보면 1, 2, 3, 5, 8, 13, 21입니다.
따라서 계산 결과가 7인 식은 모두 21가지입니다.

05 |풀이| 셋째 번 칸까지 깔 수 있는 방법은 첫째 번 칸까지 ◎을 깐 후 ⊠⊠을 깔거나 둘째 번 칸까지 ⊠⊠을 깐 후 ◎을 깔면 됩니다.
이와 같은 방법으로 하면 9째 번 칸까지 깔 수 있는 방법은 7째 번 칸까지 ◎을 깐 후 ⊠⊠을 깔거나 8째 번 칸까지 ⊠⊠을 깐 후 ◎을 깔면 됩니다.
이와 같은 방법으로 꾸밀 수 있는 가짓수를 나열하면 1, 2, 3, 5, 8, 13, 21, 34, 55의 피보나치 수열이 됩니다.
따라서 직사각형 모양을 꾸밀 수 있는 방법은 55가지입니다.

|답| 55가지

06 |풀이| 가 저울에서 ④+⑤+⑥ < ⑧+⑨+⑩,
나 저울에서 ②+③+⑤+⑨ < ④+⑥+⑧,
다 저울에서 ⑤+⑥+⑦+⑨ < ④+⑧+⑩+①
나, 다 저울에서 ②, ③, ⑤, ⑥, ⑦, ⑨ 금화는 8g입니다.
따라서 나 저울에서 24 < ④+⑧이므로 ④와 ⑧에 12g과 13g이 있습니다. ➡ ①, ⑩은 8g
가 저울에서 ④+16 < ⑧+16이므로 ④=12(g)이고, ⑧=13(g)입니다.

|답| ⑧

07 |풀이| 조건을 그림으로 표현하면 아래와 같습니다.

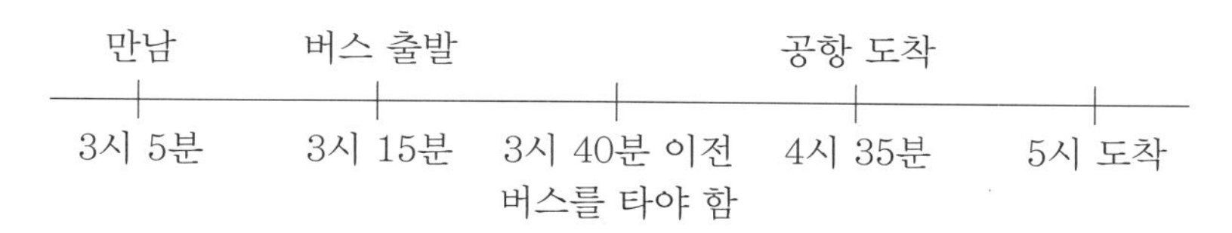

|답| ③

08 |풀이| 아래 표에서 3번 시행 후 입구가 아래인 것을 14로 만들 수 있는지 확인해 보아야 합니다. 여기에서는 입구가 위인 것 1개를 아래로 바꾸면 입구가 아래인 컵과 입구가 위인 컵의 개수는 2개 차이가 됩니다.
따라서 입구가 위인 것 5개를 뒤집고, 아래인 것 9개를 뒤집으면 아래인 것을 14개로 만들 수 있고, 5째 번에는 입구가 아래인 것을 0으로 만들 수 있습니다.

	처음	1번	2번	3번	4번	5번
아래	60	46	32	18	14	0
위	0	14	28	42	46	60

|답| 5번

대표 유형 탐구

P. 126

|답| (1)

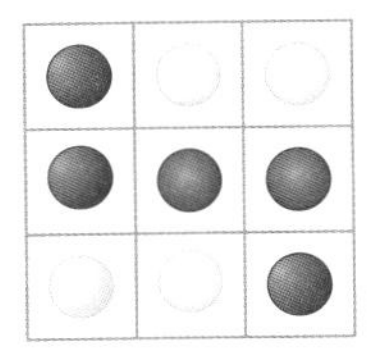

(2)

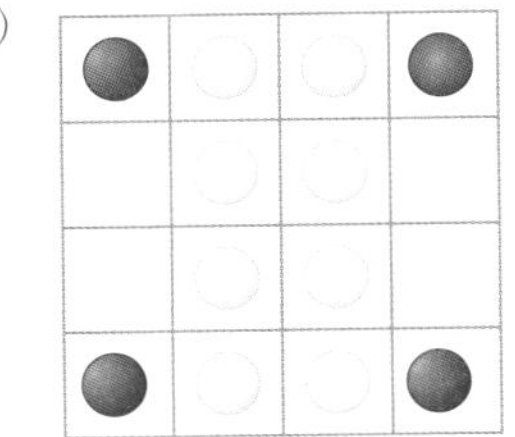

Drill

P. 127

|풀이| (1)

2는 같은 줄에 도착할 수 없습니다.
4개의 숫자가 가장자리에는 도착할 수 없습니다.
네 곳 중 ①, ②에는 위에 있는 3을 만족시킬 수 없습니다.

따라서 다음과 같이 ③, ④ 2가지가 가능합니다.

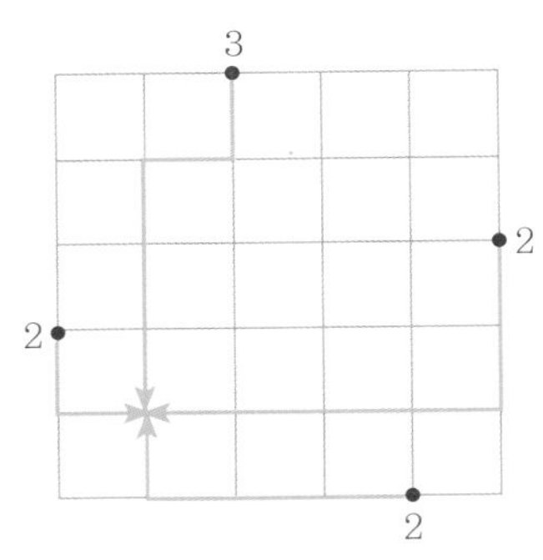

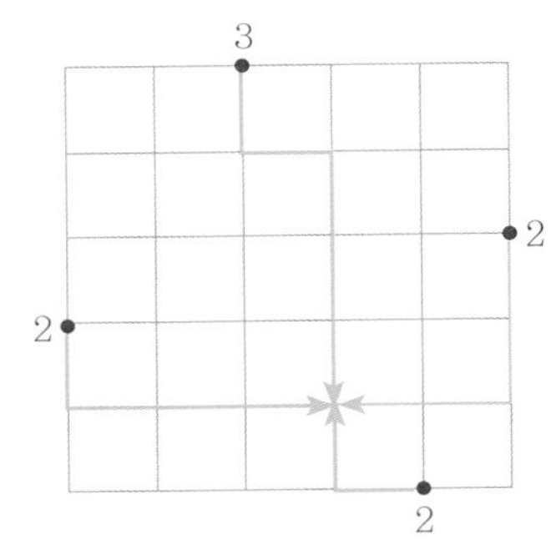

(3이 꺾이는 지점은 변경이 가능합니다.)

(2)

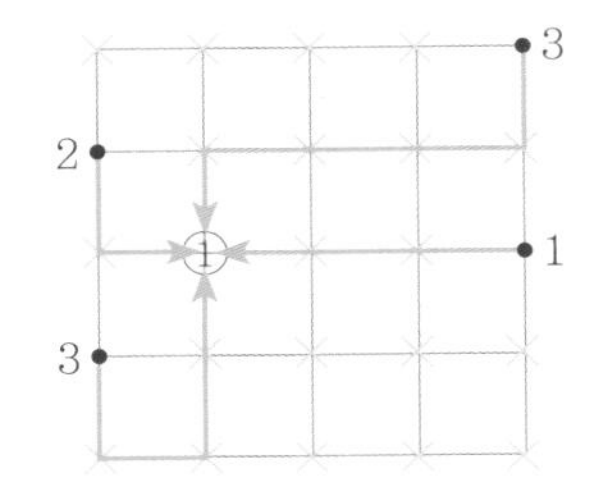

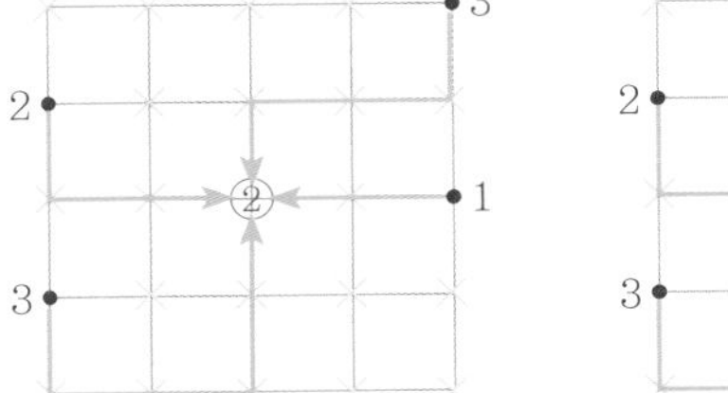

(3)

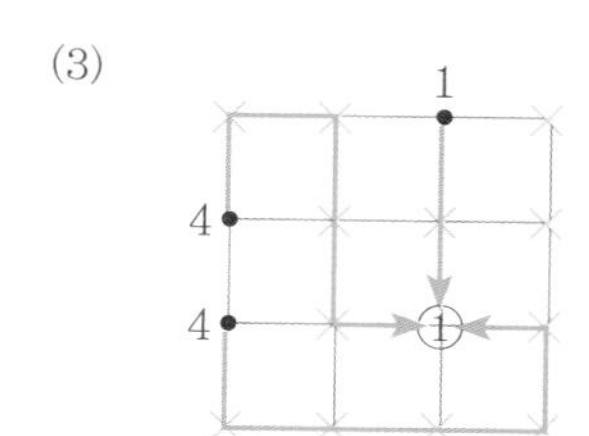

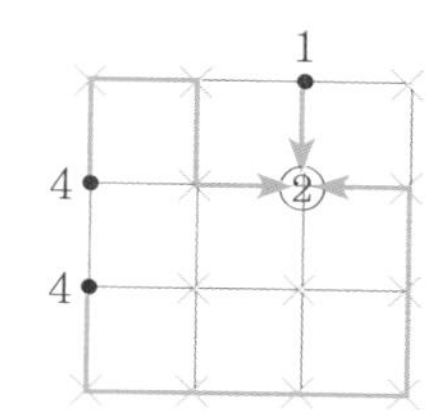

|답| 풀이 참조

유형 탐구

P. 128

01 |답| (1)

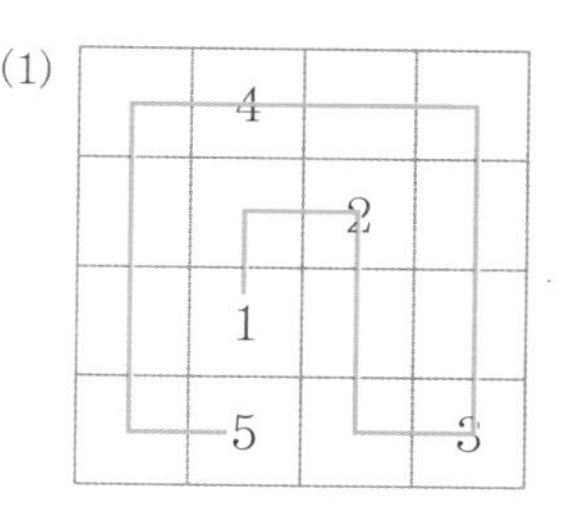

(2)

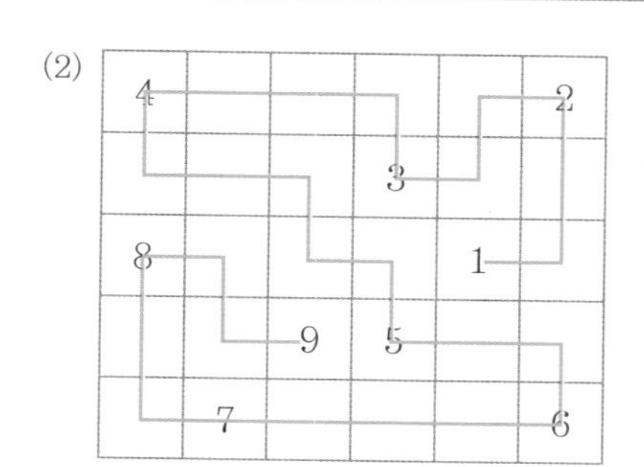

02 |풀이| 사각형에서 3은 한 곳을 빼고 전부 울타리이므로 가장 먼저 생각합니다.
0은 울타리가 없으므로 문제에 ×표를 합니다.
다른 조건에 맞게 울타리를 결정합니다.

			1	
	2		3	
	1			3
3			2	
1		1		0

|답| 풀이 참조

03 |풀이| 텐트가 0인 줄은 ×표를 하고, 나무의 가로, 세로가 아니면 ×표를 합니다.
남은 칸과 수를 고려하여 채웁니다.

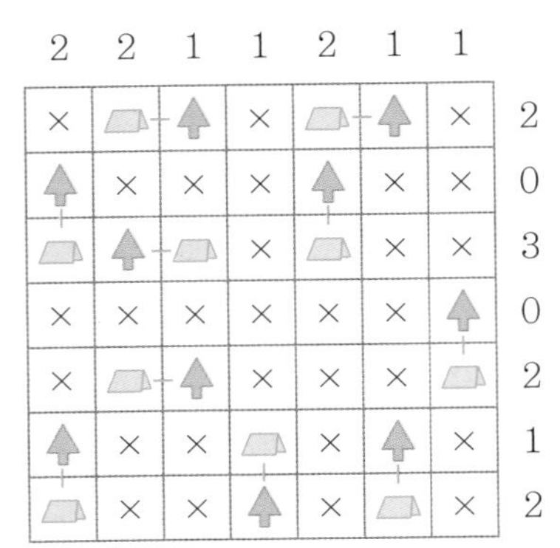

|답| 풀이 참조

04 |답| (1)

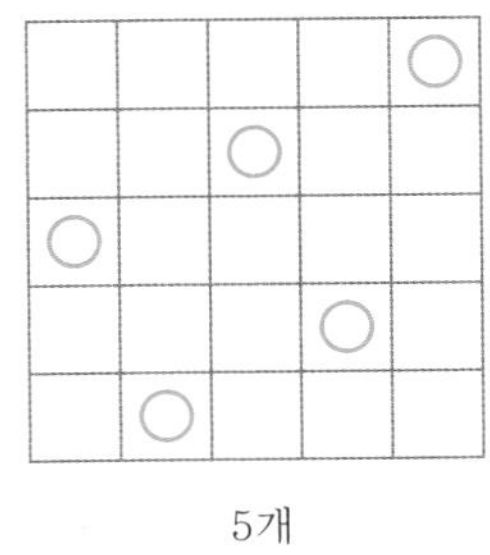

5개

(2)

				○	
		○			
○					
					○
			○		
	○				

6개

대표 유형 탐구 P. 132

|풀이| 색종이를 펼치면 다음과 같습니다.

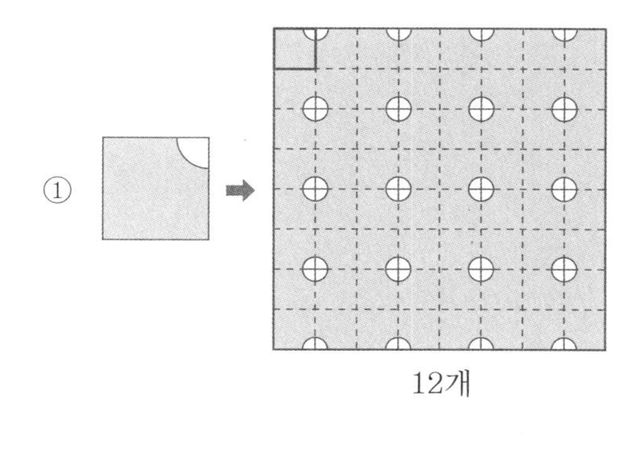
12개

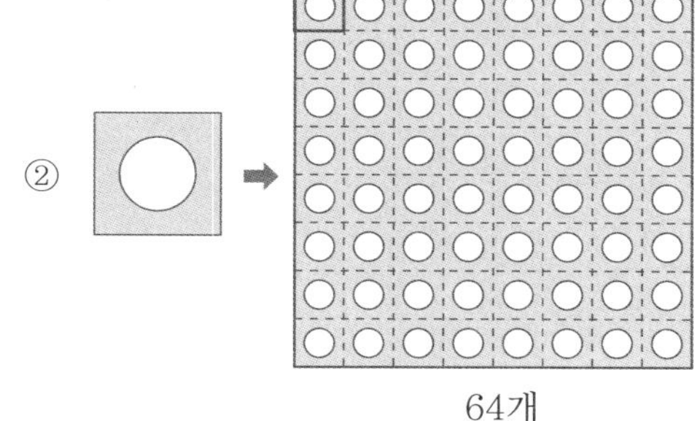
64개

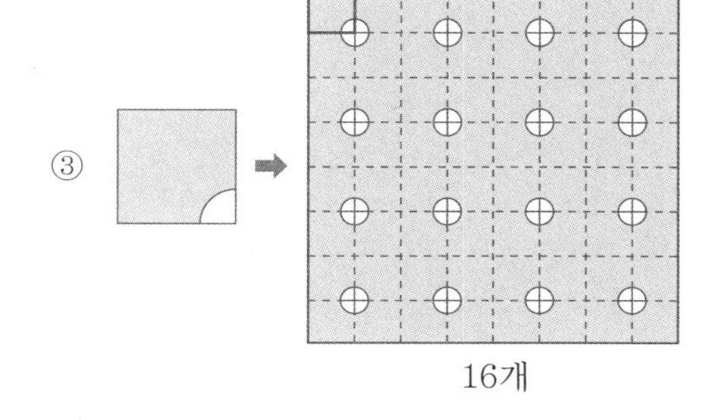
16개

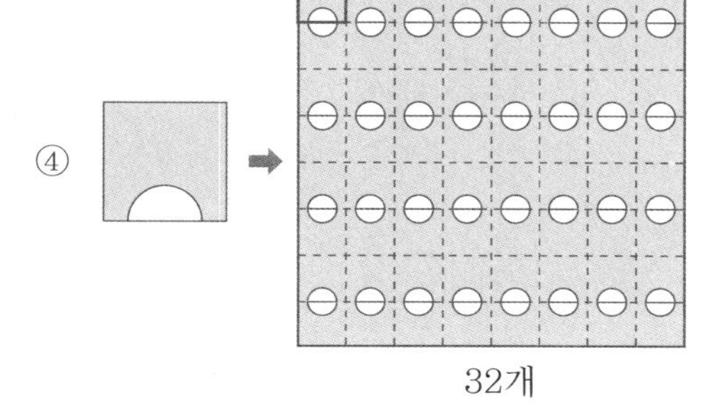
32개

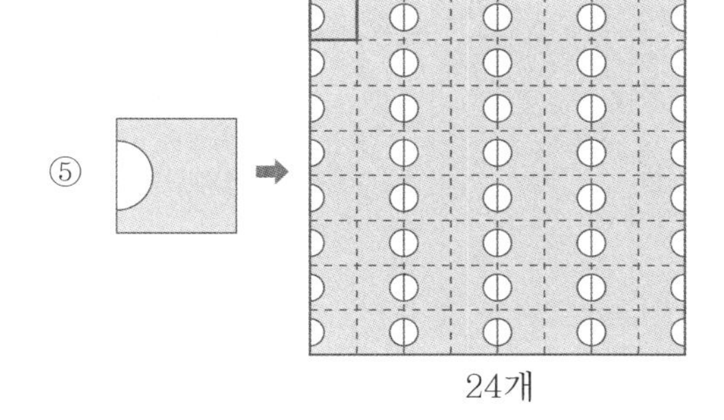
24개

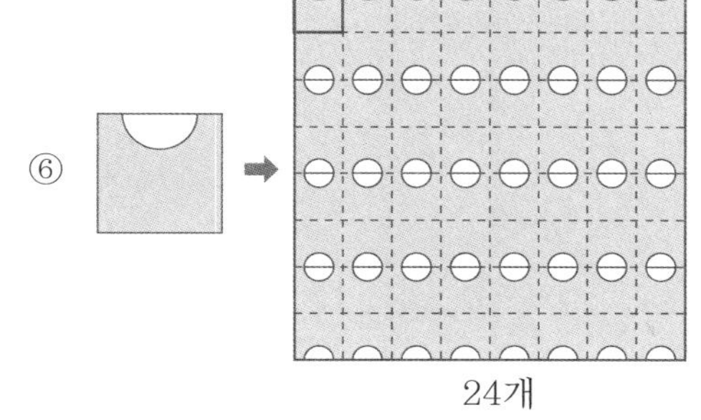
24개

|답| ⑤, ⑥

Drill P. 133

|답| (1)

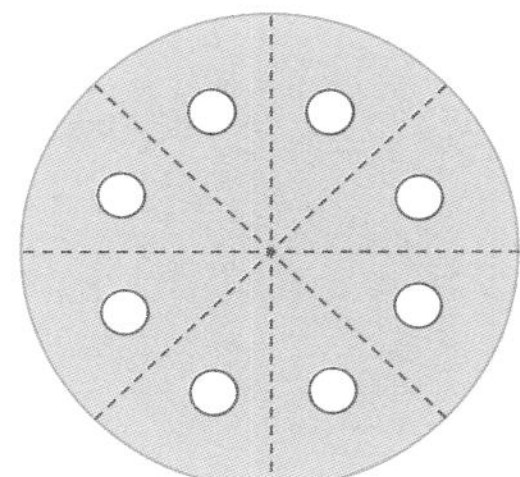

(2)

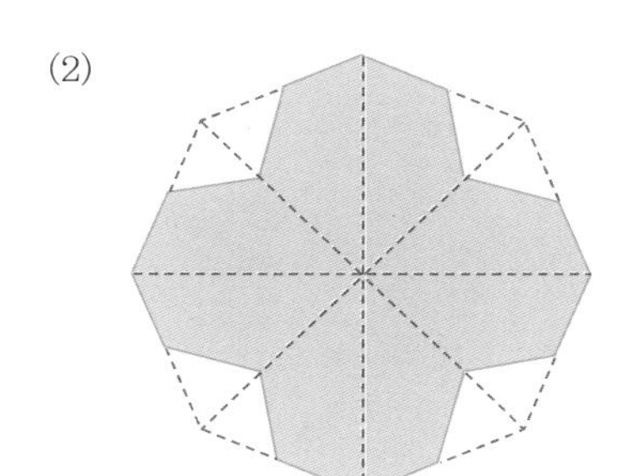

유형 탐구

P. 134

01 |풀이| 오른쪽 그림에서 ①면과 ②면, ②면과 ③면, ③면과 ④면, ①면과 ④면이 서로 대칭입니다.

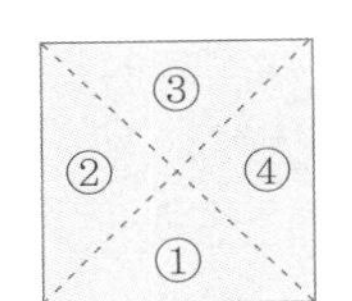

펼치기 ➡

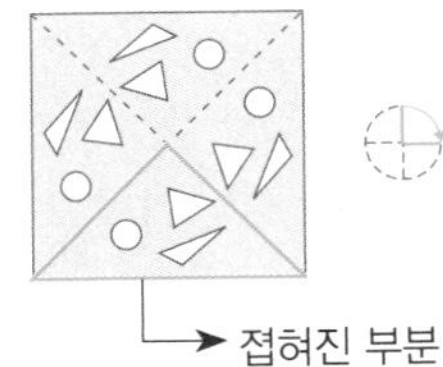

접혀진 부분

따라서 답은 ⑤번입니다.

|답| ⑤

02 |답|

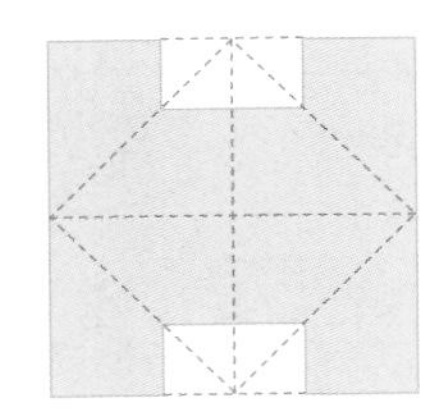

03 |답|

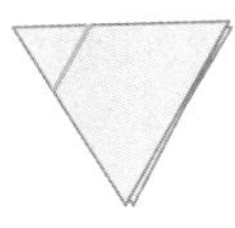

04 |풀이|

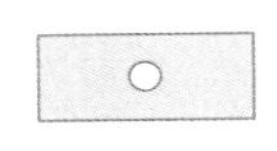

펼치기 ➡

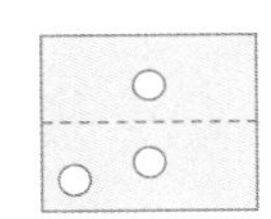

펼치기 ➡

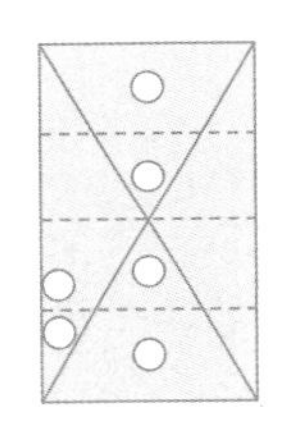

펼치기 ➡

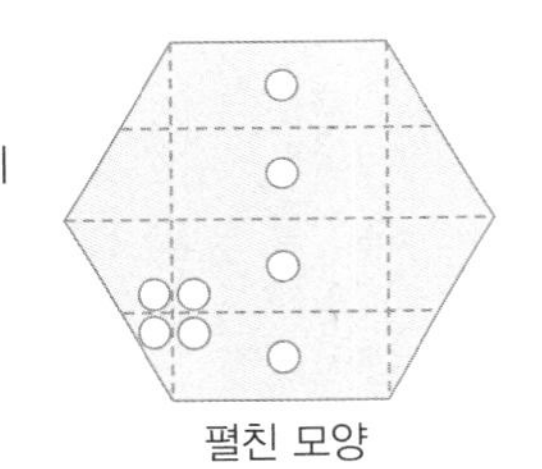

펼친 모양

|답| 8개

Plus 유형

P. 136

01 |풀이| (1)

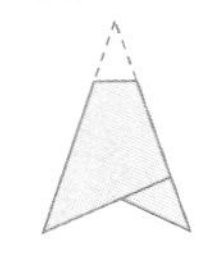

펼치기 ➡

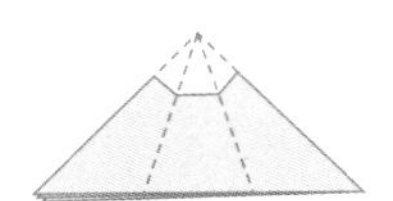

펼치기 ➡

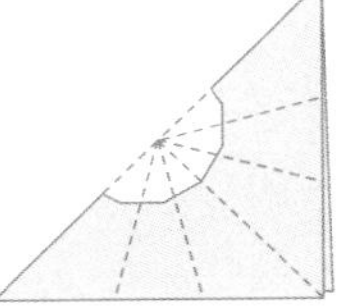

펼치기 ➡

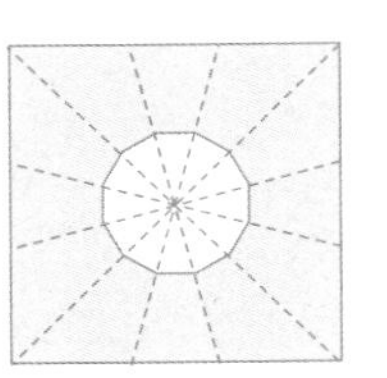

펼친 모양

(2)

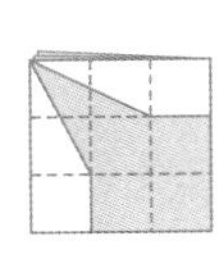

펼치기 ➡

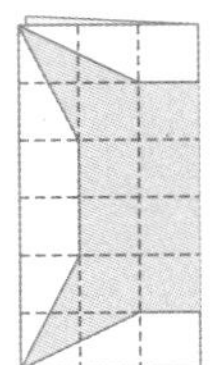

펼치기 ➡

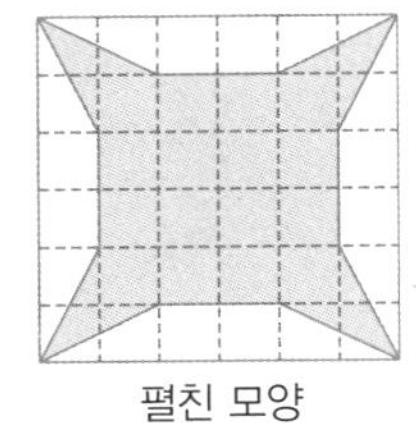

펼친 모양

|답| (1)

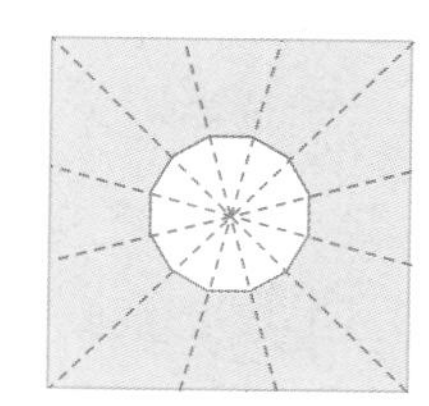

(2)

02 |풀이| 펼친 모양에서 합이 10이 되면서 이웃한 경우를 찾고, 그 모양으로 자를 수 있는지 확인해 봅니다.

1	2	3	4
2	3	4	1
3	1	2	4
4	2	1	3

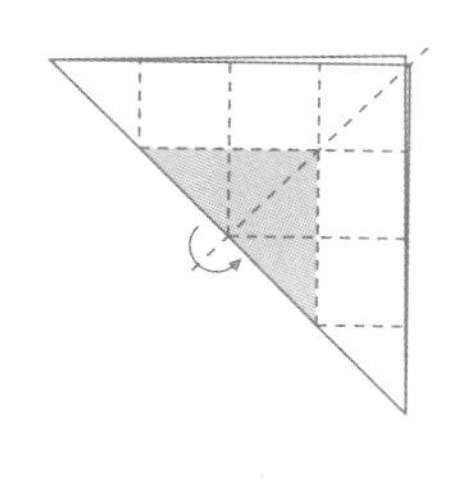

접기

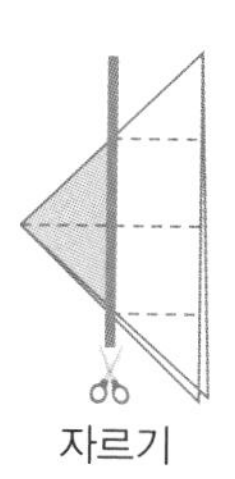

|답|

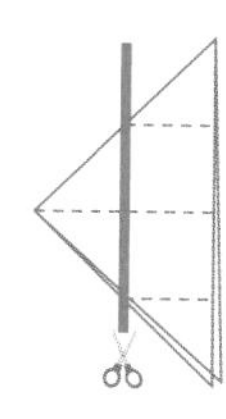

1	2	3	4
2	3	4	1
3	1	2	4
4	2	1	3

대표 유형 탐구 P. 138

|풀이| 거울에 비친 모양을 먼저 그려 봅니다.

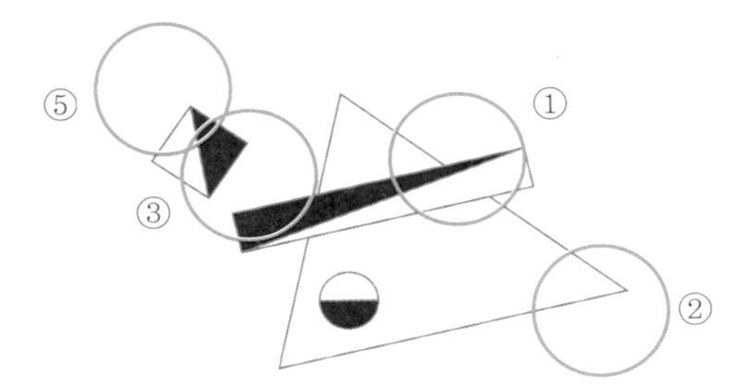

|답| ④

Drill P. 139

|답| (1)

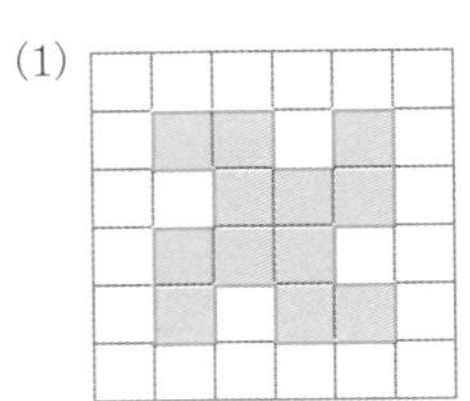

(2)

(3)

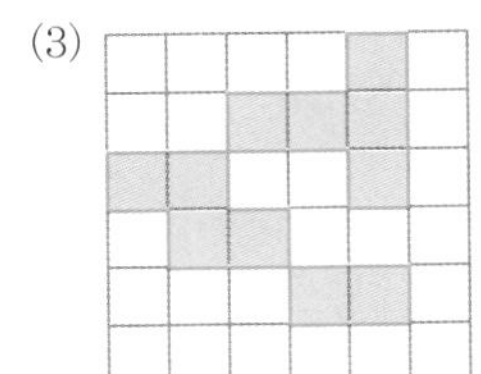

(4)

유형 탐구 P. 140

01 |풀이| 거울을 대는 방향에 따라 4가지 모양이 존재합니다.

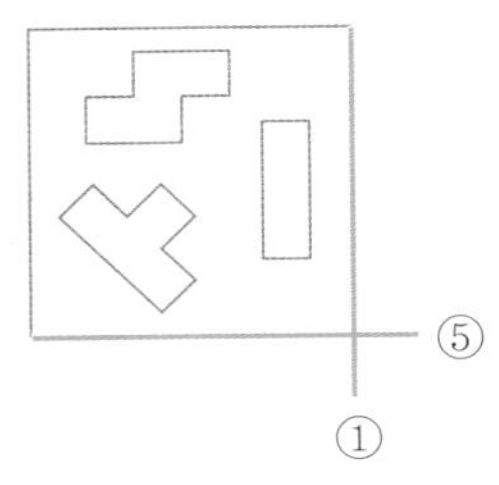

|답| ①, ⑤

02 |풀이|

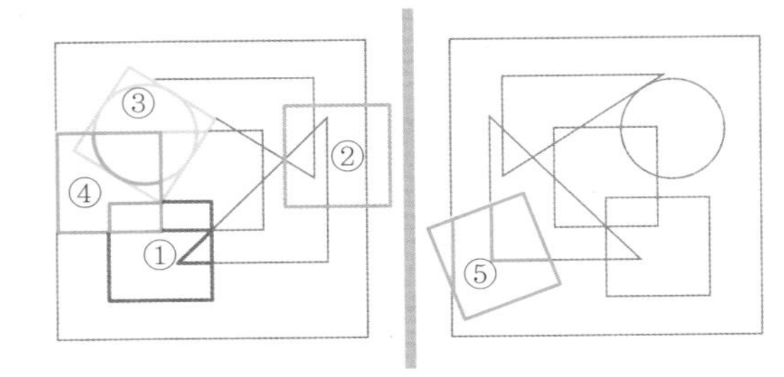

거울에 비친 모양 : ⑤
원래 모양 : ①, ②, ③, ④

|답| ⑤

03 |풀이| 대칭축을 보기에 그어서 가능 여부를 확인해 봅니다.

①
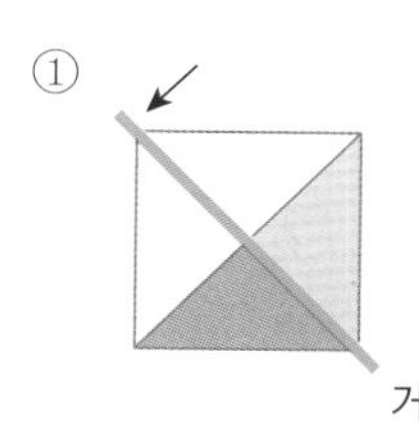

②
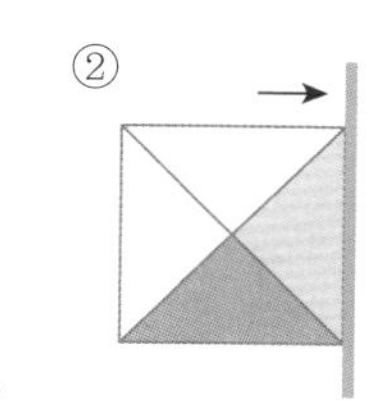

③
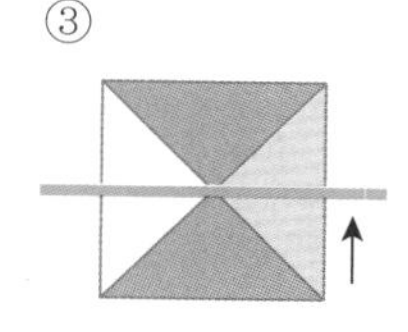

④
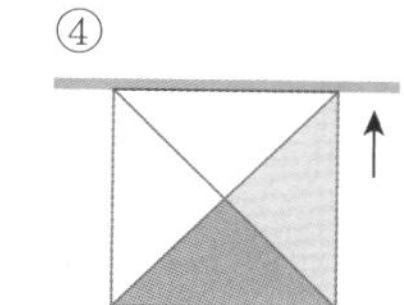

|답| ⑤

Plus 유형

P. 142

01 |풀이| 선대칭위치에 있는지 여부를 확인합니다.

|답| ②

02 |풀이| 점대칭위치에 있습니다.

|답| (1)
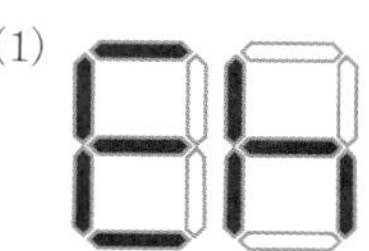
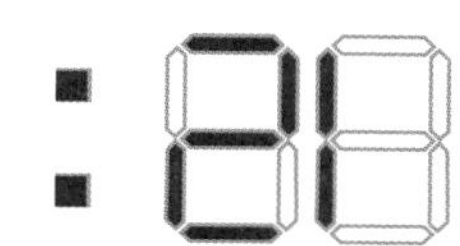

(2)

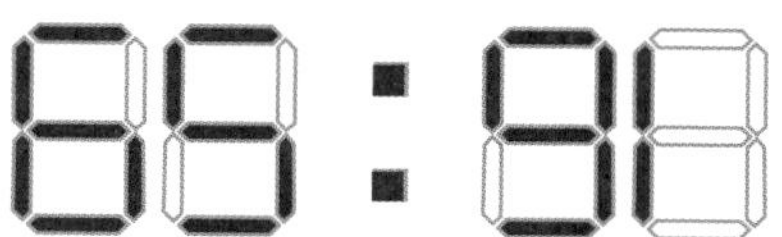

대표 유형 탐구 P. 144

|풀이| 현재 입체도형의 모양은 다음과 같습니다.

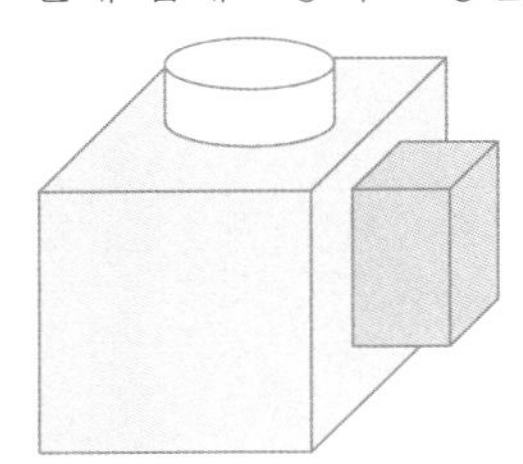

|답|

앞

Drill P. 145

|답| (1)

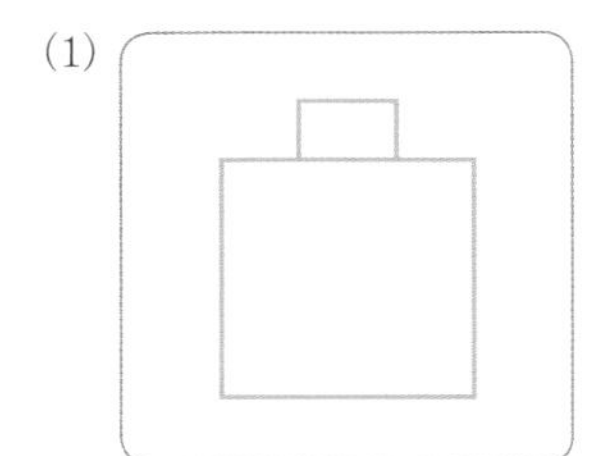

(2)

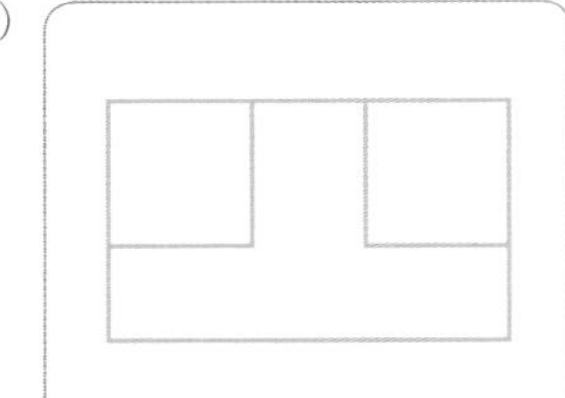

(3)

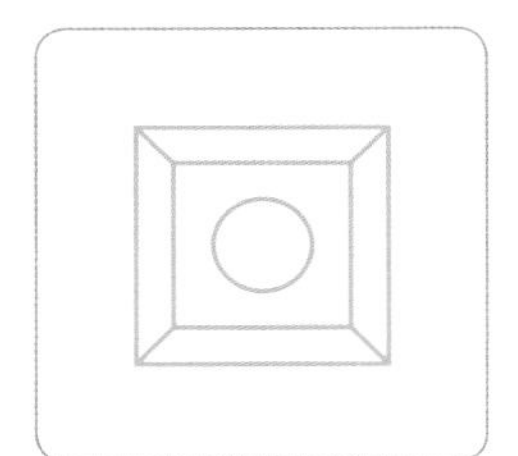

유형 탐구 P. 146

01 |풀이| 입체도형을 위, 앞, 옆에서 본 모양은 다음과 같습니다.

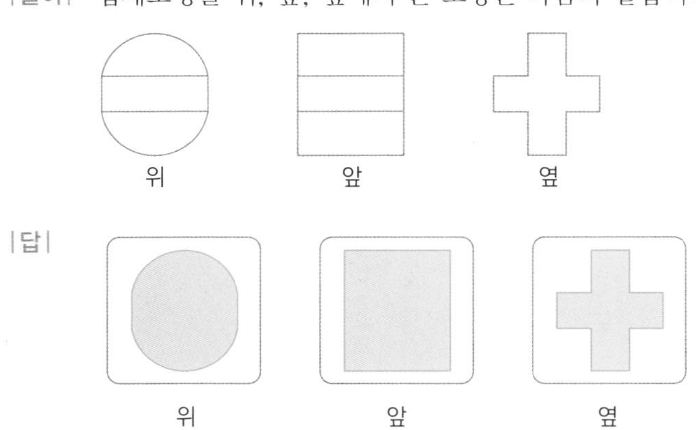

02 |답| ①

Plus 유형

P. 148

01 |풀이| ①번 집은 앞에서 볼 때, 차고가 오른쪽 방보다 뒤쪽에 위치합니다.
②번 집은 출입문 왼쪽에 창문이 없습니다.
④번 집은 앞에서 볼 때, 오른쪽 방이 차고보다 뒤쪽에 위치합니다.

|답| ③

02 |답| ③

수와 연산

1. 포포즈
P. 152

|답|

$(4 + 4) \div (4 + 4) = 1$

$4 \div 4 + 4 \div 4 = 2$

$(4 + 4 + 4) \div 4 = 3$

$(4 - 4) \times 4 + 4 = 4$

$(4 \times 4 + 4) \div 4 = 5$

$(4 + 4) \div 4 + 4 = 6$

$4 + 4 - 4 \div 4 = 7$

$4 \div 4 \times 4 + 4 = 8$

$4 \div 4 + 4 + 4 = 9$

$(4\ 4 - 4) \div 4 = 10$

이 외에도 여러 가지 답이 나올 수 있습니다.

2. 복면산
P. 153

|풀이| 세 자리 수 2개를 더하여 네 자리 수가 되었으므로 S=1입니다. 이를 이용하여 나머지 알파벳이 나타내는 수도 차례로 구합니다.

|답|

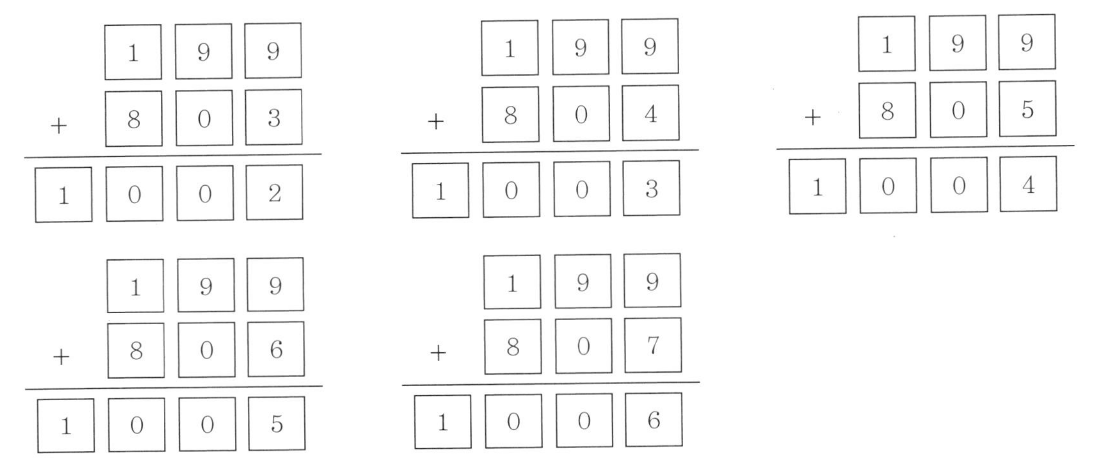

3. 나눗셈
P. 154

|풀이| 2, 3, 4로 각각 나누는 경우로 구합니다.

|답|

340 ÷ 2

430 ÷ 2

304 ÷ 2

420 ÷ 3

402 ÷ 3

240 ÷ 3

204 ÷ 3

320 ÷ 4

4. 약속에 따른 계산

P. 155

|풀이|

<table>
<tr><td rowspan="9">6</td><td rowspan="4">16</td><td rowspan="2">28</td><td>47</td></tr>
<tr><td>74</td></tr>
<tr><td>44</td><td></td></tr>
<tr><td>82</td><td></td></tr>
<tr><td>23</td><td></td><td></td></tr>
<tr><td rowspan="3">32</td><td rowspan="2">48</td><td>68</td></tr>
<tr><td>86</td></tr>
<tr><td>84</td><td></td></tr>
<tr><td>61</td><td></td><td></td></tr>
</table>

|답| 16, 23, 32, 61, 28, 44, 82, 48, 84, 47, 74, 68, 86

5. 식 만들기

P. 156

|답|

$1 + 2 + 3 - 4 + 5 + 6 + 7 \quad 8 + 9 = 100$

$1 + 2 + 3 + 4 + 5 + 6 + 7 + 8 \times 9 = 100$

$1 \times 2 + 3 + 4 \quad 5 + 6 \quad 7 - 8 - 9 = 100$

$1 + 2 + 3 \times 4 - 5 - 6 + 7 + 8 \quad 9 = 100$

$1 + 2 + 3 \times 4 \times 5 \div 6 + 7 \quad 8 + 9 = 100$

$1 + 2 + 3 \times 4 \times 5 \quad 6 \div 7 - 8 + 9 = 100$

$1 + 2 + 3 \quad 4 - 5 + 6 \quad 7 - 8 + 9 = 100$

$1 + 2 + 3 \quad 4 \times 5 + 6 - 7 - 8 \times 9 = 100$

이 외에도 답은 여러 가지가 나올 수 있습니다.

1. 도형 그리기

P. 157

|답|

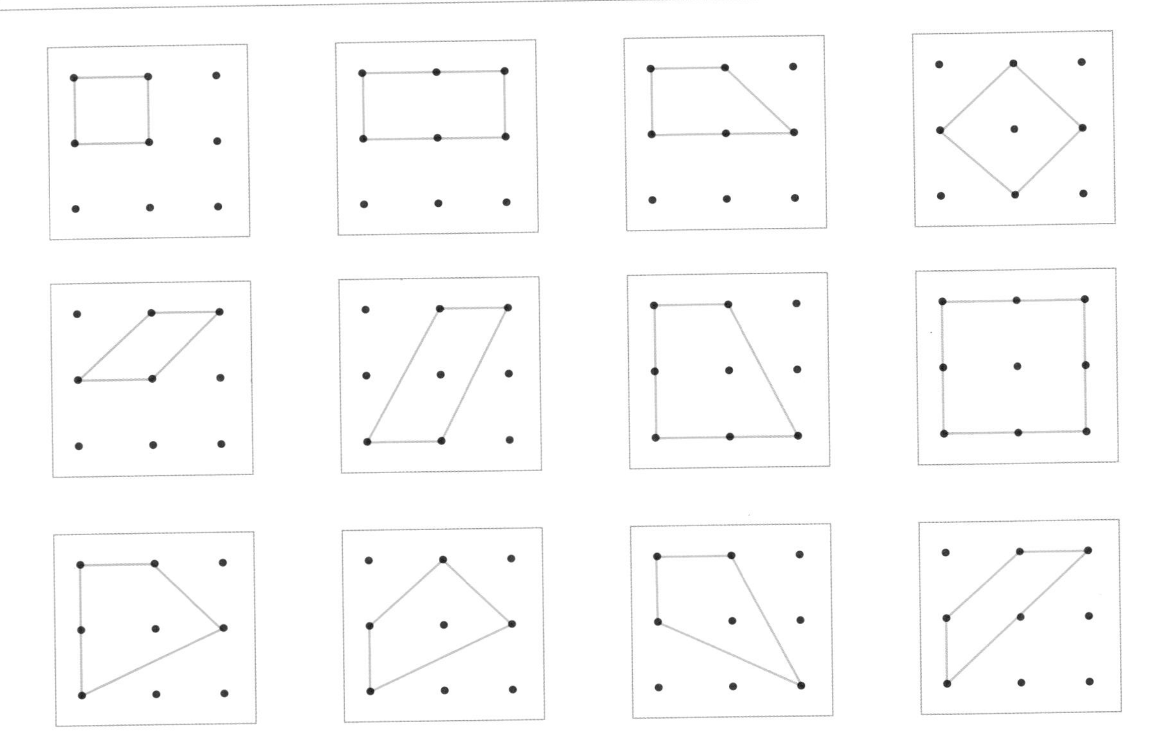

2. 조건에 맞게 그리기

P. 158

|풀이| 꼭짓점을 지나려면 모서리 부분은 반드시 ⁚⁚⁚과 같아야 합니다.
모든 점을 지나려면 오목 들어간 부분이 있어야 하므로(경로의 길이와 둘레의 길이가 같아야 하므로) 어느 부분이 오목 들어가는 지에 따라 경우를 나누어 찾아봅니다.(정사각형 4개만큼 오목 들어가야 합니다.)

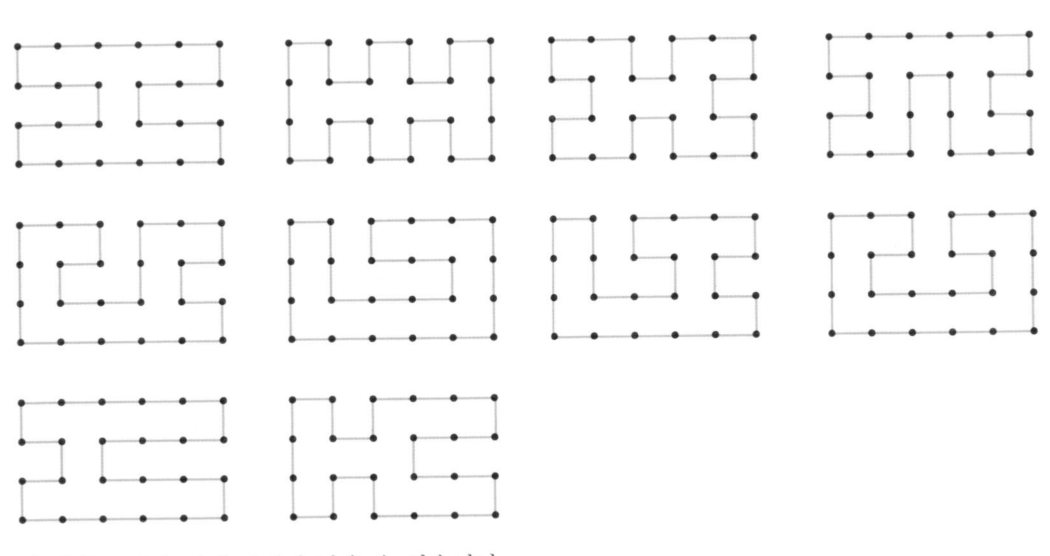

이 외에도 답은 여러 가지가 나올 수 있습니다.

|답| 풀이 참조

3. 도형 나누기

P. 159

|답|

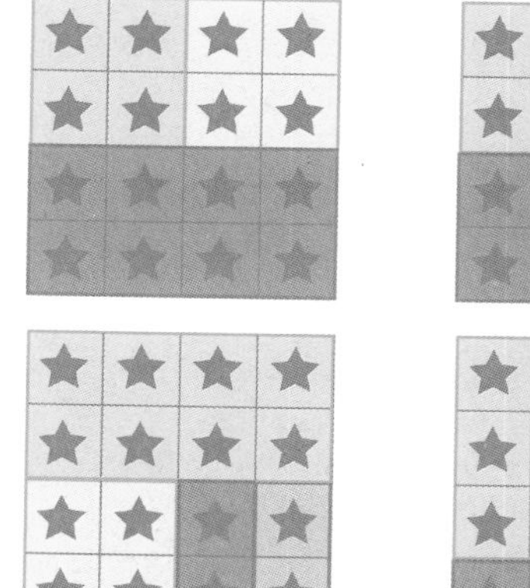

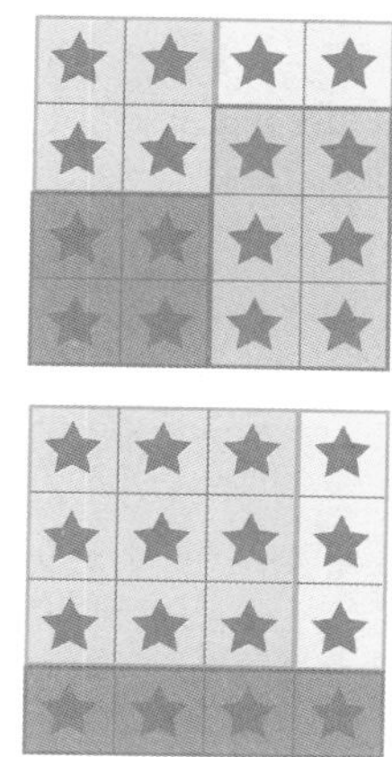

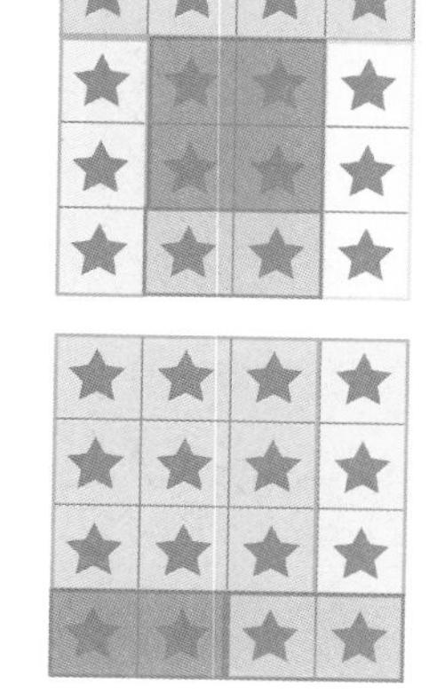

4. 도형 붙이기

P. 160

|답| (1) (2)

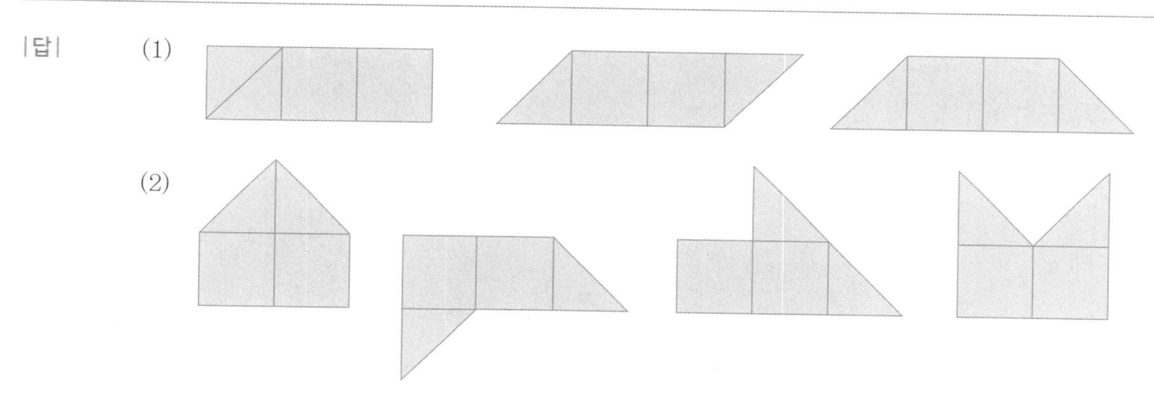

5. 정육면체 전개도

P. 161

|풀이| 가로로 이어 붙은 정사각형의 개수가 4개인 경우, 3개인 경우, 2개인 경우로 각각 나누어 찾습니다.

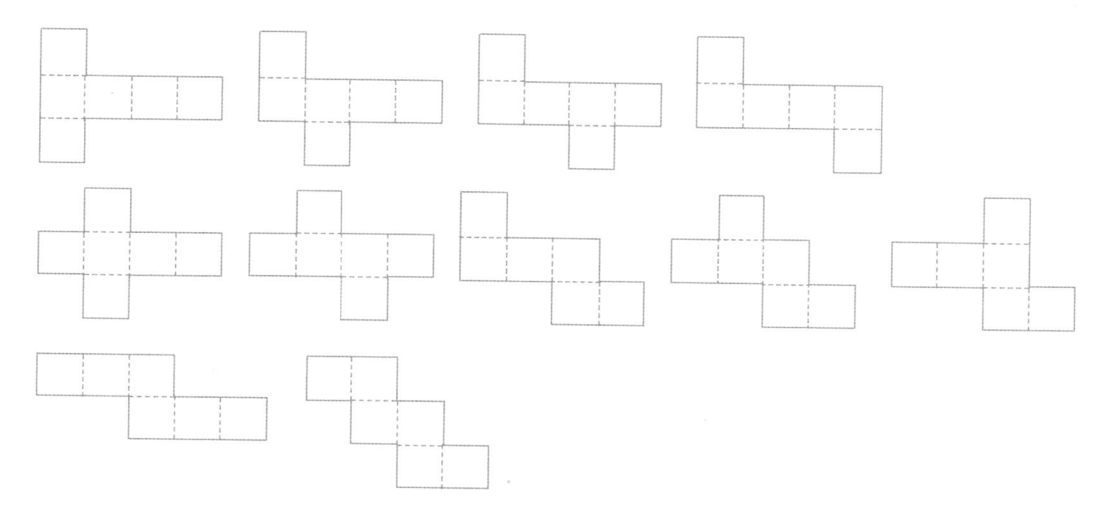

1. 수 배열 규칙

P. 162

|풀이|

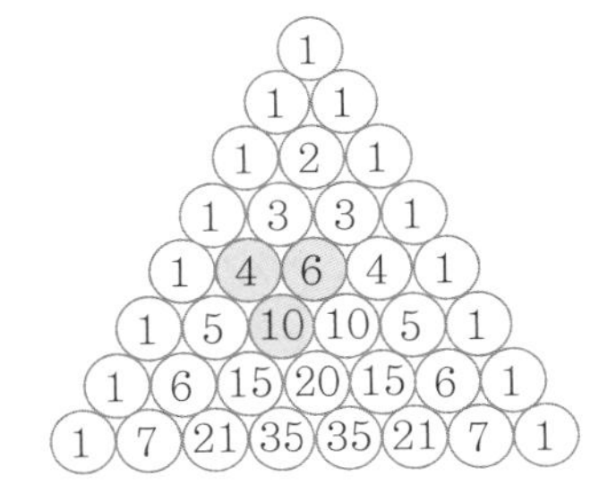

위의 왼쪽 수와 오른쪽 수를 더하면 아래의 수가 나옵니다.

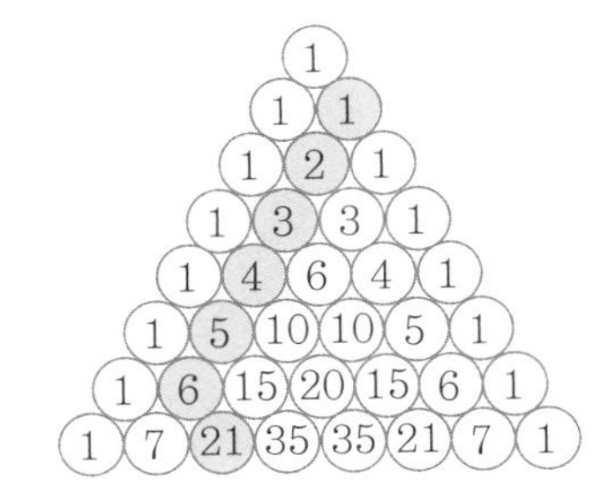

각 행의 첫째 번 수나 마지막 수인 1에서 시작하여 대각선 방향에 배열된 수들을 더하면 그 다음 행의 오른쪽이나 왼쪽에 있는 수가 됩니다.

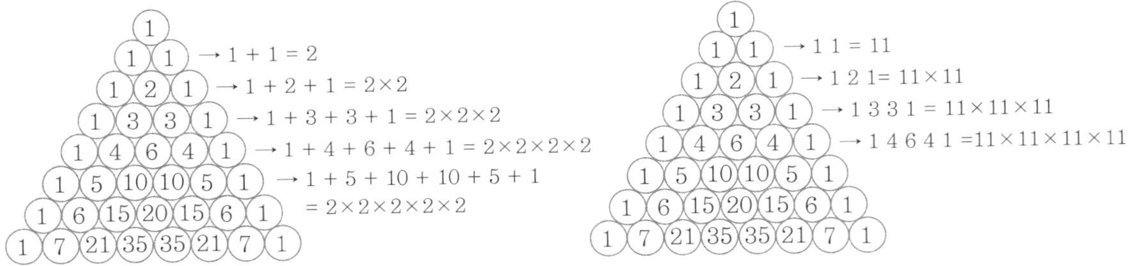

각 행에 배열된 수를 더하면 2의 거듭제곱이 됩니다.

1행부터 4행까지의 수를 각각 연속하여 배열하면 11의 거듭제곱이 됩니다.

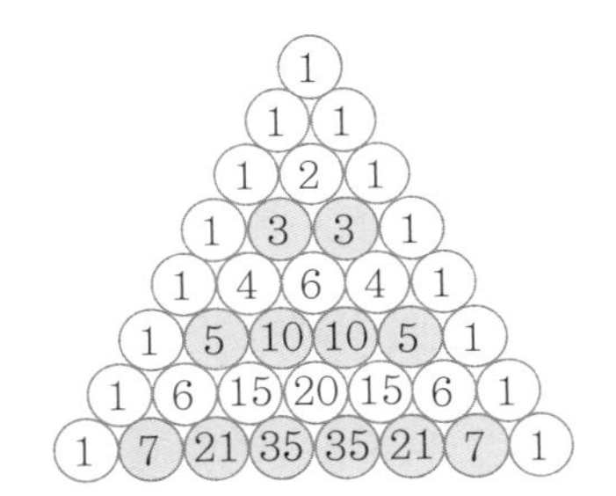

둘째 번 줄을 1행이라고 할 때, 1을 제외한 모든 수는 그 행의 배수가 됩니다.

이 외에도 여러 가지 답이 나올 수 있습니다.

|답| 풀이 참조

2. 눈금 없는 철사 자

P. 163

|답|

길이(cm)	재는 방법
1	4 - 3
2	2
3	3
4	4
5	5
6	5 + 3 −2
7	3 + 4
8	5 + 3

길이(cm)	재는 방법
9	5 + 5 + 3 − 4
10	5 + 5
11	5 + 5 − 3 + 4
12	5 + 3 + 4
13	5 + 5 + 3
14	2 + 5 + 3 + 4
17	5 + 5 + 3 + 4

3. 양팔저울

P. 164

|답|

무게(g)	재는 방법
1	3 + 5 - 7
2	5 − 3
3	3
4	7 − 3
5	5
7	7

무게(g)	재는 방법
8	3 + 5
9	7 + 5 − 3
10	7 + 3
12	7 + 5
15	7 + 5 + 3

4. 둘레가 같은 도형

P.165

|답|

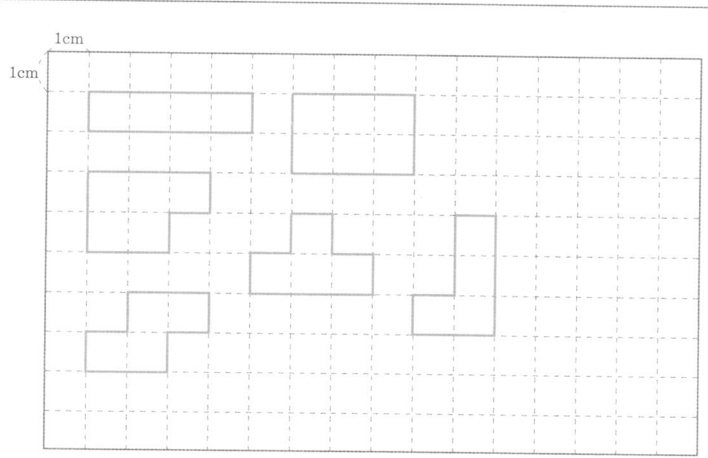

5. 넓이가 같은 도형

P. 166

| 답 |

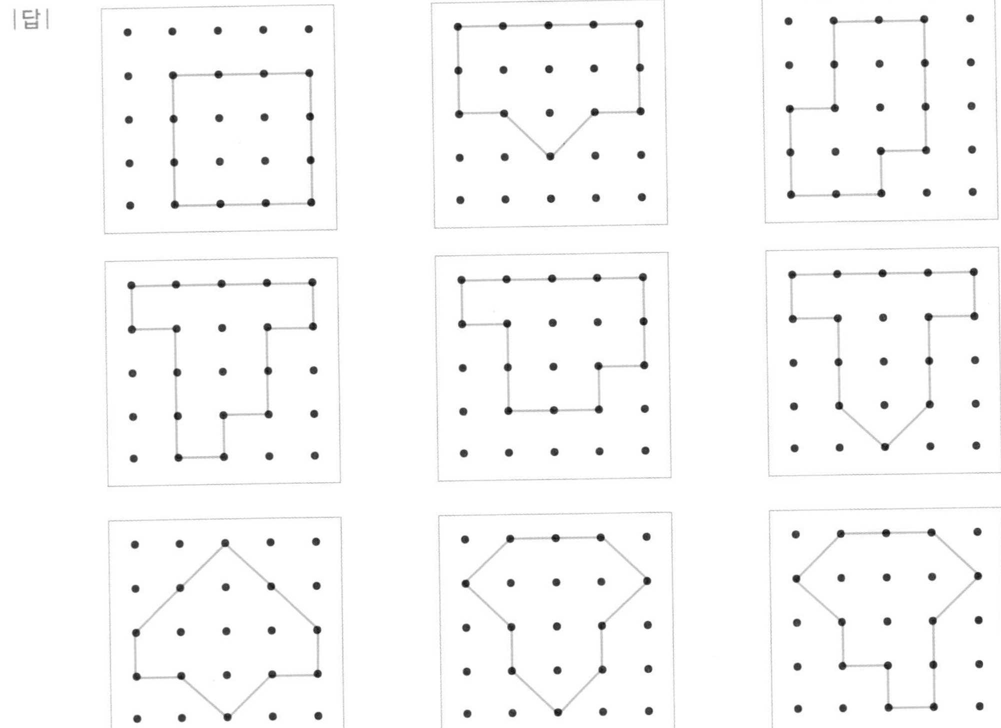

1. 길 찾기

P. 167

|답|

(1) A – [B] – [C] – [E] – [D] – F

(2) A – [B] – [D] – [E] – [C] – F

(3) A – [C] – [B] – [D] – [E] – F

(4) A – [C] – [E] – [D] – [B] – F

(5) A – [D] – [B] – [C] – [E] – F

(6) A – [D] – [E] – [C] – [B] – F

(7) A – [E] – [D] – [B] – [C] – F

(8) A – [E] – [C] – [B] – [D] – F

2. 같은 합 만들기

P. 168

|답|

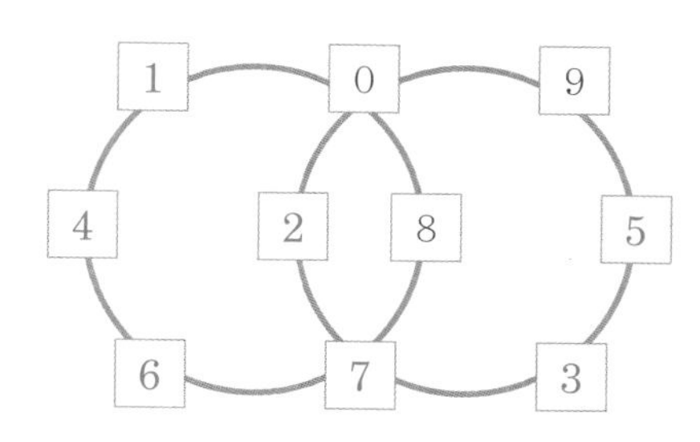

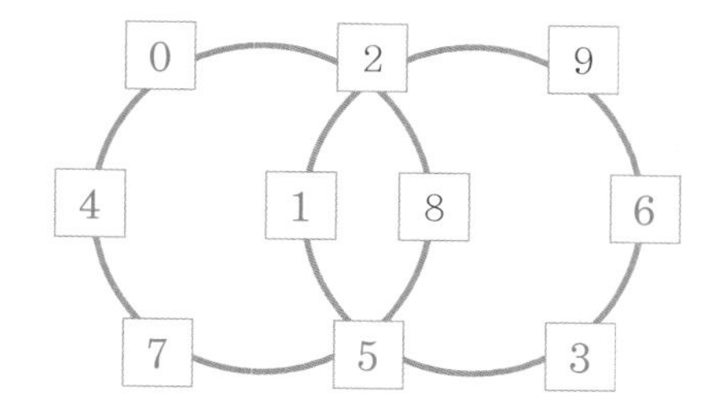

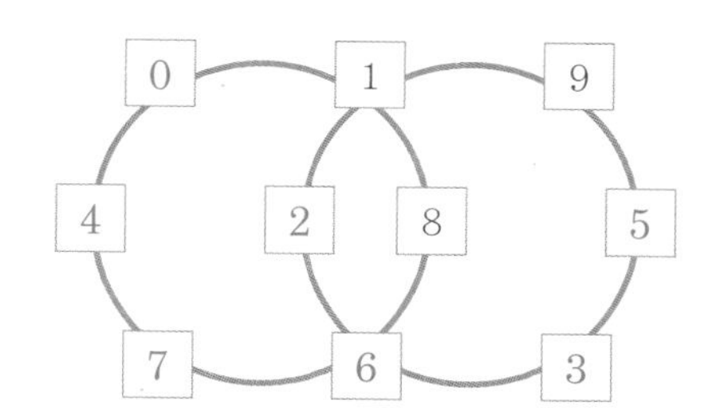

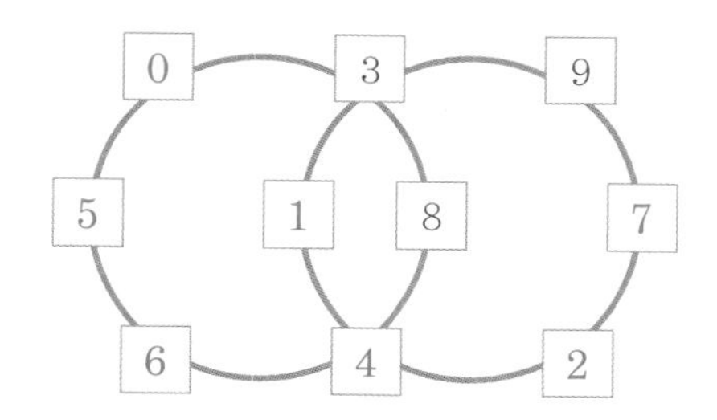

3. 두 수의 차

P. 169

|답|

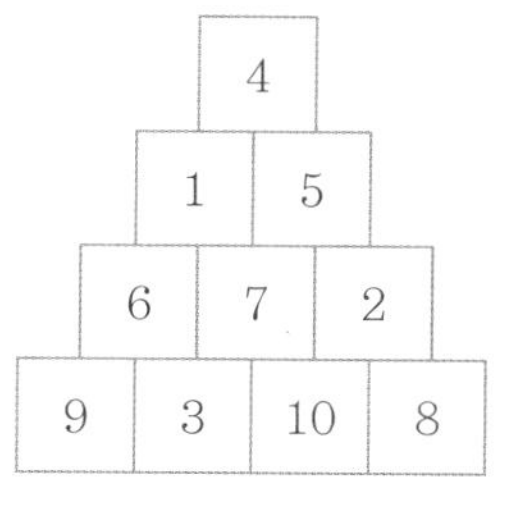

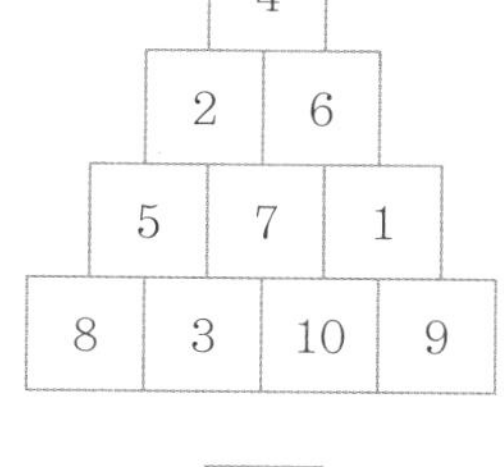

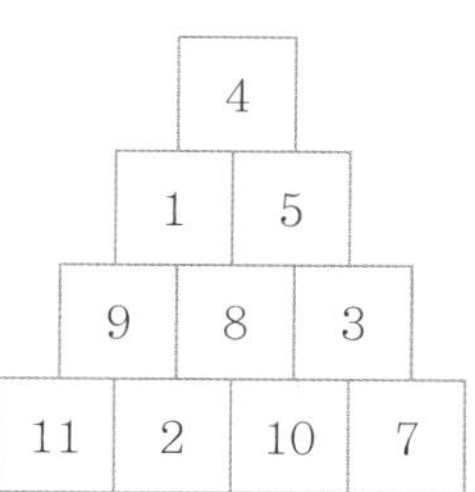

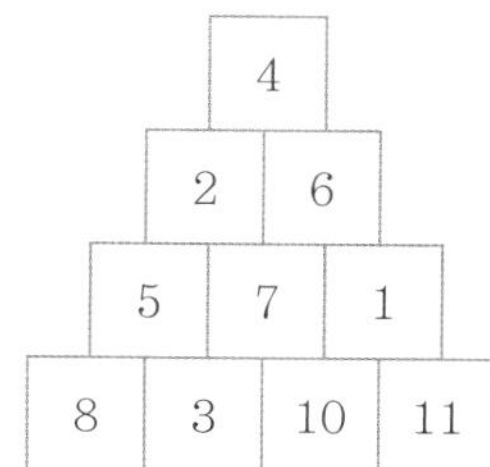

4. 선잇기 퍼즐

P. 170

|풀이| 0의 주변에는 선분을 그을 수 없고, 선분은 모두 연결되어 있어야 하므로 왼쪽 위의 모서리에 있는 2 주변에는 2 또는 2 와 같이 선분을 이어야 합니다.

|답|

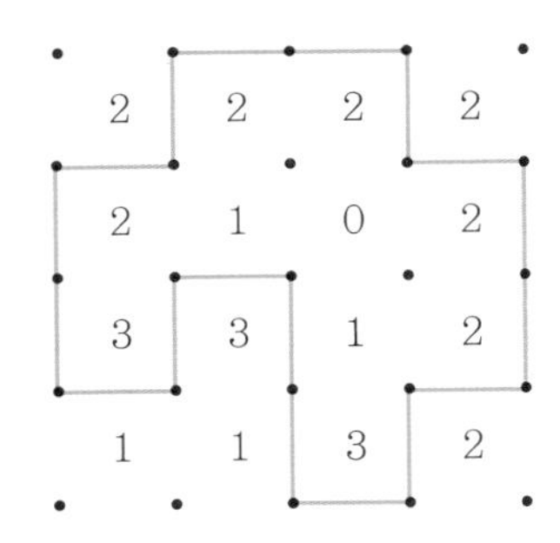

5. 도형 나누기 퍼즐

P. 171

|답|

	2				
	2			4	
3			5		
	5				3
				5	
	6				1

1. 고대의 수

P. 174

01 |답|

(1) 25 / 373

64 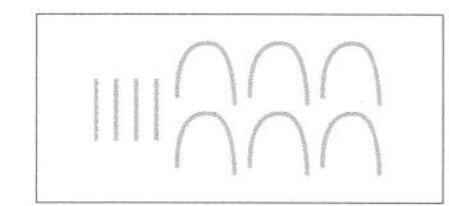

2806 

|답안 예시| (2)

고대 이집트 수는
- 인도·아라비아 수보다 모양이 복잡하게 생겼습니다.
- 각 자릿값을 나타내는 숫자가 따로 정해져 있습니다.
- 자릿값을 나타내는 수를 어느 위치에 써도 원래의 수는 변하지 않습니다.
- 0을 나타내는 숫자가 없습니다.
- 수를 오른쪽에서부터 왼쪽으로 썼습니다.

02 |답|

(1) 154 / 1615

64 

2846 

|답안 예시| (2)

고대 그리스 수는
- 고대 이집트 수와 1에서 4까지 모양이 똑같지만 그 이상의 수는 모양이 다릅니다.
- 기준이 되는 수로써 5, 50, 500, … 을 나타내는 숫자가 있습니다.
- 수를 왼쪽에서 오른쪽으로 썼습니다.

03 |답|

(1) XXXIX 39 / DCLVII 657

64 LXIV

2846 MMDCCCXLVI

|답안 예시| (2)

로마 수는
- 0의 개념이 없기 때문에 큰 수를 나타내려면 그에 해당하는 새로운 기호를 도입해야 하고, 새로 만든 수를 외우고 있어야 합니다.
- 여러 개의 수를 더해서 수를 나타내었기 때문에 큰 수를 나타내려면 써야 하는 숫자의 개수가 많습니다.
- 기준 수에 붙이는 방향에 따라 수가 달라지기 때문에 수를 쓰기 복잡하고, 한 눈에 알아보기 어렵습니다.

2. 거울과 대칭

P. 178

01 | 답안 예시 |

① 숟가락
② 컵
③ 구슬
④ 책상
⑤ 의자
⑥ 이어폰
⑦ 연필
⑧ CD
⑨ 자동차
⑩ 아파트
⑪ 가방
⑫ 별
⑬ 안경
⑭ 바지
⑮ 양팔저울
⑯ 횡단보도

이 외에도 여러 가지가 있습니다.

02 | 답 |

거울 ❶

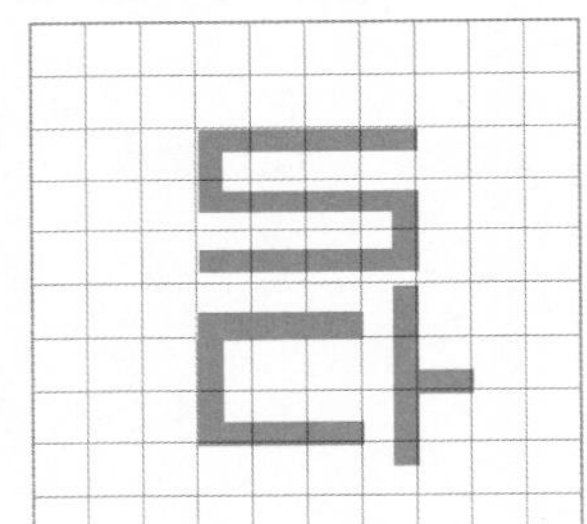

➡ 보는 방향

⬇ 보는 방향

거울 ❷

03 | 풀이 |

그림 한가운데의 세로선을 중심으로 좌우대칭을 이루는 것을 찾으면 다음과 같습니다.
➡ 산봉우리 5개, 왼쪽의 달과 오른쪽의 해, 소나무 4그루, 파도

| 답 |

풀이 참조

3. 시차

P. 182

01 | 답 |

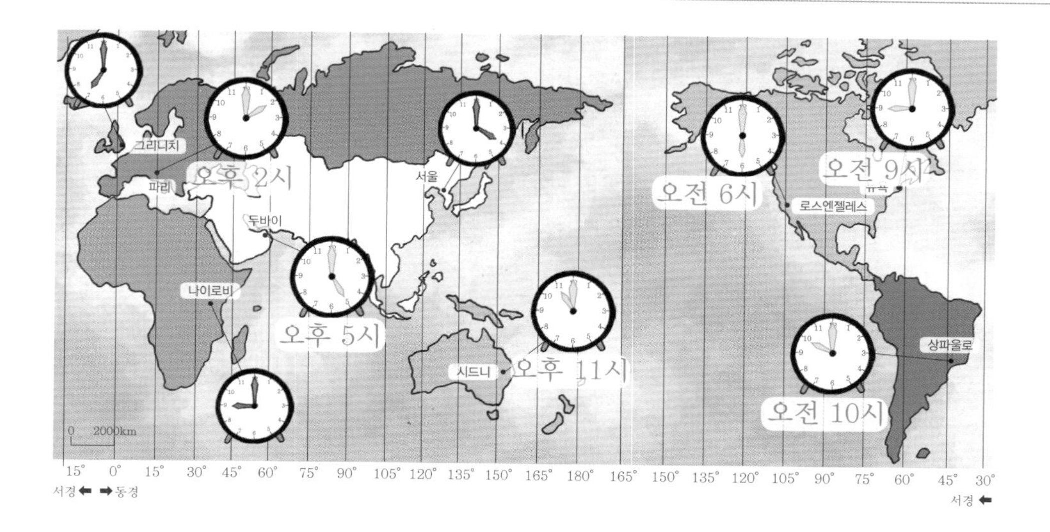

02 | 풀이 |

(1) (인천 시각) − (방콕 시각) = (오후 6시) − (오후 4시) = 2시간
(방콕 시각) − (프랑크푸르트 시각) = (오후 4시) − (오전 11시) = 5시간
(프랑크푸르트 시각) − (뉴욕 시각) = (오전 11시) − (오전 5시) = 6시간
(인천 시각) − (뉴욕 시각) = (오후 6시) − (오전 5시) = 13시간

(2) 각 도시에 도착한 시각을 출발 도시의 시각으로 바꾸어 구합니다.

• 인천 → 방콕
(비행기를 탄 시간) = (오전 11시 + 2시간) − (오전 7시)
= (오후 1시) − (오전 7시) ← 인천 시각
= 6시간

• 방콕 → 프랑크푸르트
(비행기를 탄 시간) = (오후 9시 + 5시간) − (오후 2시)
= (오전 2시) − (오후 2시)
8월 16일　　8월 15일 ← 방콕 시각
= 12시간

따라서 인천에서 프랑크푸르트까지 비행기를 탄 시간은 (6시간) + (12시간) = (18시간)입니다.

(3) (2)와 같은 방법으로 각 도시에 도착한 시각을 출발 도시의 시각으로 바꾸어 구합니다.

• 프랑크푸르트 → 뉴욕
(비행기를 탄 시간) = (오전 8시 + 6시간) − (오전 6시)
= (오후 2시) − (오전 6시) ← 프랑크푸르트 시각
= 8시간

그런데 인천에서 프랑크푸르트까지 간 시간(18시간)보다 프랑크푸르트에서 인천으로 돌아올 때 5시간 30분이 더 걸렸다고 하였으므로 프랑크푸르트에서 인천으로 올 때 비행기를 탄 시간은 (18시간) + (5시간 30분) = (23시간 30분)입니다.
따라서 뉴욕에서 인천까지 비행기를 탄 시간은 (23시간 30분) − (8시간) = (15시간 30분)입니다.

• 뉴욕 → 서울

(도착 시각) = (오후 4시) + (15시간 30분) = (오전 7시 30분)

8월18일 ← 뉴욕 시각　　　　8월 19일 ← 뉴욕 시각

그런데 서울은 뉴욕보다 13시간이 빠르므로 인천 시각으로 바꾸면

(오전 7시 30분) + (13시간) = (오후 8시 30분)입니다.

8월19일 ← 뉴욕 시각　　　　8월19일 ← 인천 시각

|답| (1)

도시		시차
인천	방콕	2시간
방콕	프랑크푸르트	5시간
프랑크푸르트	뉴욕	6시간
뉴욕	인천	13시간

(2) 18시간

(3) 오후 8시 30분(8월 19일)

4. 물통과 그래프

P. 186

01 |답| (1)

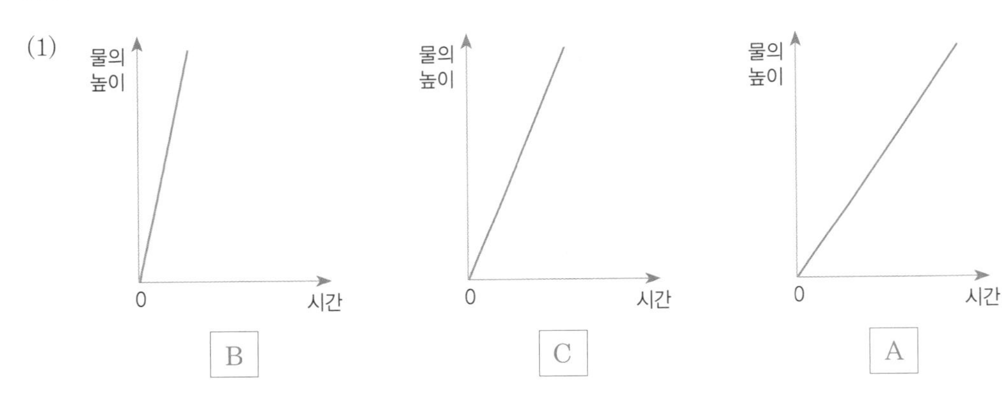

(2) 기울기가 큰 그래프일수록 물이 빨리 채워진다는 것이고, 물이 빨리 채워지려면 물통의 들이가 작아야 합니다. 따라서 기울기가 큰 그래프일수록 물통의 들이는 작아야 합니다.

02 |답|

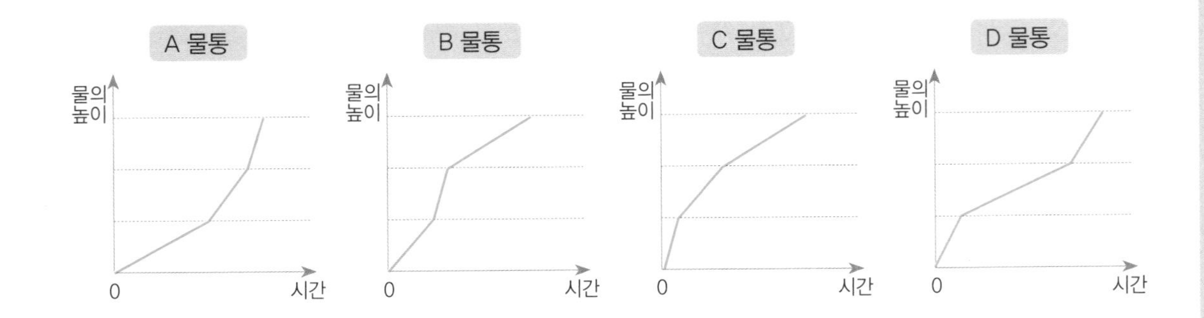

03 |답안 예시| (1)

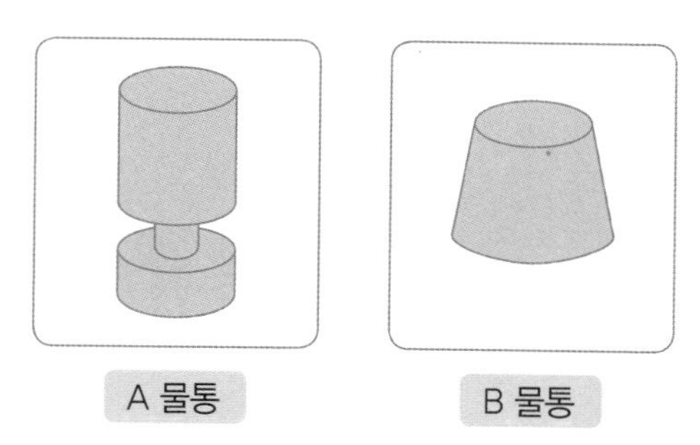

(2)

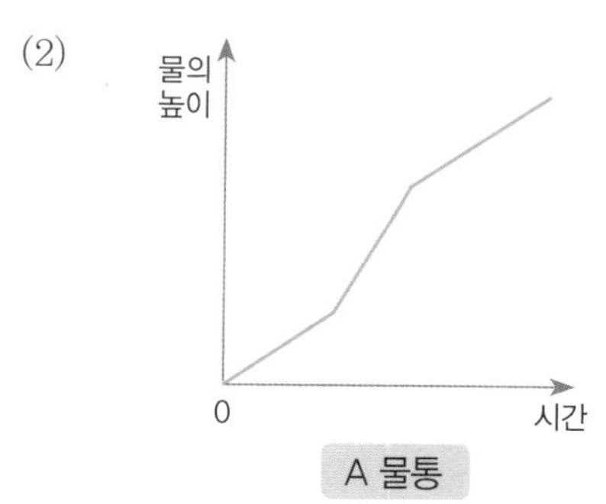

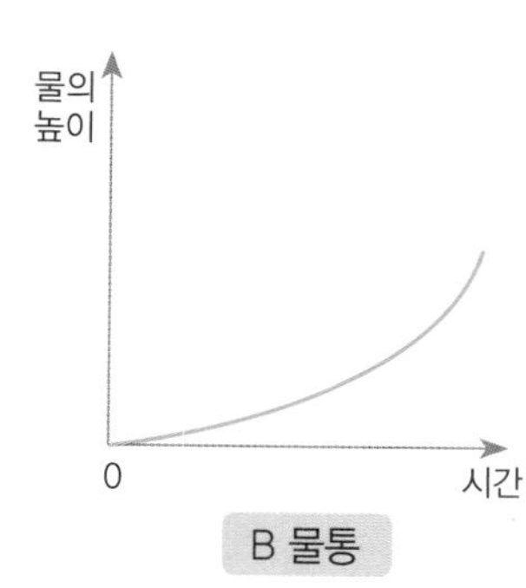

5. 님게임

P. 190

01 |풀이|

반드시 이기는 방법

내 차례에 가져와야 하는 성냥개비를 거꾸로 생각하여 찾아보면 다음과 같습니다.

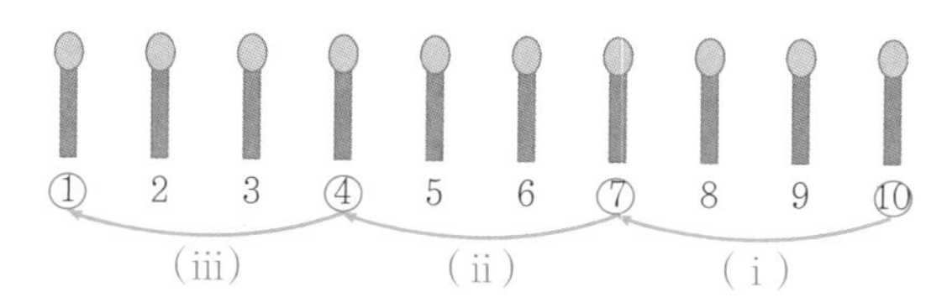

(i) 10번 성냥개비를 가져오기 위해서는 내 차례에 7번 성냥개비를 가져와야 합니다.
→ 이후 상대가 성냥개비 1개(8번)를 가져가면 내 차례에 성냥개비 2개(9, 10번)를 가져옵니다.
→ 이후 상대가 성냥개비 2개(8, 9번)를 가져가면 내 차례에 성냥개비 1개(10번)를 가져옵니다.

(ii) 7번 성냥개비를 가져오기 위해서는 내 차례에 4번 성냥개비를 가져와야 합니다.
→ 이후 상대가 성냥개비 1개(5번)를 가져가면 내 차례에 성냥개비 2개(6, 7번)를 가져옵니다.
→ 이후 상대가 성냥개비 2개(5, 6번)를 가져가면 내 차례에 성냥개비 1개(7번)를 가져옵니다.

(iii) 4번 성냥개비를 가져오기 위해서는 내 차례에 1번 성냥개비를 가져와야 합니다.
→ 이후 상대가 성냥개비 1개(2번)를 가져가면 내 차례에 성냥개비 2개(3, 4번)를 가져옵니다.
→ 이후 상대가 성냥개비 2개(2, 3번)를 가져가면 내 차례에 성냥개비 1개(4번)를 가져옵니다.

내가 반드시 이기기 위해서는 먼저 시작하여 1번 성냥개비 1개를 가져와야 합니다.

|답| 풀이 참조

02 |풀이|

반드시 이기는 방법

내 차례에 가져와야 하는 성냥개비를 거꾸로 생각하여 찾아보면 다음과 같습니다.

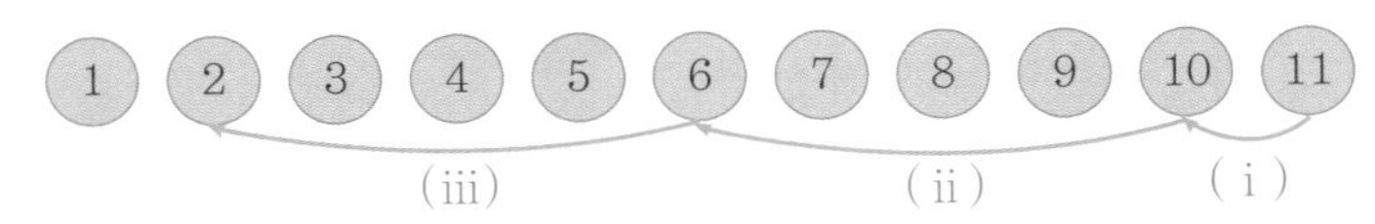

(i) 11번 구슬을 가져가면 지게 되므로 내 차례에 10번 구슬을 가져와야 합니다.

(ii) 10번 구슬을 가져오기 위해서는 내 차례에 6번 구슬을 가져와야 합니다.
- → 이후 상대가 구슬 1개(7번)를 가져가면 내 차례에 구슬 3개(8, 9, 10번)를 가져옵니다.
- → 이후 상대가 구슬 2개(7, 8번)를 가져가면 내 차례에 구슬 2개(9, 10번)를 가져옵니다.
- → 이후 상대가 구슬 3개(7, 8, 9번)를 가져가면 내 차례에 구슬 1개(10번)를 가져옵니다.

(iii) 6번 구슬을 가져오기 위해서는 내 차례에 2번 구슬을 가져와야 합니다.
- → 이후 상대가 구슬 1개(3번)를 가져가면 내 차례에 구슬 3개(4, 5, 6번)를 가져옵니다.
- → 이후 상대가 구슬 2개(3, 4번)를 가져가면 내 차례에 구슬 2개(5, 6번)를 가져옵니다.
- → 이후 상대가 구슬 3개(3, 4, 5번)를 가져가면 내 차례에 구슬 1개(6번)를 가져옵니다.

내가 반드시 이기기 위해서는 먼저 시작하여 1, 2번 구슬 2개를 가져와야 합니다.

|답| 풀이 참조

03 |풀이|

예 님게임은 '게임의 순서', '한 번에 가져가는 구슬의 개수', '전체 구슬의 개수', '마지막 구슬을 가져가는 사람이 이기고 지는 것' 등의 규칙을 바꾸어 또 다른 님게임을 만들 수 있습니다.

|답안 예시|

규칙

- 사탕이 모두 15개 있습니다.
- 두 사람이 번갈아 가며 사탕을 1개에서 4개까지 가져갑니다.
- 마지막 사탕을 가져가는 사람이 이깁니다.
- 이긴 사람이 사탕을 모두 가집니다.